《马氏文通》辨正

邵霭吉 著

商务印书馆
2005年·北京

图书在版编目(CIP)数据

《马氏文通》辨正/邵霭吉著.—北京:商务印书馆,2005
 ISBN 7-100-04625-4

Ⅰ.马… Ⅱ.邵… Ⅲ.①汉语－语法－研究－古代②马氏文通－研究 Ⅳ.H141

中国版本图书馆 CIP 数据核字(2005)第 087238 号

所有权利保留。
未经许可,不得以任何方式使用。

本书为江苏省教育厅高校哲学社会科学研究基金项目

MǍSHÌWÉNTŌNG BIÀNZHÈNG
《马氏文通》辨正
邵霭吉 著

商 务 印 书 馆 出 版
(北京王府井大街36号 邮政编码100710)
商 务 印 书 馆 发 行
北 京 民 族 印 刷 厂 印 刷
ISBN 7-100-04625-4/H·1150

2005 年 12 月第 1 版 开本 850×1168 1/32
2005 年 12 月北京第 1 次印刷 印张 12 ⅞
印数 4 000 册
定价:22.00 元

目　录

自序……………………………………………………（1）

《马氏文通》拾误………………………………………（4）

《马氏文通》标点校勘…………………………………（157）

《马氏文通刊误》推敲…………………………………（187）

《马氏文通订误》校注…………………………………（225）

新版《马氏文通订误》校记……………………………（267）

《马氏文通札记》辨惑…………………………………（280）

《马氏文通读本》商榷…………………………………（302）

附录一　《马氏文通》版本叙录………………………（352）

附录二　《马氏文通》研究资料索引…………………（366）

自　序

我从教师改做编辑——高校学报编辑,一转眼已经十九个年头了。

十九年中,经我编辑的论文已有数千篇了。这使我想起了《庄子·养生主》上的庖丁,他十九年"所解数千牛矣",而他用了十九年的刀却好像新发于硎,他三年目无全牛,如今只以神遇而不以目视。要是让我也"以神遇而不以目视",那是做不到的。但十九年的审稿改稿,十九年的编排校对,十九年雕龙雕虫,却使我养成了咬文嚼字、评头评足的癖好。

我读《马氏文通》,常常想,假如这是一篇文稿,假如这是一本书稿,再假如我是它的责任编辑,我一定有很多话要说,一定有很多审稿意见要写。从谋篇,从布局,从遣词,从造句,从前后照应,从上下过渡,等等方面,我都有话要说。

吕叔湘先生曾经说过,一本语法书,起码要做到前后不自相矛盾,而《马氏文通》中则有很多自相矛盾者,前一卷的话跟后一卷的话矛盾,前一节的话跟后一节的话矛盾,甚至前一句话跟后一句话矛盾,这样的问题甚多。假如我做它的责任编辑,我一定要把这些问题指出来,一定要把它改一改。

孔子说"必也正名乎",《马氏文通》也说"首正名",还说"惟名义一正,则书中同名者必同义,而误会可免"。但《马氏文通》的术语定义(界说)却并没有做到准确而周密,往往只言部分,不及其余。一个术语,虽有界说在先,但随着论述的展开,它的内涵外延却被不断扩大,甚至用它去称呼与原来定义根本不相同的语法现象。假如我做它的责任编辑,我一定要请作者重新推敲这些定义,使它无懈可击。

《马氏文通》中有不少属于学术方面的论点和判断,还值得仔细推敲。但我们做编辑的,没有修改作者观点的权利。不过,假如我是它的责任编辑,我会一一列出来,加上我的看法,让作者去修改、去完善。《马氏文通》中还有不少不属于学术方面的问题,比如,用错了词,写错了字,我可能要随手帮助作者改正。例如术语"读",书中出现有数百次,可也有几处写成"豆"。虽说"豆"与"读"通,但为了读者阅读的方便,我们还是应当把它统一起来。还有,"起词"有几处写成"起辞","断词"有几处写成"断辞","无属动字"有几处写成"无主动字",等等,我们做编辑的是可以帮助改一改的。

但是,我们现在谁也没有资格修改《马氏文通》了。因为它不是一本书稿,而是一本图书,是一本出版了100多年的图书,甚至我们可以说它已是一本古籍。我们只能保持它的原来面貌,谁也无权修改历史。我们现在的任何一个人,都只能是《马氏文通》的读者,而不能是《马氏文通》的编辑。

作为《马氏文通》的读者,我读《马氏文通》已经有好多年了。每有所得,便写出文章发表,到如今,大大小小的已经发表了近40篇《马氏文通》论文,还在中国社会科学出版社出版了33万字的专著《〈马氏文通〉句法理论研究》。又申报获批了3个与《马氏文通》有关的省级科研课题，打算把《马氏文通》的方方面面仔仔细细地研究研究。本书是其研究成果之一。本书把马建忠《马氏文通》、杨树达《马氏文通刊误》、孙玄常《马氏文通札记》、吕叔湘、王海棻《马氏文通读本》等书当中似乎有点儿问题的地方提出来讨论讨论，以表示我——作为一个读者的编辑——的一些不同看法，说得不对的地方，希望得到语法学界、编辑学界同行的批评和指正。

著 者
2005年10月

《马氏文通》拾误

《马氏文通》的重要价值是毋庸多说的。孙中山《建国方略》中说:"中国向无文法之学,……自《马氏文通》出后,中国学者,乃始知有是学。"梁启超《论中国学术思想变迁之大势》说:"马眉叔建忠著《文通》……创前古未有之业。中国之有文典,自马氏始。"这样的评价足以说明问题。

一百多年来,中国的语法研究取得了长足的进步,《马氏文通》所开创的汉语现代语法学研究事业,已经十分繁荣,硕果累累。一百多年来的《马氏文通》研究也已经十分深入,特别是20世纪80年代以来,不断有专著出版,不断有论文发表,所以有人说,它已从一门隐学变成了一门显学。

《马氏文通》之伟大,不仅在于它是中国第一部系统研究汉语语法的书,而且还在于它揭示了古汉语的许多语法规律,其例句丰富,结构宏大,纲目清楚,令人赞叹。《马氏文通》的成就是谁也抹杀不了的。当然,作为第一部有系统的汉语语法著作,其存在的不足之处也是无法回避的。专门讨论《马氏文通》存在问题的书,首推杨树达的《马氏文通刊误》,刊正《马氏文通》中的论述360多条。后来又有徐昂的《马氏文通订误》,刊正《马氏文通》中的论述69条。校正《马氏文通》文字讹夺的则有章锡琛的《马氏文通校注》、吕叔湘、王海棻的《马氏文通读本》等书。在非专门订正《马氏文通》错误的其他专著和论文中,亦有不少讨论和批评。

我在阅读《马氏文通》的过程中,又随手勾出了一些自认为还可以讨论的地方,日积月累,也就有了不少条目,现整理出来。其中吸收了前贤时贤的一些研究成果,在此谨表示深深的谢意。不妥之处,敬祈方家给予批评。

一、《正名卷之一》拾误

凡字有事理可解者曰实字。无解而惟以助实字之情态者曰虚字。(商务印书馆 2000 年"商务印书馆文库"本《马氏文通》第 19 页,吕叔湘、王海棻《马氏文通读本》2000 年版第 48 页,章锡琛《马氏文通校注》1988 年版第 1 页,以下本书分别简称为:"文库"本,《读本》,"校注"本)

今以诸有解者为实字,无解者为虚字,是为字法之大宗。("文库"本第 20 页,《读本》第 49 页,"校注"本第 2 页)

[按]以"有解"、"无解"来区别实字、虚字,是不妥的。因为无论是实字还是虚字,它们都是"有解"的。比如介字"于"、"以"、"与"、"为"、"由"、"用"、"微"、"自",连字"而"、"则"、"然而"、"然则"、"虽"、"纵"、"若"、"苟",助字"也"、"矣"、"焉"、"乎"、"哉"、"耶"、"欤"等,没有哪一本字典、词典未对它们做出解释。

有人认为,虚词没有词汇意义,仅有语法意义。其实语法意义也就是这些词的"词义"。词是最小的有音有义、能够自由运用的造句单位。如果它没有词义,它就不是一个词。汉语的字大多数都是一个单音节词,都是有词义可解的。

在《马氏文通》之后,有不少语法著作也曾沿用以"有解""无解"来区分实词、虚词的做法,但都不很成功。特别是代词、副词、叹词,有的认为它们是实词,有的认为它们是虚词,王了一《汉语语法纲要》认为代词是"半实词",副词是"半实词",杨树达《马氏文通刊误》中认为介字、连字是两种"半实半虚字"。

词类是词的语法分类,分类的标准只能是词的语法功能。从语法功能上来看,凡是能充当句子的主、谓、宾、定、状、补等成分的词是实词,不能充当句子的这些成分的词是虚词。语法功能是区分实词、虚词的惟一可靠的标准。翻阅往籍,往往以"所"、"攸"、"其"、"斯"、"凡"、"曰"、"孰"、"得"诸有解者,与夫"盖"、"则"、"以"、"而"诸无解者同科,又以"何"、"必"、"未"、"无"、"是"、"非"诸有本义者,等诸"于"、"虽"、"及"、"矣"、"焉"、"哉"、"乎"、"也"诸无义者之字。互相混淆,不可枚举。("文库"本第19页,《读本》第48页,"校注"本第1页)

[按]马氏把"盖"、"则"、"以"、"而"称为"无解者",又把"于"、"虽"、"及"、"矣"、"焉"、"哉"、"乎"、"也"称为"无义者之字",不妥。

许慎《说文解字》就已解释了作为虚词的"矣"、"哉"、"乎":"矣,语已词也。""哉,言之间也。""乎,语之余也。"其余虚字,大多因为假自实词,《说文解字》都解释了它们的实词义。

现在的字典、词典，则无一例外的解释了"盖"、"则"、"以"、"而"、"于"、"虽"、"及"、"矣"、"焉"、"哉"、"乎"、"也"等字（词）的虚词义。如《辞海》《辞源》《新华字典》《现代汉语词典》《现代汉语规范词典》等。

《马氏文通》自己也说："字各有义。"（"文库"本第23页）

总之，"盖"、"则"、"以"、"而"、"于"、"虽"、"及"、"矣"、"焉"、"哉"、"乎"、"也"等字，既不是"无解"的，也不是"无义"的。

界说三：凡实字用以指名者，曰代字。（"文库"本第20页，《读本》第50页，"校注"本第3页）

[按]此定义不够全面。《马氏文通》卷二指出："代字共别为四宗：曰指名代字，曰接读代字，曰询问代字，曰指示代字。""指名"只是代字四宗之一。

《孟·告上》："为此诗者，其知道乎！"——"此"字指前引《鸱鸮》之诗。（"文库"本第20页，《读本》第50页，"校注"本第4页）

[按]"此诗"二字指前引《鸱鸮》之诗，单独一个"此"字不指前引《鸱鸮》之诗。

界说九：凡虚字用以煞字与句读者，曰助字。（"文库"本第23页，《读本》第53页，"校注"本第7页）

[按]说助字煞"句读"可以，说助字"煞字"不妥。"句读"是语言的使用单位，动态单位。助字（只相当于今之"语气助词"）表示句子和小句的语气，语气助词附着于句子和小句。字（即今之"词"）是造句单位，是静态单位，说语气助词附着于"字"，欠妥。

《论·公冶》:"回也闻一以知十,赐也闻一以知二。"又《学而》:"巧言令色,鲜矣仁。"又《泰伯》:"焕乎其有文章。"——"也""矣""乎"三字,今以助一字而已。("文库"本第23页,《读本》第54页,"校注"本第8页)

[按]"也""矣""乎"三个语气助词,是句子层面上的附着成分,"也"附着于主语(起词),"矣""乎"附着于谓语,"鲜""焕"在《马氏文通》中是表词。

字类凡九,举凡一切或有解,或无解,与夫有形可形、有声可声之字胥赅矣。("文库"本第23页,《读本》第54页,"校注"本第8页)

[按]《马氏文通》的"字",在今天该叫做"词",都是"有解"的,有词义的,没有"无解"的"字"。

故字类者,亦类其义焉耳。("文库"本第23页,《读本》第55页,"校注"本第8页)

[按]字类,即今之"词类",是词的语法分类,是根据词的句法功能划分出来的类,不是纯粹根据字的意义划分出来的,不能说"亦类其义焉耳"。

字无定义,故无定类。("文库"本第24页,《读本》第55页,"校注"本第9页)

[按]说"字无定义"是不对的。"字"总有一个或几个确定的"字义"。此前《马氏文通》曾经说过:"字各有义"("文库"本第23页),又说:"字有一字一义者,亦有一字数义者。……凡字之有数义者,未能拘于一类,必须相其句中所处之位,乃可类焉。"("文库"本第23页)

说字"无定类"也是不对的。根据"字"的句法功能来区分字类,可以说,"字"是有"定类"的。

"语"者,所以言夫起辞也。语字之义虽泛,而一切可赅焉。("文库"本第24页,"校注"本第10页)

[按]"起辞"术语不妥。其实"起辞"即"起词",宜统一用"起词"。查《马氏文通》全书,"起词"术语共使用616次,"起辞"仅用3次。吕叔湘、王海棻《马氏文通读本》已将其中两处改为"起词"。

凡句读必有起语两词。("文库"本第24页,《读本》第56页,"校注"本第10页)

[按]此说法过于绝对化。《马氏文通》后来多处讲到句读的起词、语词可以省略,省略以后的句读就不同时具有"起语两词"。

《马氏文通》卷十还讲过一种句子本来就没有起词。它说:"无属动字,本无起词,'有''无'两字,间亦同焉。"("文库"本第390页)《马氏文通》卷五指出:"'有'字往往无起词,不仅书天变也。前论'有''无'二字已详,兹不重赘。"("文库"本第189页)还说:"'有''无'两字,用法不一,有有起词有止词者,有有起词而止词则隐见不常者。若记人物之有无,而不明言其为何者所有、何者所无,则有止词而无起词者常也。"("文库"本第177页)

句之成也,必有起语两词也明矣。盖意非两端不明,而句非两语不成。("文库"本第25页,《读本》第56—57页,"校注"本第10页)

[按]其不妥同上。

《孟·滕下》:"仲子所居之室,伯夷之所筑与?抑亦盗跖之所筑与？所食之粟，伯夷之所树与？抑亦盗跖之所树与？"——共六读，而"仲子所居之室"以及"所食之粟"两读为起词，馀皆表词也。（"文库"本第29页，《读本》第63页，"校注"本第18页）

[按]把"仲子所居之室"以及"所食之粟"分析为两读，不妥。应为"两顿"，两个偏次之顿。"仲子所居"和"所食"是两读，居偏次，"室"和"粟"居正次。偏正两次之间以"之"字连之。

《孟·滕下》："士之失位也，犹诸侯之失国家也。"——"犹"至"也"为读，此以"诸侯之失国"比"士之失位"，皆谓"比读"，乃"状读"中之一也。（"文库"本第30页，《读本》第64页，"校注"本第18页）

[按]"皆谓"二字不妥，只有"犹诸侯之失国家也"为比读，是一个比读，不能说"皆谓'比读'"，只能说"是谓'比读'"。

比读皆后置，不若他读概置于前。（"文库"本第30页，《读本》第64页，"校注"本第19页）

[按]除比读外，他读并非"概置于前"。一些记容之读也"后置"，如：《左传·宣公十四年》云："楚子闻之，投袂而起，屦及于窒皇，剑及于寝门之外，车及于蒲胥之市。"《马氏文通》分析说："屦及于窒皇""剑及于寝门之外""车及于蒲胥之市"是"三读，所以记楚子急遽之容也"。（"文库"本第422—423页）这三个"言容之读"就是后置的。

凡起词必先乎语词。（"文库"本第30页，《读本》第64页，"校注"本第19页）

[按]此语过于绝对。《马氏文通》曾不止一次地讲起词

可以后乎语词,即所谓"倒文"。如卷三象二:"系一 咏叹语词,率先起词。"《马氏文通》在分析《论语·泰伯》"大哉尧之为君也!"一句时说:"'大哉',语词,'尧之为君也',起词,而反后焉。"("文库"本第393页)

语词而为外动字也,则止词后焉。("文库"本第30页,《读本》第64页,"校注"本第19页)

[按]此语不够辩证。《马氏文通》认为,有些止词可以在外动字之前。

语词而为表词也者,亦必后乎起词。("文库"本第30页,《读本》第64页,"校注"本第19页)

[按]此语过于绝对,表词也可以先于起词。《马氏文通》卷二中有不少表词在前、语词在后的句子,如《晋语》:"孰是人斯而有是臭也?"《马氏文通》分析说:"'孰'为表词,犹云'是人谁也而有此'也,故在主次。"("文库"本第72页)又《汉·贾谊传》:"何三代之君有道之长,而秦无道之暴也?"《马氏文通》分析说:"'何'字亦表词,置于前耳,犹云'三代之君有道之长而秦无道之暴者是何也'。"("文库"本第73页)《马氏文通》卷十象二:"系二,'何'字询问,有先起词者,惟为表词则然。"("文库"本第393页)以上皆表词先于起词。

凡状词必先其所状。……读……用若状词者,亦必先其所状;不先者,惟以为所比之读耳。("文库"本第30页,《读本》第64页,"校注"本第19页)

[按]前言"必先其所状"与后语"不先者"相矛盾。前言"必先其所状",就是说没有不"先其所状"的,但后面说有"不

先(其所状)者",就自己否定了前面的话。这说明,"凡状词必先其所状"的说法有片面性。

天偏次下偏次,"天"之正次君王两正次,犹云"天之下之君王","众矣"之起词至于并作介字用贤人,介字司词众矣。表词("文库"本第 31 页,《读本》第 65—66 页,"校注"本第 20 页)

[按]说"众矣"为"表词",不妥,"众"为"表词","矣"为助字。

可语词,其起词承上文,即"夫子"谓动字,附于"可"字至圣矣。表词("文库"本第 31 页,《读本》第 66 页,"校注"本第 21 页)

[按]说"至圣矣"为"表词",不妥,"至圣"为"表词","矣"为助字。

二、《实字卷之二》拾误

顿者,集数字而成者也。盖起词、止词、司词之冗长者,因其冗长,文中必点断,使读时不至气促。("文库"本第 41 页,《读本》第 83 页,"校注"本第 35 页)

[按]"顿者,集数字而成者也"提法欠妥。因为《马氏文通》中还认为一个字也可以是"顿",如"'然'字一顿"("文库"本第 311 页、第 312 页),"'礼',只字一顿""'仪',总冒一顿"("文库"本第 404 页)等,这样,"顿"就不一定是"集数字而成者"。另外,"集数字而成者"也不一定是"顿",它也可以是"读"是"句",《马氏文通·例言》中说:"句读,集字所成者也"。

"之"在"为"字后有偏次之解,其它动字后,则"之"为偏次者仅矣。……《庄·逍遥游》:"覆杯水于坳堂之上,则芥为之舟。"——犹云"则芥可为水之舟"也。设改作"则芥为舟焉"亦通。"焉"者,代"于此"也,故"之"字应作转词,详后。前引"吾不徒行以为之椁"句,"之"亦转词也。……《史·项羽本纪》:"项王乃疑范增与汉有私,稍夺之权。"——犹云"夺其权"也。然此"之"字可作转词解。("文库"本第 48 页,《读本》第 93—94 页,"校注"本第 44—45 页)

[按]这里对"为之舟"、"为之椁"、"夺之权"中的"之"字给出了两种分析,不妥。既然说"为之舟"、"为之椁"是"'之'在'为'字后有偏次之解","夺之权"是"之"在"其它动字后"为偏次,那么这三个"之"字就不是"转词",如果说这三个"之"字是"转词",它就不是"偏次",什么"亦通"、"可作",是让人无所适从的话。

《马氏文通》卷四论外动字之转词,曾讲到"遗之牛羊"、"与之天下"、"与之粟"、"赐之酒"、"示之背"、"分之都城"、"与之块"、"授之柄"中的"之"字为转词,但这些"之"字都不能解释为"其"字作偏次,把这些"之"字分析为转词是有道理的。

从总体上来看,马氏把"则芥为之舟"解释为"则芥可为水之舟",把"夺之权"解释为"夺其权",而且是放在讲"之"字作偏次的段落里头讲,因此把"之"字解释为偏次是顺理成章的,说"之"亦为"转词"是画蛇添足。

(指名代字)"其"为读之主次者,或其读为一句之起词,或为一句之止词,或其读有连字而词气未全者。至承接之读,则"其"字仍居主次,而为接读代字,非此例也。……读为一句之止词,而"其"字为其主次者。《孟·梁上》:"王若隐[其无罪而就死地],则牛羊何择焉?"——"其无罪而就死地",读也,而为"隐"之止词。……"其"字主次。《孟·滕下》:"虽日挞而求[其齐]也,不可得矣。"——"其齐也"乃"求"之止词,而"其"字主之。《孟·万上》:"亲之欲[其贵]也,爱之欲[其富]也。"——"其贵""其富",乃"欲"之止词。……韩《与崔群书》:"人无贤愚,无不说[其善],伏[其为人]。"——"其善""其为人",皆止词之读也。又:"青天白日,奴隶亦知[其清明]。"——"其清明","知"之止词。又《上宰相书》:"则将大声疾呼而望[其仁之]也。"——"其仁之也","望"之止词。《赵策》:"且秦无已而帝,则且变易诸侯之大臣,彼将夺[其所谓不肖],而与[其所谓贤],夺[其所憎],而与[其所爱]。"——四"其"字皆读之主次,而四读皆止词也。《左·僖二十三》:"及曹,曹共公闻[其骈胁],欲观[其裸]。浴,薄而观之。"——两"其"字读之主次,而为"闻"字"观"字之止词。《赵策》:"媪之送燕后也,持其踵为之泣,念悲[其远]也,亦哀之矣。"——"其远也","悲"之止词。("文库"本第50—51页,《读本》第96—98页,"校注"本第47—48页)

[按]"承接之读"在《马氏文通》中仅此一见,而且又没有定义,因而什么是"承接之读",以及"承接之读中'其'为读之主次"跟"指名代字'其'为读之主次"两者有什么区别,就无法看出来。

《马氏文通》中还有"承读"一语,指的是作宾语的主谓短语(或动词性短语),共53见。《马氏文通》的解释是:"凡动字之在句读,有散动为承者,概为坐动。使散动之行与坐动之行同为起词所发,则惟置散动后乎坐动而已。夫如是,与助动无异。或不然,而更有起词焉以记其行之所自发,则参之于坐、散两动字之间而更为一读,是曰承读。"

如果"承接之读"就是"承读",那么我们觉得,"承读中'其'为读之主次"跟"指名代字'其'为读之主次"是没有什么区别的。请看以下6例"承读"(引文中我们用[ ]表示"承读"):

《孟·万上》:"吾闻[其以尧之道要汤],未闻以割烹也。"——"其以尧舜之道要汤"八字,承读,以记耳闻之事也,"其"字为"要"字起词。("文库"本第213页)

凡动字言官司之行者,如耳闻、目见、心知、口述之类,则有承读以记所闻、所见、所知、所述之事者,常也。……《左·僖三十二》:"吾见师之出而不见[其入]也。"("文库"本第213页)

《左·庄十》:"吾视[其辙乱],望[其旗靡],故逐之。"……诸所引坐动,皆记官司之行,而后皆以承读承之也。("文库"本第214页)

《左·昭三十》:"初而言伐楚,吾知其可也,而恐[其使余往]也,又恶人之有余之功也,今余将自有之矣,伐楚何如?"——一"恐"字,一"恶"字,后各有承读。("文库"本第215页)

《庄·齐物论》:"夫吹万不同而使[其自己]也。"——"使"字后承读用"其"字者不常。("文库"本第

217页)

　　陈苍者,候[其始请月俸](承读),常往称其钱帛之美,月有获焉。("文库"本第440页)

　　两相对比,可知指名代字"其"为读之主次,与"承读"中"其"字居主次没有什么不同。

指名代字,除"之"、"其"两字外,有"此"、"是"、"斯"、"兹"四字,各指前词,而人已无分,且主、宾、偏三次胥位焉。("文库"本第52页,《读本》第101页,"校注"本第51页)

　　[按]"此"、"是"、"斯"、"兹"四字,作主次、宾次用时,有代替名字之作用,是"指名代字";作偏次用时,只有指别作用,无代替名字之作用,是"指示代字"。马氏这里将这三种用法(居主、宾、偏三次)的"此"、"是"、"斯"、"兹"四字统称作"指名代字",不甚妥当。

《马氏文通》后来讲"指示代字"时,讲"前置于名"(即作偏次)的"此"字、"是"字为"指示代字"中的"特指代字"("文库"本第80—82页),是对的。

　　(指名代字)"是"字用于偏次者,凡书皆有。《孟·梁上》:"是心足以王矣。"又《公下》:"予岂若是小丈夫然哉。"《汉·高帝纪》:"是日,车驾西都长安。"——"是"附于名,皆有指示之意。("文库"本第53页,《读本》第103页,"校注"本第52页)

　　[按]"是"字用于偏次,是"指示代字"用法,非"指名代字"。马氏说它是"指名代字"而"有指示之意",是自乱其例。

　　(指名代字)"此"字用于偏次者:《孟·梁上》:"此心之所以合于王者何也?"又《公上》:"惟此时为然。"又:"今此下民。"——凡

"此"皆指上文之物,或当前可指之事也。("文库"本第54页,《读本》第103页,"校注"本第52页)

　　[按]"此"字用于偏次,是"指示代字"用法,非"指名代字"。马氏说是"指名代字"而用于偏次,是自乱其例。

《礼·檀弓》:"君之臣免于罪,则有先人之敝庐在,君无所辱命。"《左·成二》:"能进不能退,君无所辱命。"《公·襄二十七》:"无所用盟,请使公子鱄约之。"——高邮王氏以"所"字为语助解,不知"无所辱命"者,即"无辱命焉","焉","于此"也,"所"代"于此"者,以转词在先,"于"字可省故也,其例详后。故"所"在"无"后,为止词与为转词,其义判然也。("文库"本第65页,《读本》第123页,"校注"本第69页)

　　[按]"'所'代'于此'者,以转词在先,'于'字可省故也"一句不好理解。但从"故'所'在'无'后,为止词与为转词,其义判然也"一句来看,马氏是说这里几例"无所……"的"所"字是"转词"。说"所"字是"转词",马氏用的是"换字解经"的方法,先把"所"字换成"焉"字,再把"焉"字换成"于此",从而得出"所"代"于此","所"为"转词"的观点,这种方法不可取。而且,"所"为"转词"这一观点,也实在叫人难以接受,《马氏文通》说"其例详后",可其他章节也没有讲"所"为"转词"。"其例详后"可能只是说"'于'字可省",而非"所"为"转词"。

《史·萧相国世家》:"谁可代君者?"——犹云"可代君之人是谁",问词,故倒文也,详后。"可代君者"句之起词也。("文库"本第66页,《读本》第124页,"校注"本第70页)

　　[按]马氏认为"谁可代君者"为"倒文",无充分理由。其

实,没有必要把它分析为倒文,完全可以认为它是正常语序。不过,要是认为它是正常语序,那么,哪个是起词哪个是表词,就不能这么分析了。

六、用若加语者……("文库"本第 66 页,《读本》第 124 页,"校注"本第 70 页)

用如加语者。加语者,前有名、代诸字,后续他语以表名、代之为何若也,义若静字者然。("文库"本第 69 页,《读本》第 129 页,"校注"本第 74 页)

[按]此处三言"加语",其实"加语"即"加词",不应多立名目。

"加词"在《马氏文通》中共 24 见,主要指两种情形,一是"凡名、代、动、静诸字所指一,而无动字以为联属者,曰加词。"("文库"本第 106 页)这种意义(或近似于这种意义的)的"加词"共 18 见;一是"介字与其司词统曰加词,所以加于句读以足起语诸词之意。"("文库"本第 28 页)这种意义(或近似于这种意义的)的"加词"共 5 见。此外,还有一处"加词"语义不甚清晰,可能前面两者都可包括。

在《马氏文通》中,"加语"一语共 4 见。这里 3 见,意义同于"加词"的前一种;另一例说"记时之加语"("文库"本第 180 页),可归为"加词"的后一种。

用如加语者。……《史·信陵君列传》:"于是公子立自责,似若无所容者。"——此一读记公子之容也。("文库"本第 69 页,《读本》第 129 页,"校注"本第 75 页)

[按]马氏在这里把"似若无所容者"分析为"加语"(加

词),与前后例不类。《马氏文通》说:"加语者,前有名、代诸字,后续他语以表名、代之为何若也,义若静字者然。"而且前面的名、代诸字与"后续他语"应该中间没有间隔。这里的"似若无所容者"与前文中名字"公子"之间有"立自责"相阻隔,不是"前有名、代诸字,后续他语以表名、代之为何若也",因而不宜分析为"加语"(加词)。《马氏文通》在其他章节常把这样的句子分析为"句＋比读",如卷十分析韩愈《郑公神道碑文》"公与宾客朋游饮酒,必极醉,投壶博弈穷日夜,若乐而不厌者"时,把"投壶博弈穷日夜"分析为"句",把"若乐而不厌者"分析为"比读"("文库"本第427页)。这里也应这样分析。

"谁"字惟以询人。("文库"本第71页,《读本》第132页,"校注"本第77页)

[按]"谁"字也可以询事物。王海棻(1981)《〈马氏文通〉代字章述评》指出:"'谁'询事物也不乏其例。"所举的例子如:

(1)子墨子曰:"吾将上太行,驾骥与羊,子将谁驱?"(《墨子·耕柱》)

(2)予之不祥者谁也？则天也。(《墨子·天志》)

(3)夫是谁之故也？非惟旧怨乎？(《国语·楚语》)

"谁"字……在偏次,其后概加"之"字。("文库"本第71页,《读本》第132页,校注第77页)

[按]"谁"字在偏次也可不加"之"字。王海棻(1981)《〈马氏文通〉代字章述评》曾经指出这个问题,并列举7个用

例。例如：

(1)社稷五祀，谁氏之五官也？（《公羊传·昭公二十五年》）

(2)韩取聂政尸于市，县购之千金，久之，莫知谁子。（《战国策·韩策二》）

(3)骖马，谁马也？（《战国策·宋卫策》）

"孰"字人、物并询，其用则主次多于宾次，而未见其在偏次者。（"文库"本第72页，《读本》第133页，"校注"本第78页）

［按］"孰"字也可用在偏次。王海棻(1981)《〈马氏文通〉代字章述评》指出："'孰'在偏次，固不多见，但并非没有。"例如：

(1)孰君而无称？（《公羊传·昭公二十五年》）

(2)孰王而可叛也？（《吕氏春秋·行论》）

《史·淮阴侯列传》："今大王诚能反其道，任天下武勇，何所不诛？以天下城邑封功臣，何所不服？"——犹云"诚如此，所不诛者尚何人也？所不伏者尚何人也？""何"字一字成句，而为表词。（"文库"本第73页，《读本》第135页，"校注"本第80页）

［按］"何"字"一字成句"，不通。"成句"二字疑衍。

《论·颜渊》："何哉，尔所谓达者？"——犹云"尔所谓达者何意"云。"何哉"先置，亦表词也。（"文库"本第73页，《读本》第135页，"校注"本第80页）

［按］不宜说"何哉"为"表词"，只能说"何"是表词，"哉"是助字。

《孟·万(滕)下》："如不待其招而往何哉？"——犹云"如不招

而往则何义之可取"也。"何哉"后置,亦有表词之义。("文库"本第73页,《读本》第135页,"校注"本第80页)

[按]不宜说"何哉"为"表词",只能说"何"是表词,"哉"是助字。

他如"何也"用如表词者,是书皆有,其起词概为读耳。("文库"本第73页,《读本》第136页,"校注"本第80—81页)

[按]不宜说"何也"用如"表词",只能说"何"是表词,"也"是助字。

《史·项羽本纪》:"白起为秦将,南征鄢郢,北坑马服,攻城略地,不可胜计,而竟赐死。蒙恬为秦将,北逐戎人,开榆中地数千里,竟斩阳周。何者?功多,秦不能尽封,因以法诛之。"——犹云"诸将有功于秦而卒死是何故"云。故"何者"用如表词,以诘其事之故也。……《史·田齐世家》:"中国白头游敖之士,皆积智欲离齐秦之交,伏式结轶西驰者,未有一人言善齐者也,伏式结轶东驰者,未有一人言善秦者也。何则?皆不欲齐秦之合也。"——此"何"字亦表词也。犹云"上言如是是何也","则"字以下,申言其故。经生家皆以"何则"二字连读,愚谓"何则"二字,亦犹"然而"两字,当析读,则"则"字方有著落。且"则"字所以直接上文,必置句读之首,何独于此而变其例哉?("文库"本第73—74页,《读本》第135—136页,"校注"本第80—81页)

[按]此两例中,"何者"与"何则"用法同。但马氏在前一例的分析中说"何者"用如表词,在后一例的分析中说"何则"中的"何"字用如表词,说法不同,不甚妥当。

马氏批评经生家"何则"二字连读之说,说"何则"二字当析读,非。又说"然而"两字当析读,亦非。"何则"、"然而"都应该连读。

"何如"与"何若"用意相似,用如表词。《史·留侯世家》:"汉王方食,曰:'子房前,客有为我计桡楚权者。'具以郦生语告于子房,曰:'何如?'"——此"何如"者,问其计是何计也。又《张耳陈余列传》:"始吾与公言何如?今见小辱而欲死一吏乎?"——"何如"者,问其言是何言也。《论·公冶》:"臧文仲居蔡,山节藻棁,何如其知也!"——怪其知是何知也。三引"何"字,皆表词也。("文库"本第74页,《读本》第137页,"校注"本第81页)

[按]先说"何如"二字"用如表词",后说"何"字一字为"表词也",前后抵牾。

逐指代字惟"每""各"二字,其用不同。"每"字概置于名先,"各"字概置于其后。("文库"本第78页,《读本》第144页,"校注"本第88页)

[按]"'每'字概置于名先"说法欠妥。"每"字不仅可用于名字之先,亦可用于动字之先。《马氏文通》说:"'每'、'各'二字而为宾次,先所宾者常也。"接下去举例中有《史·冯唐传》:"今吾每饭未尝不在钜鹿也。"《马氏文通》分析说:"'每'字附'饭',犹云'每次饭时'也,则'饭'字可作动字观。如为名,则'每饭'先置者记时也,非以其为宾次之故,不可不辨。"("文库"本第79页)

"'各'字概置于其后"语义含糊,容易被人误解为:"各"字概"置于名后",但这不是马氏原意,因为马氏接着所举的9个例句中,"各"字皆置于动字、名字之前,而非"置于名后":

(1)《论·公冶》:"盍各言尔志。"

(2)《史·五帝本纪》:"至长老皆各往往称黄帝尧舜之处。"

(3)《汉·霍光传》:"各自有时。"

(4)《史·游侠列传》:"不可者各厌其意。"

(5)韩《淮西事宜状》:"今若分为四道,每道各置三万人。"

(6)《史·周勃世家》:"最从高帝得相国一人,丞相二人,将军二千石各三人。"

(7)又《匈奴列传》:"岁奉匈奴絮缯酒米食物各有数。"

(8)又:"赤绨绿缯各四十匹。"

(9)《赵策》:"破赵则封二子者各万家之县一。"

马氏所举的这些例句,很难一眼看出"'各'字概置于其后"的意思。

考马氏之意,可能他想说的是:在"每"、"各"同用时,"各……"在"每……"之后,如例(5)的"每道各置……"。由于他没有说出"'每'、'各'同用时"这样一个前提,所以使人误解。

《论·公冶》:"盍各言尔志。"——"各言"者,"每人言"也。"各"字单用,而在主次。……《史·游侠列传》:"不可者各厌其意。"——"各"在宾次,而位先动字。("文库"本第79页,《读本》第145页,"校注"本第89页)

[按]"各言尔志"与"各厌其意"是相同的结构,说"各言

尔志"中的"各"为"主次",说"各厌其意"中的"各"为"宾次",费解。

(指示代字)所指而有远近先后之别者,别以"彼"、"此"二字,单用为常。《史·酷吏列传序》:"由是观之,在彼不在此。"——"彼"、"此"指前文所言远近两端也。《汉·司马相如传》:"陛下患使者所司之若彼,悼不肖愚民之如此。"——"彼"、"此"二字所指,亦在上文所言先后二事。《史·秦楚之际月表序》:"以德若彼,用力如此,盖一统若斯之难也。"——所指同上。《孟·尽下》:"在彼者皆我所不为也,在我者皆古之制也。"——"彼"、"我"亦犹"彼"、"此",接指上文,次其先后也。《秦策》:"息壤在彼。"——"彼"字单用,明指以前盟地,非如指名代字仅指所为语者,故列于此。("文库"本第82页,《读本》第151页,"校注"本第93—94页)

[按]《马氏文通》曾说"彼""此"是"指名代字",这里又说"彼""此"是"指示代字",不妥。笔者觉得,似乎可以根据这些字的句法功能来作区分,"彼""此"等字,它们单独作起词、止词或介字后司词时,是指名代字;它们用作偏次时,是指示代字。如果这样,上面几句中的"彼""此"等字就不是指示代字,而是指名代字了。

《孟·尽下》:"众皆悦之。"——"众"字亦约指代字也,"皆"重指之。余与上同。("文库"本第84页,《读本》第153页,"校注"本第95页)

[按]《马氏文通》说"众"字是"约指代字",不妥。本例中,"皆"是约指代字,"众"字不是"约指代字"。

《马氏文通》的约指代字共有两种,马氏说:"约指代字又分两种：一，后乎名、代诸字而以之重指者，……二，后乎名、代诸字而为其分子者。"（"文库"本第 83—84 页）第一种即后来人称为范围副词的"皆、都、咸、尽、遍"等，第二种即后来人称为"无指代词"的"无、有、莫、或、多"等。两种约指代字的共同特征是"后乎名、代诸字"，而"众皆悦之"的"众"字不具备这一特征，它是名字。

《汉·叔孙通传》："诸言盗者皆罢之。"——"诸言盗者"接读代字也，"皆"字后之，同在宾次，而为"罢"字止词。（"文库"本第 84 页，《读本》第 153 页，"校注"本第 96 页）

[按]此处说"诸言盗者"为"接读代字"，不妥。"者"字是接读代字，"言盗者"是由接读代字"者"与"言盗"组成的"读"，可称为"'者'读"或"'者'字之读"。在"诸言盗者"中，"诸"字又是修饰"言盗者"的。

至"凡"、"虑"与"大凡"、"大抵"、"大要"、"大归"以及"亡虑"、"都计"诸字，皆用以为总括之辞，亦可列诸约指代字。（"文库"本第 86 页，《读本》第 156 页，"校注"本第 99 页）

[按]这些词，一般都是限制其后动词短语的，不宜看作"约指代字"。《马氏文通》论"约指代字"说："约指代字又分两种：一后乎名代诸字而以之重指者，则与所指名代之字同次，盖重指者必与所指相同也。二后乎名代诸字而为其分子者，则常在正次，盖分子正次，分母偏次，乃约分之例也。"以上所说的"凡"、"虑"、"大凡"、"大抵"、"大要"、"大归"、"亡虑"、"都计"诸字，都不属于上述两类，也不"后乎名代诸字"，既非"以之重指"，又非"为其分子"，所以不宜看作"约指代

字"。不然的话,就不要说"约指代字又分两种",而说约指代字有三种或更多。

笔者觉得,"凡"字,以及前面论说的"诸"字,一般用于名字或名字性质的短语之前,与"指示代字"用法同,可定为"指示代字"。"大抵"、"大要"、"大归"等字,一般用于动字或动字性质的短语之前,用法与状字同,宜归为状字,杨树达《马氏文通刊误》亦指出"大抵"、"大要"、"大归"等是状字。

三、《实字卷之三》拾误

次者,名代诸字于句读中应处之位也。次有四:曰主次,曰偏次,曰宾次,曰同次。("文库"本第89页,《读本》第161页,"校注"本第103页)

[按]说"次有四:曰主次,曰偏次,曰宾次,曰同次",不妥。应说"次有六",因为除了这里所说的四个次以外,还有"正次"和"前次"。

《马氏文通》在卷一就给"正次"作了"界说",为什么在这里又把"正次"排斥在"次有四"之外呢?

本卷中还多次谈到"前次",它是与"同次"相对的"次",为什么又把"前次"排斥在"次有四"之外呢?

"次有四",加上"正次""前次",这样就是"次有六"了。

正确的说法是:"次有六"。六个"次"分为三对:"主次""宾次"是一对,"偏次""正次"是一对,"前次""同次"是一对。

间有名字不为表词起词而归入主次者,有三:一、凡呼人对语者……《史·李将军列传》:"霸陵尉醉,呵止广。广骑曰:'故李将军'。"——"故李将军"者,乃应对之名,犹云"来者为谁,应之曰,乃故李将军也"。盖表词也。("文库"本第89页,《读本》第161页,"校注"本第104页)

[按]本例是"凡呼人对语者"一节中的例句,但它不是"呼人对语者",与其他例不同。其他例都是"呼人对语"时所呼对方的名字,如《史·留侯世家》:"孺子,下取履!"句中的"孺子",而"故李将军"不是所呼对方的名字。此外,"故李将军"是句中的表词,马氏说它"盖表词也",因而也就不是"呼人对语"时所呼对方的名字。

偏次字奇而正次字偶者……《孟·滕上》:"子之兄弟,事之数十年。"又:"夫夷子信以为人之亲其兄之子,为若亲其邻之赤子乎?"又《公下》:"今有受人之牛羊而为之牧之者。"又《万上》:"太甲颠覆汤之典刑。"又《梁下》:"问国之大禁。"——诸所引"子之兄弟"、"邻之赤子"、"人之牛羊"、"汤之典刑"、"国之大禁",皆参"之"字以四焉。("文库"本第93页,《读本》第167页,"校注"本第110页)

[按]解说语从"为若亲其邻之赤子乎"中提取"邻之赤子",不妥,因为"其"是"邻"的定语,不应丢掉,应为"其邻之赤子",因而不是"参'之'字以四焉"的"偏次字奇而正次字偶者",与"子之兄弟"、"人之牛羊"、"汤之典刑"、"国之大禁"等"参'之'字以四焉"的"偏次字奇而正次字偶者"不同。"其邻之赤子"是"正偏两次皆偶者"。(参见李葆嘉《马氏文通札记》辩

证")

记时之式有四：一、事成之时。二、既往之时。三、几时之久。四、未来之时。凡此四时，类无介字为先，故亦列于宾次。……经史记事，所在皆有，皆无介字为先，故以列于宾次。（"文库"本第98页，《读本》第175页，"校注"本第116—117页）

[按]总结语中"经史记事"四字，恐为"经史记时"之误，因本段是讲"记时"之四式的。

说"经史记事，所在皆有，皆无介字为先"不妥，因为下文还讲到了"有介字为先"的记时句式。（见"文库"本第100页："《庚桑楚》：'吾语女，大乱之本，必生于尧舜之间。'"《马氏文通》分析说："'尧舜之间'，记时，……更以介字先之者。"）也就是说，经史记事记时，既有无介字为先的，也有有介字为先的。

凡名代诸字，所指同而先后并置者，则先者曰前次，后者曰同次。至前次、同次，或一名也，一代也，或皆名也，或皆代也，皆可。（"文库"本第102页，《读本》第181页，"校注"本第122页）

[按]此言为前次、同次的定义及解释语。定义中要求前次、同次是"名代诸字"，解释语中也说"或一名也，一代也，或皆名也，或皆代也，皆可"，我们可以把这看作是前次、同次的范围。但后来的论述中却又突破此界限，把静字、动字、"读"也分析为同次、前次。如"同次用如表词者"的第一式："凡静字用为表词者，亦在此例，盖与所表者同也"，第五式："凡静字先后动字以状起词者，应与起词同次"，把静字分析为同次；"同次用如表词者"的第二式："凡注解之句，概以'也'字

为煞者，其表词或为名字，或为一读，而其次必同乎起词"，"同次用如加语者"的第五式："起词止词后，凡系读以为解者，亦曰加词"，把"读"分析为同次；"同次用如加语者"的第六式："凡动字、名字历陈所事，后续代字以为总结者，亦曰加词"，把动字分析为前次或同次。

凡"封"、"拜"、"传"、"称"诸动字后，概加"为"、"是"诸字，而后或用名字或用静字为表词，则其表词必有与为同次者。《史·陆贾传》："陆生卒拜尉他为南越王。"——"拜"字后"南越王"与"尉他"同次，此与前两节同义。盖所间"为"字，即用以决前后两词之为一也。又《汲郑列传》："乃召拜黯为淮阳太守。"——"淮阳太守"与"黯"同次。《汉·霍光传》："时年十余岁，任光为郎。"——"郎"与"光"同次。韩《乌氏庙碑》："壬辰，诏用乌公为银青光禄大夫，河阳军节度使，兼御史大夫，封张掖郡开国公。"——"为"字后一切官名，与"乌公"同次。（"文库"本第105页，《读本》第186—187页，"校注"本第127页）

[按]在"封（或'拜'、'传'、'称'）××为××"这类句式中，马氏把"为"字后面的成分分析为"表词"，不妥。因为"表词"是语词的一种，与起词相对，但此处所讲的表词都不是与起词相对的。

此处所讲的表词都与动字"封"、"拜"、"传"、"称"后面的成分相对，而照《马氏文通》体系分析，"封"、"拜"、"传"、"称"后面的成分应该是"止词"，居宾次，因此，此处所讲的表词都与前面的止词同次，居宾次，而不应分析为"表词"（表词居主次）。

史籍中往往用"以为"二字。"以为"……作"以此为彼"者,则"以为"二字可拆用,而"为"字先后两语必同次。……《晋语》:"晋国有难,而无以尹铎为少,无以晋阳为远,必以为归。"——"少"、"远"皆静字,可各与"尹铎"、"晋阳"同次。"必以为归"者,犹云"必以晋阳为所归之地","归"与"晋阳"同次。《燕策》:"不量轻弱,而欲以齐为事。"——"事"与"齐"字同次。《汉·冯唐传》:"景帝立,以唐为楚相。"——"楚相"与"唐"同次。("文库"本第105页,《读本》第187页,"校注"本第128页)

[按]这是"同次用如表词者"的第四式,马氏把这种"以×为×"式中"为"字后面的成分分析为"表词",也不妥。

前面已经讲过,"表词"是语词的一种,与起词相对,而此处所讲的表词都不是与起词相对的。

《马氏文通》认为,"以"字可分析为动字、介字,那么,它后面的成分就应该是止词,或司词了。无论是止词,还是司词,它们都居宾次。此处所讲的"表词"应该居"主次",却又与它前面的"宾次"同次,这怎么说得通呢?马氏的分析有不妥。

总之,动字之后,或名、代诸字,或静字,用如表词者,必与前词同次。("文库"本第106页,《读本》第189页,"校注"本第129页)

[按]分析前次、同次,应以"名代诸字所指同而先后并置者"为着眼点,不能以"动字之后"作为着眼点。把紧接于"动字之后"的名、代诸字,静字认为"同次",与同次的界说不符。把紧接于"动字之后"的名、代、静字认为"表词",又与表词的界说不符。

其二,用如加语者,式有六。凡名、代、动、静诸字所指一,而无动字以为联属者,曰加语。("文库"本第104页,"校注"本第130页)

[按]句中"加语""加词"两语纠缠。其实,"加语"为"加词"之误。改"加语"为"加词",前后句方为通顺。查《马氏文通》早期版本,有误者,有不误者。查《马氏文通》后来版本,亦有误者,有不误者。章锡琛(1954)《马氏文通校注》、商务印书馆1983年版《马氏文通》皆误。吕叔湘、王海棻(1986)《马氏文通读本》不误。

凡官衔勋戚诸加词先后乎人名者,皆曰加词。《史·陆贾列传》:"右丞相陈平患之。"——"右丞相"官名,加于"陈平"人名之先。又《项羽本纪》:"项王乃谓海春侯大司马曹咎等曰。"——"海春侯"勋名,"大司马"官名,加于"曹咎"人名之先。《史·李斯列传》:"乃求为秦相文信侯吕不韦舍人。"——"秦相文信侯",亦官勋之名,加"吕不韦"本名之先,而皆在偏次。《史·廉颇列传》:"秦之所恶,独畏马服君赵奢之子赵括为将耳。"——"马服君"勋名,加于"赵奢"本名之先,皆为偏次。又,"子"者五伦之名,加于"赵括"本名之先。又:"尝与其父奢言兵事。"——"父"亦五伦之名,加于"奢"本名之先。《汉·黄霸传》:"侍中乐陵侯高,帷幄近臣,朕之所自亲,君何越职而举之?"——此句加词,有"侍中"官名,"乐陵侯"勋名,"帷幄近臣"职名,"朕之所自亲""所"字加词,在氏族"高"姓之先后。韩《与郑相公书》:"孟之深友太子舍人樊宗师,比持服在东都,今已外除,经营孟家事,不啻如己。"——"友"者,五伦之名,"太子舍人"官名,加于"樊宗师"本名之先。其官衔勋戚诸名概先置,而谓之加词者,盖以本名乃诸名所加之本

也。否则以后之者为加词，亦无不可。("文库"本第106—107页,《读本》第189—190页,"校注"本第130页)

[按]以上例句中，多数是同次(加词)在前，前次在后，与前次、同次的定义("先者曰前次，后者曰同次")不合。马氏自己也发现这里所说与前次、同次的定义不合，所以在最后说："否则以后之者为加词，亦无不可。"但这种"两可说"反而暴露了他的定义的弱点。

凡先提一事而后分陈者，亦曰加词。……韩《论小功不税书》："小功服最多：亲则叔父之下殇，与适孙之下殇，与昆弟之下殇，尊则外祖父母，常服则从祖祖父母。"——"最多"后，皆历数"小功之服"也。("文库"本第108页,《读本》第192页,"校注"本第132页)

[按]"最多"后数语，虽是历数"小功之服"的，但不能分析为加词，因为它不与"小功服"相连，中间隔着表词"最多"，不宜把表词"最多"前面的"小功之服"说成"前次"，表词"最多"后面的所有内容都说成"同次"。在今天看来，本句实际上是前面分句中的某个词，与后面几个分句中的某个词有意义上的联系，这样的句子其实是复句。

凡动字、名字历陈所事，后续代字以为总结者，亦曰加词。("文库"本第109页,《读本》第193页,"校注"本第133页)

[按]此句语义不明，有歧义。可以理解为"凡动字、名字(历陈所事，后续代字以为总结者)亦曰加词"，也可以理解为"(凡动字、名字历陈所事)后续代字(以为总结者)亦曰加词"，就是说，"动字、名字"和"后续代字"都可理解为"曰加

词"的主语。

更有名、代等字连书而意平列者,概用"与"、"及"、"以及"为连及之辞,今附记于此,以平列名、代诸字,所指或异,而所次尽同也。("文库"本第 110 页,《读本》第 195 页,"校注"本第 135 页)

[按]"连及之辞"费解。好像是"连字",可是《马氏文通》卷八论"连字"时没有讲"与"、"及"、"以及"为连字。

"齐桓"、"晋文"、"尧服"、"舜言"之属,"齐"、"晋"、"尧"、"舜"皆本名,今则用如静字。("文库"本第 112 页,《读本》第 199 页,"校注"本第 138 页)

[按]此说与前文矛盾。《马氏文通》在讲"偏次"的时候,曾说"齐桓""晋文"是"凡数名连用,而意有偏正者",今又说"齐"、"晋"等字,是用如"静字",那么,在"齐桓"、"晋文"中的"齐"、"晋"等字,究竟是名字还是静字,使人糊涂。

"吾国"、"吾家"、"其言"、"其行"诸语,"吾"、"其"二字,皆代字也,今则用如静字。("文库"本第 112 页,《读本》第 199 页,"校注"本第 138 页)

[按]此说与前文矛盾。

马氏在论指名代字"吾"的时候,说它可以用于偏次,也就是说它以"代字"的身份用于偏次,并没有说它"用如静字"。马氏说:"指名代字……'吾'字,按古籍中用于主次、偏次者其常。……《孟·梁上》:'王曰何以利吾国,大夫曰何以利吾家,士庶人曰何以利吾身。'——三'吾'皆偏次也。"("文库"本第 43 页)这里说"吾国""吾家"的"吾"是代字。

马氏在论指名代字"其"的时候,说"其"可以用于偏次,是说它是以"代字"的身份用于偏次,并没有说它"用如静字"。马氏说:"(指名代字)'其'字用于偏次者,最为习见。《孟·梁上》:'我非爱其财而易之以羊也。'——'其'指百姓,犹云'百姓之财',故在偏次。"("文库"本第51页)这里说"其"字是代字。

马氏在论接读代字"其"的时候,又说:"(接读代字)'其'字在偏次也,前词先置,而'其'字下必接名字,'其'字冠读首以顶指焉。……《史·游侠列传》:'今游侠,其行虽不轨于正义。然其言必信,其行必果,已诺必诚,不爱其躯,赴士之厄困。既已存亡死生矣,而不矜其能,羞伐其德,盖亦有足多者焉。'——'今游侠'三字单置于首,'其'字附于名以顶指焉,叠成数读。"("文库"本第60页)这里说"其言""其行"的"其"字是接读代字。

那么,在"吾国"、"吾家"、"其言"、"其行"诸语中,"吾"、"其"二字究竟是代字,还是静字呢?叫人看不明白。

而史籍内"款款之愚"、"拳拳之忠"、"区区之薛"等词,凡重言皆状字也,今则用如静字。("文库"本第112页,《读本》第199—200页,"校注"本第138页)

[按]说"凡重言皆状字也",误。重言也可以是名字,如"公公"、"姥姥"等,也可以是静字,如上述"款款"、"拳拳"、"区区"等。先把重言定为状字,再说它用如静字,是没有道理的。

静字先乎名者常也。单字先者,概不加"之"字为衬。("文库"本第112页,《读本》第200页,"校注"本第139页)

[按]后一句话"概不加'之'字为衬"说得绝对了。单字静字先乎名字，有时候是可以加"之"字的。马氏在下面的举例中也说到这种情况，如："《孟·梁下》：'今之乐，犹古之乐也。'——'今'、'古'单静字，先于'乐'而加'之'字为衬，非常例也。"("文库"本第113页）

　　静字单用如名者，前文必有名以先焉。《孟·梁上》："以小易大，彼恶知之？"——"小"、"大"两静字，今单用如名，以前文有"牛"、"羊"两名在先，故知"小"、"大"所指之为何。又："以一服八，何以异于邹敌楚哉？"——"一"、"八"两静字，今单用如名，以前文有"楚"、"邹"二国相比之说先焉，故知"一"、"八"所附之为何。("文库"本第114—115页，《读本》第203—204页，"校注"本第142页）

　　[按]"静字单用如名"语义含混，没有讲清它这时究竟是静字还是名字。按照《马氏文通》的习惯，"用如名字"的就应该是转化成"名字"了，但这里却在论"静字"时讲这些内容，似乎还是把它当静字看待的，叫人难以理解。

　　故《汉·文帝纪》："是吏奉吾诏不勤，而劝民不明也。"《张释之传》："文帝免冠谢曰：'教儿子不谨。'"——皆以司词先置，而以静字为表词也。("文库"本第121页，《读本》第213页，"校注"本第150页）

　　[按]马氏把这类句子分析为"司词先置"不甚妥当，宜分析为"起词为读（或顿）"。后来，《马氏文通》曾说："《子路》'为君难，为臣不易'两句，其起词为顿，即散动字与止词。"("文库"本第128—129页）后来的分析较好。

　　《孟·梁上》："愿夫子辅吾志，明以教我。"——"以教"，"明"

字司词。("文库"本第121页,《读本》第214页,"校注"本第151页)

[按]说"以教"是"明"字司词,误。如果"明"字是表词,"以教"是司词,那么其后的"我"字是什么成分呢?

句读之成,必有起、语两词。("文库"本第127页,《读本》第222页,"校注"本第158页)

[按]此说与后文矛盾。《马氏文通》认为,句读之起词、语词可以省略。此外,还有一种以"无属动字"为语词的句子,还有一些以"有""无"为语词的句子,可以没有起词(详《马氏文通》卷四"同动助动四之四"、"无属动字四之五"、卷十象一、象二)。

起词或可隐而不书,而语词则句读之所为语者,不可不书。("文库"本第127页,《读本》第222页,"校注"本第158页)

[按]此说与后文矛盾。《马氏文通》后来认为,语词也可以"隐而不书"。如卷十象二说:"系四,比拟句读,凡所与比者,其语词可省。"("文库"本第394页)"又凡差比、平比,其所为比之字,寓于其中,概不言也,所为比者即语词也。故比拟之句,语词可删者,此也。"("文库"本第395页)

静字而为表词,必置起词之后。后之者,即决为如斯之口气也。("文库"本第127页,《读本》第222页,"校注"本第158页)

[按]表词也可以置于起词之前,并非"必置起词之后"。根据《马氏文通》所说,表词置于起词之前大致有两种情况,一是咏叹之句。《马氏文通》稍后说:"表词后乎起词者,常也;先之者,惟咏叹之句为然。"("文库"本第129页)例如:《论语·述而》:"甚矣吾衰也。"《马氏文通》分析说:"'吾衰也'

者,读之为起词也,'甚矣'者,其表词也。今则起词倒置于表词之后,此叹辞之常例也。"("文库"本第335页)《马氏文通》卷十象二说:"系一,咏叹语词,率先起词。"("文库"本第393页)其"咏叹语词"就是表词。例如《论语·泰伯》云:"大哉尧之为君也!"《马氏文通》分析说:"'大哉',语词,'尧之为君也',起词,而反后焉。"("文库"本第393页)

二是询问代字作表词,虽然询问代字在句首,但《马氏文通》认为它是表词。如"谁可代君者",马氏认为"谁"是表词而置于前,《马氏文通》认为这是"倒文"。

其句读之起词,名、代、顿、豆无论也,而表词则概为静字。然有以名字与顿、豆为之者,则必用若静字然。("文库"本第127页,《读本》第222页,"校注"本第159页)

[按]表词"概为静字"的说法过于拘泥,因为名、代、顿、豆,皆可以作表词。没有必要把名字与顿、读为表词说成"用若静字"。《马氏文通》后来也说过:"总之,名字与顿、豆,皆可为表词也。"("文库"本第129页)"句读表词,往往以名、代、顿、读为之者。"("文库"本第395页)

凡以表决断口气,概以"是"、"非"、"为"、"即"、"乃"诸字,参于起表两词之间,故诸字名断辞。或无断辞,则以助字煞之,或两者兼用焉亦可。凡以助字为助者,其辞气各异,见助字篇内。断词,一曰决词。("文库"本第129页,《读本》第225—226页,"校注"本第161页)

[按]"断辞"与"断词"写法不同,其实则一。这里先写成"断辞",后写成"断词",徒增读者麻烦。另外,"断词,一曰决

词"也是徒增麻烦的说法,在《马氏文通》中,"决词"一语只出现了两次,没有定义,而且两处所指各异,叫人无法认识。

《汉·贾谊传》:"夫树国固必相疑之势,下数被其殃,上数爽其忧,甚非所以安上而全下也。"——"固必"二状字,"相疑之势",表词也。犹云"夫树国相敌,必是相疑之势,理固然也"。有读作"树国固"为一顿者亦可,惟与此疏文势有别耳。今以"固必"二状字为断,故断词助字皆可从删。然末句"甚非所以安上而全下也","甚"亦状字,而"非"、"也"二字兼用者,盖此句表词,乃"所以安上而全下"之读。"甚"字不能状读,则用"非"字以间之,此句煞段,则用"也"字以助之,率是故欤。("文库"本第132页,《读本》第229—230页,"校注"本第164—165页)

[按]"'甚'字不能状读,则用'非'字以间之"说法不妥,好像说"'甚'字不能状读"是"用'非'字间之"的原因,其实不然。用"非"字与用"甚"字没有因果关系,用"非"字是为了表示否定,用"甚"字是为了表示程度。

《穀·僖二》:"晋国之使者,其辞卑而币重,必不便于虞。"——"便"表词,"必不"两状字以决之。至"辞卑而币重"之豆,"卑""重"二字后于名字,皆为表词,惟以陈明其为如何,并无决断口气也。同为表词,有状与无状微有轻重耳。("文库"本第132页,《读本》第230页,"校注"本第165页)

[按]说"辞卑而币重"中"卑"、"重"二字为表词而"无决断口气",不妥。既为"表词",即有"决断口气"。《马氏文通》说过:"句之有待于论断者,以表词之句为最。"("文库"本第325页)本节开头一句便是:"表词者,以决事物之静境也。"("文

库"本第127页)接下去一段的最后一句是:"故曰,表词者,所以决事物之静境也。"("文库"本第127页)接下去一段的开头一句是:"静字而为表词,必置起词之后。后之者,即决为如斯之口气也。"("文库"本第127页)在"辞卑而币重"中,"卑""重"二字分别是决断"辞"和"币"的尊卑和多少的。

"以为"二字……解作"以此为彼"者,则"为"字为断词,其后即为表词,书籍中最为习用。……《孟·滕下》:"吾必以仲子为巨擘焉。"——"巨擘"名字,而为表词,"以"字司词,"仲子"也。又《离下》:"我欲行礼,子敖以我为简,不亦异乎!"——"以"后"我"字,其司词也。"为"字后"简"字,其表词也。……《史·张耳陈馀列传》:"岂以臣为重去将哉!"——"重"表词,"去将"其司词,"臣"则"以"字司词也。韩《薛公墓志铭》:"沈浮闾巷间,不以事自累为贵。"——"贵"表词,"以事自累"一顿,"以"之司词。("文库"本第133—134页,《读本》第231—232页,"校注"本第166—167页)

[按]马氏把表词规定为与起词配对的成分,说"静字后乎起词而用作语词,所以断言其为何如也。惟静字为语词,则名曰表词。所以表白其为如何者,亦以别于止词耳。"("文库"本第26页)这就是说,表词是"表白起词为如何者"的成分。

在"以……为……"结构中,马氏又把"以"字后面的成分分析为"司词",把"为"字后面的成分分析为"表词",这样就把表词说成与"司词"配对的成分了,不妥。

上述几个例句,似乎都要分析为"起词·以·司词·为·表词"的结构,这样,带来的问题就是,起词与表词不配对,例如"吾必以仲子为巨擘焉"一句中,"吾"为起词,"巨擘"

为表词;"子教以我为简"一句中,"子教"为起词,"简"为表词,这样的表词与马氏设表词的初衷"表白起词为如何者"相去甚远。

"以为"二字,间有"以此作为彼者"之意,则"为"字不仅为断词,且为动字而有作用矣。《史·大宛列传》:"以银为钱,钱如其王面,王死,辄更钱效王面焉。"又:"画革旁行以为书记。"——"以银为钱"者,以银铸为钱也,"以为书记"者,以旁行作为书记也。又《冯唐列传》:"景帝立,以唐为楚相。"——犹云"以冯唐作为楚相"也。("文库"本第135页,《读本》第233页,"校注"本第168页)

[按]说"'为'字不仅为断词,且为动字而有作用矣",语义含混。其实,"以为"二字,间有"以此作为彼者"之意,与前面的"以为"二字解作"以此为彼"者,并无区别,无须另为解说。

于所比之中而见为极者,极之之字,"最"字最习用,或先象静,或先动字,皆可。独用则或冠句首,或殿句尾,用如表词者然。或不言所与比者,必其可以意会者也。("文库"本第140页,《读本》第241页,"校注"本第175页)

[按]说"最"字可以"独用则或冠句首,或殿句尾",有不妥。马氏讲"最"字"独用"而"殿句尾"的三个例子是:

(1)《汉书·韩延寿传》:"断狱大减,为天下最。"——"最"殿句尾,表词也,犹云"为天下守之最"也。("文库"本第141页)

(2)韩《太原王公神道碑》:"政成为天下守之最。"——同上。("文库"本第141页)

(3) 又《刘正夫书》:"汉朝人莫不能为文,独司马相如太史公刘向杨雄为之最。"——"为之最"者,为诸人中之最也。"之"字用为分母,前言之矣。前引二句同义,"最"殿句尾,皆表词也。("文库"本第141页)

上三例中,"最"字都不是"独用","最"字前面都有偏次与之结合。

韩《送孟东野序》:"汉之时,司马迁相如杨雄最其善鸣者也。"——犹云"汉之时,诸善鸣者之中三人为最"也。故"最"在句首,用如表词,必如此解,"其""者"二字乃有著落。("文库"本第141页,《读本》第242页,"校注"本第176页)

[按]说"'最'在句首",非。"最"字不在句首,而在句子当中。

《史·卫将军列传》:"最,大将军青,凡七出击匈奴……"云云。——"最"一字句,上文云"左右两大将军及诸裨将名",下接此句,犹云"诸大将军裨将中,惟大将军青七出击斩无算为最"也。故"最"冠句首,用若表词然。("文库"本第141页,《读本》第243页,"校注"本第176页)

[按]既说"'最'一字句",又说"'最'冠句首",自相矛盾。

四、《实字卷之四》拾误

凡受其行之所施者,曰止词,言其行之所自发者,曰起词。……夫"施于"者,即行之所施也,止词也;"施"者,起词也。

("文库"本第144页,《读本》第247页,"校注"本第181页)

[按]以上对"起词"、"止词"的论说有片面性,它仅适用于主动句,而不适用于受动句。在受动句中,情况正相反,"受其行之所施者"是起词,"受"者,起词也。

(禹疏九河,瀹济漯,而注诸海,决汝汉,排淮泗,而注之江。)然状字后记时中国起词可得皆助动字而食此作内动也。助字煞句,以决事之理也。("文库"本第144页,《读本》第248页,"校注"本第182页)

[按]"然后"是双音词,不宜拆开分析,《马氏文通》卷八说:"'然后'者,明继事之词也。经籍最习用之。"("文库"本第313页)

又,说"可得"二字"皆助动字"不对,此句中,"可"字为助动字,"得"字为一般动字,"得而食"是并列式的谓语。

动字之有"于"字以介转词者,间易转词为止词,删"于"字而位于动字之后,又以"以"字介止词,置诸动字之先,不先者,惟司词长者为然。《孟·万上》:"天子不能以天下与人。"——犹云"天子不能与天下于人"也,"人"为转词,今易为止词,位后"与"字。"天下"本为止词,今为"以"字司词,置诸"与"字之先。《左·隐十一》:"齐侯以许让公。"——犹云"让许于公"也。"公"为止词,位于"让"字之后,"许"为"以"之司词,置诸动字之先。("文库"本第148页,《读本》第255页,"校注"本第188页)

[按]这里只讲了原句中"转词"变成了"止词",没有讲原句中的"止词"现在是否有变化。只是说"以'以'字介止词,置诸动字之先","'天下'本为止词,今为'以'字司词,置诸'与'字之先","'许'为'以'之司词,置诸动字之先",应当明

确指出,这时,原先的"止词"已经转化为"转词"了。

凡外动字之转词,记其行之所赖用者,则介以"以"字,置先动字者,常也。盖必有所赖用后其行乃发,故先之。《孟·尽上》:"柳下惠不以三公易其介。"——"三公"转词,即所用以"易"者也,故以"以"介焉,而先乎"易"字。"其介"者,止词也。又:"天下有道,以道殉身;天下无道,以身殉道。"——"以道""以身"皆转词,即所执以"殉"者也。余同上。("文库"本第149页,《读本》第256页,"校注"本第189页)

[按]马氏分析转词,在转词有介字为介的情况下,有时说介字的司词为转词,如前例的"三公";有时说介字与其司词一块儿为转词,如后例的"以道"、"以身"。学术著作,不该如此。

至"征"、"拜"、"成"、"化"诸动字,与"以"字后所有"为"字,用如断辞者其常,而解如"作为"者,亦数觏也。……大抵"征"、"拜"、"封"、"调"诸字后"为"字,解以"作为"者亦可,前于同次节内皆作断词,于义亦通,而句法则两意皆同。("文库"本第152—154页,《读本》第262—263页,"校注"本第193—194页)

[按]这里先把"征"、"拜"、"成"、"化"诸动字后的"为"字,分为"用如断辞者"和"解如'作为'者"两类,但后来又说:"解以'作为'者亦可……作断词,于义亦通。"把两者混同起来,自相矛盾。

"谓""言"诸动字后,所有顿、读皆为止词。("文库"本第154页,《读本》第265页,"校注"本第195页)

[按]此话与卷三的论说有矛盾。根据《马氏文通》卷三

的分析,"谓"、"言"诸动字后的成分还可能是表词。卷三曾说:"凡'谓'、'言'诸动字,训'是为'、'解为'之意者,则先后两语,所次必同,盖其后语犹表词也。"("文库"本第106页)

("谓""言"诸动字后,所有顿、读皆为止词。)《孟·告上》:"生之谓性。"又《滕下》:"此之谓大丈夫。"又《告上》:"惟心之谓与!"诸句,与韩《原道》:"博爱之谓仁,行而宜之之谓义,由是而之焉谓道,足乎己无待于外之谓德。"《左·僖五》:"一之谓甚,其可再乎!"《周语》:"守府之谓多,胡可兴也!"——皆作"之谓"者,因止词转为起词,故"之"字亦先乎"谓"字也。详下受动字篇内。("文库"本第155页,《读本》第266页,"校注"本第196页)

[按]马氏说"详下受动字篇内",但受动字篇内只讲了"止词转为起词"而没有讲"'之'字亦先乎'谓'字"问题。

又,《孟·告上》"生之谓性"和《滕下》"此之谓大丈夫"两句在卷三同次篇内讲过,但与这里所讲不同。那里说"谓"字后的"性"和"大丈夫"为表词,这里说"谓"字后的"性"和"大丈夫"为止词。前后矛盾。

("谓""言"诸动字后,所有顿、读皆为止词。)《易·系辞》:"德言盛,礼言恭。"——《本义》云:"言德欲其盛,礼欲其恭也。"以"言"训作"欲"字,未安,惟句法有"欲"字之义。愚谓"德以盛言,礼以恭言"也。("文库"本第155页,《读本》第267页,"校注"本第197页)

[按]《文通》对此例的训释问题有二,一是把"德言盛,礼言恭"训为"德以盛言,礼以恭言",则意味着"德"和"恭"被分析为"转词",而本例句列于"'谓''言'诸动字后,所有顿、读皆为止词"题下,应把"德"和"恭"分析为"止词"才对。二是

与卷三同次节解说矛盾。同次节曾引此例分析说说:"盛"、"恭"两字,各为"表词"。看来,"盛"、"恭"两字,究竟是"止词"还是"转词"或者"表词",马氏看法不一。

止词后乎外动字者,常也。惟外动字加弗辞,或起词为"莫""无"诸泛指代字,其止词为代字者,皆先动字。("文库"本第156页,《读本》第269页,"校注"本第199页)

凡止词为代字,而动字有弗辞者,无不先也。("文库"本第157页,《读本》第270页,"校注"本第200页)

[按]"皆先动字"、"无不先也"说法绝对。古汉语中,有些句子虽有"弗辞"而代字止词并不先置,《马氏文通》也曾论及此种情况(见"文库"本第158页)。例句有:

(1)《孟·告下》:"为其事而无其功者,髡未尝睹之也。"——不曰"髡未之尝睹也。"

(2)《礼·中庸》:"索隐行怪,后世有述焉,吾弗为之矣。"——不曰"吾弗之为矣。"

(3)《汉·赵充国传》:"汉果不击我矣。"——不曰"不我击矣"。

(4)韩《释言》:"虽有谗者百人,相国将不信之矣。"——不曰"将不之信矣"。

以上几句,句中虽有弗辞,但止词仍后动字。

以是观之,外动字之可以"自"字为止词者,难更数也。诚所谓自反动字,如"自悔"、"自度"、"自忖"者,盖无几也。("文库"本第159页,《读本》第273页,"校注"本第202页)

[按]说"自悔"、"自度"、"自忖"两字是自反动字,不对,

应该说是"自悔"、"自度"、"自忖"中的"悔"、"度"、"忖"一字为自反动字。

外动转为受动,约有六式:一、以"为"、"所"两字先乎外动者……又《送温处士序》:"愈縻于兹,不能自引去,资二生以待老。今皆为有力者夺之,其何能无介然于怀邪!"——"为有力者夺之",即"为有力者所夺"也。("文库"本第 161 页,《读本》第 275—276 页,"校注"本第 204 页)

[按]马氏将此例归于受动句的第一类"以'为'、'所'两字先乎外动者"中,不妥。因为"为有力者夺之"句中仅有"为"字,而无"所"字,应归于第二类"惟以'为'先于外动者"中。

(外动转为受动,约有六式:)二、惟以'为'先于外动者:……同传又云:"今足下虽自以与汉王为厚交,为之尽力用兵,终为之所禽矣。"——犹云"终为汉王所禽"也。"为"后不用"其"字而用"之"字,见代字篇。("文库"本第 161 页,《读本》第 276—277 页,"校注"本第 205 页)

[按]马氏将此例归于受动句的第二类"惟以'为'先于外动者"中,不妥。因为"为之所禽"句中有"为"字又有"所"字,应归于第一类"以'为'、'所'两字先乎外动者"中。

(外动转为受动,约有六式:)四、以'见''被'等字加于外动之前者:……《汉·沟洫志》:"许商以为古说九河之名,有徒骇胡苏鬲津,今见在成平东光鬲界中。"——"见在"者,"为人所见在于何处"也。而"见"字读若"现"字者,后世之说也。韩《许国公神道碑》:"今见在人莫如韩甥。"——"今见在人"者,"今为世所见为在

者之人"云。("文库"本第 163—164 页,《读本》第 279—281 页,"校注"本第 208 页)

[按]马氏将上两例归于受动句的第四式"以'见'、'被'等字加于外动之前者",意思是说,上两例中"在"字为受动字,误。马氏所说"受动字",都由外动字转化而来。即所谓"外动字之行,有施有受。受者居宾次,常也。如受者居主次,则为受动字"("文库"本第 160 页)。而上两例中所点出的"在"字,原非外动字,因此即使它前面有"见"字,它也不可能转为受动字。

其实,《马氏文通》认为"在"是同动字,它说:"凡动字所以记行也,然有不记行而惟言不动之境者,如'有'、'无'、'似'、'在'等字,则谓之同动,以其同乎动字之用也。"("文库"本第 177 页)"'在'字言人物所处之境,同动也。"("文库"本第 181 页)

杨树达《马氏文通刊误》指出,这两例中的"见"都"读若'现'。"

"可"、"足"两字后动字,概有受动之意。……《孟·尽上》:"民可使富也。"——诸句"可"字下动字,皆受动也。("文库"本第 164—165 页,《读本》第 282—283 页,"校注"本第 209—210 页)

[按]"可"、"足"两字后动字,不一定都有受动之意。例如"民可使富也"的"使"就不是受动字,因为"民可使富也"的"使"字是"使令"义,非"役使"义,"役使"义的"使"字可转为受动字,"使令"义的"使"不能转为受动字。

记从来之处者,其转词概以"自"字为介,而先后无常。("文

库"本第166页,《读本》第286页,"校注"本第212页)

[按]说记从来之处之转词概以"自"字为介,过于绝对。此节下就讲到以"从"字、"由"字、"繇"字为介的。例子是:

(1)《史·张释之列传》:"顷之,上出中渭桥,有一人从桥下走出,乘舆马惊。"——"从桥下"者,言所从走出之处也。

(2)《史·项羽本纪》:"从此道至吾军,不过二十里耳。"——"从此道"同上。

(3)《史·项羽本纪》:"于是在风从西北而起。"——"从西北"者,言"风"所从起之方也。

(4)古籍中以"由""繇"诸字为介者有焉。《孟·告下》:"他日由邹之任,见季子,由平陆之齐,不见储子。"——"由邹",记所从来也。

《马氏文通》分析说:例(1)"介以'从'字而不介以'自'字者,'从'、'自'两字同解。"又说:例(4)"不介'自'而介'由'者,'由'即'自'也。"

转词有记行之缘起者,概先内动而介以"自"字为是,"从""由"两字亦间用焉。("文库"本第173页,《读本》第297页,"校注"本第221页)

[按]说记行之缘起的转词"概先内动",过于绝对。在接下去的论述中就有两例记行之缘起的转词"后于内动"的:

(1)《史·大宛列传》:"大宛之迹,见自张骞。"——"自张骞"同上。"见"本受动字,而为"显见"之解,则内动字矣。("文库"本第173页)

(2)《史·叔孙通列传》:"原庙起以复道故。"——"复道"记原庙缘起之故,故介"以"字。见介字篇。("文库"本第173页)

说记行之缘起的转词以"自"字、"从"字、"由"字为介,有遗漏。吕叔湘、王海棻《马氏文通读本》指出:"下面所举之例中,有记缘起之处而介以'于'等的,这里遗漏了。"

今按,除介以"于"字者之外,还有介以"以"字的,如上所补例(2)《史·叔孙通列传》"原庙起〈以复道〉故。"

前论止词必后外动,而转词则先后无常。至名字不为止、转两词,而惟以状动字者,则必先所状。动字之可状者,内外一也,此与宾次节所论同例。("文库"本第174页,《读本》第299页,"校注"本第223页)

[按]关于名字状动字,马氏前后说法不同。依本节所说,名字状动字时,名字仍为名字。但到了卷六论状字时则说,名字状动字时,名字则已"假借"而为状字。前后矛盾。

《汉·高帝纪》:"引入坐上坐。"——"坐",内动也,"坐上坐",则第一"坐"字用如外动矣。("文库"本第176页,《读本》第302页,"校注"本第225页)

[按]"坐上坐"也可以理解为"坐于上坐",则"上坐"为转词,第一"坐"字仍为内动字,不用如外动。

《左·庄二十八》:"宗邑无主,则民不威;疆场无主,则启戎心。"——两"无"字为读同上。("文库"本第177页,《读本》第305页,"校注"本第227页)

[按]"两'无'字为读"说法不妥,当云"两'无'字用法同

上"。

《孟·梁上》:"'杀人以梃与刃,有以异乎?'曰:'无以异也。''以刃与政,有以异乎?'曰:'无以异也。'"——两言"有以异",又两言"无以异","异",动字也,以"以"字介于"有""无"两字之后,其实"有""无"两字之止词隐而未书。"有以异乎"者,犹云"果有何以相异"也,"无以异也"者,犹云"实无何以相异"也。("文库"本第178页,《读本》第305—306页,"校注"本第228页)

[按]说"'异',动字也"似有不妥。"异"与"同"相对,表示"不同",应为静字。《马氏文通》卷三论静字时说过:"'异'、'同'两静字。"("文库"本第118页)

凡记人物之有无,惟有止词而无起词,约指代字篇内,"有"、"无"两字或以为代字者,以其隐指某人故耳。今以"有"、"无"两字列于同动,故类及之。……以上所引"有"字,于约指代字篇内作为"某人"之解者,以其隐有"人"字故耳。……《孟·梁上》:"仲尼之徒,无道桓文之事者。"——犹云"仲尼徒中无人道及桓文之事"也,舍此则仅见矣。"无"字作为"无人"之解,此约指代字篇内所以作为代字,使学者易于领悟,今既别以同动,故以类焉。("文库"本第179—180页,《读本》第307—308页,"校注"本第229—230页)

[按]这一种用法的"有"、"无"两字,卷二论代字时已定为是"约指代字",为什么又在这里"列于同动"呢?

如果确认为"有"、"无"两字相当于"有人"、"有×"或"无人"、"无×",归入"约指代字",则同动字篇内就不要再把这种用法的"有"、"无"看作同动字了。

"有"、"无"两字用以决事之有无者,亦惟有止词而无起词,其

起词概为读。且"有"、"无"两字,先后乎其止词无定。("文库"本第180页,"校注"本第230页)

[按]"其起词概为读"与"无起词"矛盾。这是印刷校对错误。《马氏文通》初期版本不错,写的是"其止词概为读",而不是"其起词概为读",这就与"无起词"不矛盾。章锡琛(1954)《马氏文通校注》始误,商务印书馆(1983)《马氏文通》承袭之。吕叔湘、王海棻《马氏文通读本》已改,并指出这是"章氏失校。"

《礼·大学》:"所藏乎身不恕,而能喻诸人者,未之有也。"——"所"字至"者"字,读也,"有"之止词,以其先乎"有"字,故加"之"字以代止词;又以有弗辞"未"字,故"之"字先乎"有"字。又:"其家不可教而能教人者,无之。"——"之"字所以指前读也。前引两句,"有"、"无"两字皆后乎读,惟有止词而无起词也。曰"未有",曰"无之",皆决辞也。……《论·里仁》:"盖有之矣。"——"之"指前文,"有"者决辞也。("文库"本第180页,《读本》第309页,"校注"本第230页)

[按]在对《礼·大学》两例的分析中,说"未有"、"无之"两字为"决辞",在对《论·里仁》一例的分析中,说"有之"的"有"字一字而为"决辞",很不妥当。"决辞"是传统语文学的术语,指的是"助字"中的一个小类。唐代柳宗元《复杜温夫书》中指出:"但见生用助字不当律令,惟以此奉答,所谓'乎'、'欤'、'耶'、'哉'、'夫'者,疑辞也。'矣'、'耳'、'焉'、'也'者,决辞也。今生则一之,宜考前闻人所使用与吾言类且异,慎思之,则一益也。"此说影响甚大,以后一直被人肯定

和引用。马氏也曾继承我国语文学传统,说"传信助字,为'也'、'矣'、'耳'、'已'等字,决辞也。"("文库"本第323页)但这里又把"未有"、"无之"两字和"有之"的"有"字称为"决辞",造成同一术语有不同意义的麻烦。而且,"无之"和"有之"是相同的结构,但"无之"两字为"决辞","有之"中仅"有"一字为表词,也很矛盾。

韩文《欧阳生哀辞》云:"自詹以上,皆为闽越官,至州佐县令者,累累有焉。"——"有"字仍为决辞。("文库"本第180页,《读本》第310页,"校注"本第231页)

[按]说"累累有焉"的"有"字为"决辞",其不妥见上。

"在"字言人物所处之境,同动也。其止词则名字、动字皆可。("文库"本第181页,《读本》第310页,"校注"本第231页)

[按]《马氏文通》认为,止词是由名字代字充当的,所以,止词的定义是:"凡名代之字,后乎外动而为其行所及者,曰止词。"("文库"本第25页)后来又说:"为止词者,不外名、代、顿、读四者而已。"("文库"本第396页)

《马氏文通》在这里认为,止词可以由动字充当,与"止词"定义有违。

至"如"、"若"等字,虽为状字,而其用与动字无异,亦可列入同动字也。("文库"本第182页,《读本》第312页,"校注"本第232页)

[按]词性是根据词的句法功能来确定的。"如"、"若"等字,既然"其用与动字无异",那就是"动字"、"同动字",为什么还要说它们是"状字"呢?

"可"、"足"两助动字后,所续其他动字,概有受动之解。("文

库"本第 183 页,《读本》第 314 页,"校注"本第 235 页)

[按]此说法过于绝对。"可"、"足"两助动字后若续以"外动字",则可能有受动之解;若续以"内动字"、"同动字",则没有受动之解。《马氏文通》说:"凡行之留于施者之内者,曰内动字。内动者之行不及乎外,故无止词以受其所施,内动之不得转为受动者此也。"("文库"本第 166 页)

《庄·齐物论》:"形固可使如槁木,而心固可使如死灰乎?"——"使"字后于"可"字,受动也。("文库"本第 183 页,《读本》第 315 页,"校注"本第 235 页)

[按]两"使"字不是"受动字"。

《孟·公下》:"其心曰是何足与言仁义也云尔。"——"足"字后续以"言"字,亦受动也。("文库"本第 183 页,《读本》第 315 页,"校注"本第 235 页)

[按]此"言"字非"受动字"。《马氏文通》说:"外动字之行,有施有受。受者居宾次,常也。如受者居主次,则为'受动字'。"("文库"本第 160 页)"言"字的受者(止词)是"仁义",仍然居宾次,没有转为主次,所以"言"字不是"受动字"。

总之,凡动字后乎"可"、"足"助动字后,皆可转为受动有如此者。"得"字后之动字亦然,然不常见。("文库"本第 183 页,《读本》第 315 页,"校注"本第 235 页)

[按]此说法过于绝对。动字后乎"可"、"足"助动字后,有些转为受动,有些不转为受动。"得"字后之动字也是这样。

至如《孟·公下》:"不识王之不可以为汤武,则是不明也。"又

《滕上》："今滕绝长补短，将五十里也，犹可以为善国。"又《万上》："故君子可欺以其方，难罔以非其道。"——诸句"以"字司词，皆其句之起词也。如是，以"以"字为受动字，亦无不可，盖"以"字可作"用"字解。（"文库"本第185页，《读本》第318—319页，"校注"本第237页）

[按]前两句"以"字后紧接"为"字，是"以……为……"格式，"以"字不可以分析为"受动字"。后一句中"以"在动字"欺"和"罔"后，是介字，"以"的司词"其方"、"其非道"又没有提到前面做起词，所以更不可以分析为"受动字"。

又，助动诸字亦可单用，而无其他动字为续者，盖所助动字已见前文，故不重言也。前文无所助动字而亦单用者，则非助动字矣。（"文库"本第187页，《读本》第321页，"校注"本第239页）

[按]"助动字单用"一说值得商榷。马氏这里所说的"助动字单用"，实际上是指"可"、"可乎"、"可也"、"不可"等做谓语的句子，马氏将它们分为两类，一类是"可"字前有动字的，如《孟子·梁下》："臣弑其君可乎？"马氏把这种"可"字仍分析为"助动字"（"文库"本第187页）；一类是"可"字前没有动字的，如《左传·隐元》："公闻其期，曰：'可矣。'"马氏把这种"可"字仍分析为"静字"（"文库"本第188页），其实可以把这两种用法的"可"统一分析为静字，因为它们都没有"其他动字为续"。助动字的本质是："不直言动字之行，而惟言将动之势"，从形式上看，助动字"其后必有动字以续之者，即所以言其所助之行也"（"文库"本第183页）。马氏把"臣弑其君可乎"句中"可"字分析为助动字，说他助"弑其君"，太勉强了；还是

把"臣弑其君可乎"句中的"可"字分析为"静字"较为适宜。

《汉·朱云传》:"臣得下从龙逢比干游于地下足矣。"——"足矣"者,亦表词也。("文库"本第188页,《读本》第323页,"校注"本第241页)

[按]不宜说"足矣"为"表词",只能说"足"是表词,"矣"是助字。

有连字假用动字而无起词者,亦可谓无属动字,其详见连字篇。《后汉·胡广传》:"统之方轨易因,险途难御。"——"之"代字,指上文,"统"字止词。然何为"统"者,则无所指明,故可谓之无属动字。"统之"二字,用为总结上文之连字。由是《史·五帝本纪》:"总之不离古文者近是。"——"总之"二字亦此例也。("文库"本第189页,《读本》第324页,"校注"本第242页)

[按]首句"连字假用动字而无起词者,亦可谓无属动字"语义含混,不好理解。似乎是说有一些"连字",本是从"动字"假用而来,现在又称之为"无属动字",莫名其妙。

其实,马氏是想说"统之"、"总之"是连字,"统"和"总"是无属动字,但他没有把话说清楚。

马氏说"其详见连字篇",但卷八连字篇并没有论述"统之"、"总之"是连字。

五、《实字卷之五》拾误

有假公名、本名为动字者。……《左·昭十六》:"日起请夫环,执政弗义,弗敢复也。"——"弗义"者,不以为义也,假为外动。("文库"本第191页,《读本》第326页,"校注"本第243页)

[按]应说:"义"字假为外动,"弗"字是修饰"义"的。

有假公名、本名为动字者。……《左·昭二十六》:"有君子白皙鬒须眉,甚口。"——"甚口"者,甚有口辩也。"口"字假为内动,亦可视同静字。("文库"本第191页,《读本》第327页,"校注"本第244页)

[按]在论说"假公名、本名为动字"时举此例,实际上是说"口"字本为名字,今假为动字。但其分析语却说"'口'字假为内动,亦可视同静字"就不对了,动字就是动字,静字就是静字,怎能亦此亦彼。

有假公名、本名为动字者。……《左·襄十四》:"余不说初矣,余狐裘而羔袖。"——"狐裘"、"羔袖"四字,视同静字,于义较顺。("文库"本第191页,《读本》第327页,"校注"本第244页)

[按]在论说"假公名、本名为动字"时举此例,而又说"'狐裘'、'羔袖'四字,视同静字,于义较顺",使人觉得莫名其妙。说它们"用如动字"才顺理成章。

《左·昭十三》:"大福不再,只取辱焉。"……《左·僖二十二》:"过而不改,又之,是谓之过。"《左·昭二十六》:"其御曰:'又之。'"……《庄·逍遥游》:"众人匹之,不亦悲乎?"……所引诸句……"再"……"又"……"匹"……诸字,本皆静字,今皆假为外动字矣。("文库"本第194页,《读本》第330—331页,"校注"本第247页)

[按]说"再"字、"又"字、"匹"字,"本皆静字",理由很不充分。静字的界说是:"凡实字以肖事物之形者,曰静字。"

("文库"本第21页)"再""又""匹"不是"以肖事物之形者"。

说"再"字、"又"字"本皆状字",也许好让人接受一些。

其假(状字)为外动者鲜矣,而用如表词者则习见也。……《孟·离上》:"暴其民甚。"又《梁下》:"王之好乐甚。"又《告下》:"鲁之削也滋甚。"——诸"甚"字假为表词,"暴其民甚"者,犹云"暴其民至极处"也,盖"甚"字所以表暴民之境也。他"甚"字同解。《公·宣六》:"灵公闻之怒,滋欲杀之甚。"《史·魏其侯列传》:"丞相言灌夫家在颍川,横甚。"又《游侠列传》:"然其自喜为侠益甚。"——诸"甚"字用法同上。又《万石君列传》:"事有可言,屏人恣言极切。"——"切"本状字,今亦用如表词。夫然,《论·述而》云:"甚矣吾衰也。"——"甚"字合"矣"字,其为表词也明甚。("文库"本第195—196页,《读本》第333页,"校注"本第248—249页)

[按]既然是"用如表词",为什么又要在"卷五"论"动字假借"时讲呢?

状字用如表词,是"假状字为静字",应该在论"静字"的卷三中讲。论"动字假借"时讲"静字假借",是文不对题。

"雨"字,上读名字,所雨也。去读无主动字。《诗·小雅·大田》:"雨我公田。"("文库"本第202页,《读本》第344页,"校注"本第256页)

[按]"无主动字"即卷四所论"无属动字",不宜乱用术语。

然双声叠韵诸字,所以状容者居多,故概通状字。("文库"本第207页,《读本》第352页,"校注"本第262页)

[按]说"双声叠韵"的动字,以"状容者居多",那么为何

又把它们归入了动字? 根据动字的界说:"凡实字以言事物之行者,曰动字。"("文库"本第21页)"状容者"就不应该归入动字。

说这些"双声叠韵"诸字既为"动字"又"概通状字",莫名其妙。

凡句读之成,必有起词、语词。("文库"本第208页,《读本》第353页,"校注"本第263页)

[按]此话不辨证。有些句读之起词、语词,可以省略,有些句子可以"本无起词"。(参见《马氏文通》卷十"起词"篇、"语词"篇)

起词之隐见,一以上下之辞气为定。而语词,则起词之所为语也,无语词是无句读矣。("文库"本第208页,《读本》第353页,"校注"本第263页)

[按]马氏在这里承认起词可以省略(隐),而认为语词不可以省略,其实,《马氏文通》后来还说过,语词也可以省略(参见卷十"语词"篇),不能说"无语词是无句读矣"。

冉有起词曰坐动,至此作一顿。("文库"本第209页,《读本》第354页,"校注"本第264页)

[按]"冉有曰"三字后有停顿,且有起词和语词(坐动),不宜分析为"一顿"。

周任起词有坐动言止词。至此一读曰坐动,其起词乃前读("文库"本第209页,《读本》第354页,"校注"本第264页)

[按]说"曰"的起词是"前读",不妥,"曰"的起词应为"周任"。

今连字,提起夫颛臾,起词固表词而连字近亦表词,皆如坐动于费。司词,属于"近"字,至此一句("文库"本第209页,《读本》第354页,"校注"本第265页)

　　[按]说"固"和"近"作表词是对的,但说它们"皆如坐动"不妥,因为"固"和"近"都是静字,不是动字。

丘也起字,本名后煞"也"字,见后闻坐动,下文皆记所闻,至"不安"止,皆其止词有国有家者,一读,为起词也不患坐动寡止词而患不均,同上,至此一读不患贫而患不安。("文库"本第209页,"校注"本第265—266页)

　　[按]"丘也"后面的"起字"为"起词"之误。早期版本的《马氏文通》不误,章锡琛(1954)《马氏文通校注》始误,商务印书馆《马氏文通》1983年版承袭之,吕叔湘、王海棻(1986)《马氏文通读本》已改。

既连字状字皆可来坐动之。止词,此假设之读则连字,推言假设后应为之事安坐动,与上"来"字,其起词皆"有国者"之。止词,至此句意已全("文库"本第210页,《读本》第355页,"校注"本第266页)

　　[按]说"既"字"连字状字皆可"不妥。本句中,"既"字与"则"字关联,在"既……,则……"中,"既"字应为"连字"。

　　又,"既来之"三字后面的句号错误,应为逗号。

今连字,提起由与求也,起词相坐动夫子,止词,至此一读,记所处之位远人起词不服坐动,记事之句,口气未完而连字,以连上下两句相反之事不能坐动,其起词为"由""求",已先置来散动,以承"能"字助动也,助字,反决,又以口气未完,故煞"也"字邦起词,言邦内之名分崩离析四动字,皆为坐动,意平而各不相属而不能守也,与上句同而连字,上文自"远人不服"至"不能守也"诸句,备陈不能伐人之事,至此"而"字为一大转,以起下文谋坐动,"由""求"其起词也动散动,以承"谋"

字干戈"动"字止词于邦内。转词,记处。自"远人不服"至此,诸句皆平面口气吾起词恐坐动,以下至"也"字,皆所"恐"也,故为止词季孙之忧,一顿,下文两读之起词不在坐动颛臾,转词,至此为一小读而反转连字在坐动,起词在前萧墙之内转词,记处"在"字后无介字也。至此一读,乃"恐"字止词。"也"字所以决言事理之必将如此,又以煞止词之读也。"今由与求也"至此一段,句意乃全。而"吾恐"至尾,此段中最全之句。其他皆谓之读可也。("文库"本第210页,《读本》第355页,"校注"本第266页)

[按]末句说"其他皆谓之读可也"不妥,"今由与求也"至此,有"远人不服"被分析为"记事之句","而"字被分析为"以连上下两句",即认为"不能来也"也是"句",还说自"远人不服"至"不能守也"是"诸句",又说自"远人不服"至"谋动干戈于邦内"为"诸句",怎么又说以上这些句"皆谓之读可也"呢?

盖起词闻坐动,其起词即高祖自谓,下文至"成名"皆其所闻之事,皆其止词也王者偏次,犹云"王者之中"莫代字,起词,犹云"王者之中无人"高表词,用为坐动于介字,用为比较者周文,"于"字司词,所比之一端,至此一读伯者莫高于齐桓,至此又一读,与前读同。然两读皆非"闻"字止词,要皆为后读之起词皆代字,与"周文""齐桓"同次,用为起词待坐动贤人止词,至此为半读而连上读,可省"皆"字成坐动名。止词,至此一读全,故"皆待贤人而成名"止,乃"闻"字止词。前两读,则此读之起词,至此句全("文库"本第210页,《读本》第356页,"校注"本第267页)

[按]说"盖"为"起词"不妥,与下面在分析"闻"字时所说"其起词即高祖自谓"相矛盾。《马氏文通》卷八论连字时又引此例,说"盖"为"提起连字"。并分析说:"此以'盖'字提起者。"("文库"本第280页)但是又说:"然细玩此诏全文,乃知高帝胸中,先有治天下必与贤人共之意,故以古为证,而以

'盖'字起之。是'盖'字仍有'大率'、'辜较'之义,而非徒以发语也明矣。"("文库"本第280页)从卷八"以'盖'字提起"、"以'盖'字起之"来看,"盖"应注释为"提起连字"。吕叔湘、王海棻《马氏文通读本》说:"马氏这里所谓'起词'只是指有提起作用之词语。"

又,说"王者莫高于周文,伯者莫高于齐桓"为"后读之起词",亦不妥,这与后面分析"皆"字所说"皆"与"周文""齐桓"同次,"用为起词"矛盾。"王者莫高于周文,伯者莫高于齐桓,皆待贤人而成名"应分析为作止词的三个"读"。

又,说"王者莫高于周文"中的"高"字为"表词"是对的,但说"高"字"用为坐动"不妥,"高"字为静字,与"坐动"无关。

今连字提起天下贤者起词,犹云"天下所有贤者","天下"偏次智能两静字表词,用为坐动,至此一读。犹云"今日天下所有贤者,皆是智能之人",喝起("文库"本第211页,《读本》第356页,"校注"本第267页)

[按]说"智能"为"两静字,表词"是对的,但说它"用为坐动"不妥。

今连字,又一提吾起词,先置,其坐动"欲"字在后以介字,因也,用也天之灵,司词贤士大夫,亦"以"字司词定坐动有散动,承"定"字天下,两动止词,犹云"因天与人,吾定天下而有之"。以介字,使也为散动,司于"以"字一家,"为"字止词,自"以天之灵"至此,为言故之读欲坐动,其起词在前,其止词乃后读也其读之起词,指"天下"长久表词,附于"其"字,用为坐动世世转词,在宾次,以记时也奉散动,以承"长久"二字宗庙"奉"字止词亡绝亦散动,皆解"长久"二字,犹云"欲天下久长,使世世代代能奉宗庙而不绝"也也。助字,以煞承读之为止词者,自"其"字至此,皆为承读,即"欲"之止词("文库"本第211页,《读本》第357页,"校注"本第267页)

[按]说"吾"字为"起词,先置"不妥,"吾"字在句首作为起词,是正常位置,不能算是"先置"。

又,说"以"字是"介字","为一家"是其司词,不妥。其实,"以为一家"就是以前文所说的"天下"为一家,因此可以像前文分析"昔者先王以为东蒙主"一样,把"以"分析为"坐动","为"分析为"散动"。

又,说"长久"为"表词"是对的,但说它"用为坐动"不妥,因为它是静字。

有坐动,一字为假设之读,犹云"如有称合明德之人"也而连字弗言,坐动,其起词仍指"郡守"等,其止词仍指其人也。犹云"如有其人而郡守不言之于上"云。至此为读觉,受动字,可为起词免。坐动,犹云"凡弗言而为所觉者即免"。("文库"本第212页,《读本》第358页,"校注"本第269页)

[按]说"觉"为"受动字"是对的,但说它"可为起词"就不对了,"觉"与后面的"免"一样,也是"坐动",也是语词,其起词省略了。"觉"可分析为一"读"。

《孟·梁上》:"彼夺其民时,使不得耕耨以养其父母。"——"使不得耕耨"者非"彼"也,乃"彼夺民时"之事势使然者也,故"使"字当作连字观也。又:"今王发政施仁,使天下仁者皆欲立于王之朝……"云云。——"天下仁者"皆欲如是者,非王所能使然也,乃"发政施仁"之效使然也。《左·隐元》:"姜氏何厌之有,不如早为之所,无使滋蔓。"——"无使滋蔓"者,乃能"早为之所"之效,非谓庄公能禁其不滋蔓也。故"无使"二字应为连字,以记禁令之事也。又《成二》:"寡君不忍,使群臣请于大国,无令舆师淹于君地。"——"无令"二字,与"无使"同。《史·张释之列传》:"于是释之追止太子梁王无得入殿门。"——"无得"亦禁令之连字也。《左·成十三》："穆公不忘旧德，俾我惠公用能奉祀于晋。"——"俾"字，使令之连字也，与"使"字同。《史·匈奴列传》："愿寝兵……以安边民，使少者得成其长，老者安其处，世世平乐。"又："明告诸吏，使无负约。"《汉·李广传》："后无以复使边臣，令汉益轻匈奴。"《史·刺客列传》："愿大王少假借之，使得毕使于前。"又《项羽本纪》："今日固决死，愿为诸君决战，必三胜之，为诸君溃围斩将刈旗，令诸君知天亡我，非战之罪也。"《齐策》：孟尝君"使人给其食用，无使乏。"《楚语》："楚之所宝者曰观射父，能作训辞以行事于诸侯，使无以寡君为口实。又有左史倚相，能道训典以叙百物，以朝夕献善败于寡君，使寡君无忘先王之业，又能上下说天鬼神，顺道其欲恶，使神无有怨痛于楚国。"——诸所引，曰"使少者"，曰"令汉"，曰"使得"，曰"令诸君知"，皆以明事势之使然者也。又曰"使无负"，曰"无使"，曰"使无以"，曰"使寡君无"，曰"使神无"，皆禁令其无然者，皆连字也。而引论于此者，凡以为"使"字区别，故连及之。（"文库"本第216—217页，《读本》第365—366页，"校注"本第275页）

[按]一、这一段论说"使"、"令"为"连字"，但在卷八论连字时，并没有论说这种用法的"使""令"为"连字"（卷八曾说用在前分句表示假设的"使"、"乡使"等为推拓连字）。

二、在这一段里，说"'无使'二字应为连字"，又说"'无得'亦禁令之连字也"，又说"'使无负'……'无使'……'使无以'……'使寡君无'……'使神无'……皆连字也"，这些说法都不严谨，只能说其中的"使"字是连字。

三、这些"使"字、"令"字,今天看来,似乎可以分析为动词。

《史·李斯列传》:"遂散六国之从,使之西面事秦,功施到今。"——此"使"字亦明事势使然,连字也,"之"字同上。("文库"本第217页,《读本》第366页,"校注"本第276页)

[按]此句中"使"字是动字,非连字。

有形动字后如有止词或转词者,则附于后,而后以散动承之,以记所为动之事。……《孟·滕上》:"然友之邹,问于孟子。"——"之"字有形动字,"邹"字其转词也。"问"者,所为"之邹"之事也。"之"字后系以"邹"字,而后承以"问"字,此同前例,惟两动字间参以转词耳。("文库"本第218页,《读本》第367—368页,"校注"本第277页)

[按]马氏认为"问于孟子"之"问"为散动,不妥。

"然友之邹"与"问于孟子"之间有稍大的停顿,应视为两句,"问"与前句的"之"一样,是坐动。

"然友之邹,问于孟子"与下面的"齐举兵伐楚"、"如晋师告急"、"退三舍辟之"不同,"然友之邹,问于孟子"为两句,"齐举兵伐楚"等为一句。

两动字意平而不相承者,则间以"而"字连之,两意相反者亦如之。《孟·梁上》:"曰保民而王,莫之能御也。"——"保"、"王"两动字,事分先后,两意平列而不相承,故间以"而"字连之。("文库"本第219页,《读本》第369页,"校注"本第278页)

[按]马氏认为,《孟·梁上》"保民而王"中"'保'、'王'两动字,事分先后,两意平列而不相承",("文库"本第220页)而

"事分先后"不就是"先后相承"吗？为什么说它们"不相承"呢？

马氏在卷五论"动字相承"，有一些是今之所谓"连动句"，如"齐举兵伐楚"、"如晋师告急"、"退三舍辟之"等，但对于"保民而王"之类的连动句则认为不是"动字相承"，马氏似乎认为，两动字之间有"而"字连之者，则为"两动字意平而不相承者"，这未免过于偏执了。其实，两动字之间有"而"字连之者，有很多都是"两动字相承"的。比如《孟·梁上》"保民而王"，"有牵牛而过堂下者"之类，马氏都说它们"两动字意平而不相承"，不为妥当。

但到了卷之八，马氏又改变了这一观点，说"中参'而'字者"也可以是"动字相承"之例。下面是卷八的一些论述：

(1) 前后动字，其第二动字有"之"字为止词者，中参"而"字，亦成四字，如：《孟子·公孙丑下》云："环而攻之"，"委而云之。"又《万章上》云："予既烹而食之。"以及第一动字为有形迹可见者，后承其他动字，率以"而"字联之，可成为四字者。如《孟子·离娄下》云："又顾而之他"，"仰而思之"。又《梁惠王上》："反而求之。"韩文《张中丞传后序》："观者见其然，从而尤之。"《论语·微子》云"趋而辟之，不得与之言。"又《左传·隐五年》云："三年而治兵，入而振旅，归而饮至，以数军实。"——诸句皆详于动字相承篇矣。("文库"本第282页)

(2) 又《汉书·陆贾传云》："陛下安得而有之。"又《匈奴传》云："其世传不可得而次。"《孟子·万章上》云：

"盛德之士,群不得而臣,父不得而子。"又《庄子·应帝王》云:"子之先生不齐,吾无得而相焉。"——诸句助动"得"字后直承散动,往往间以"而"字,亦变例也。动字相承篇内未载,今补志焉。("文库"本第282—283页)

(3)六字句,有上截三字,下截二字,中间"而"字者,亦有上两下三者。《孟子·离上》:"旷安宅而弗居,舍正路而不由,哀哉!"——"旷安宅"者,外动与其止词也,此上截三字。"弗居"者,即"弗居安宅"也,下截两字。中间"而"字,此动字相承例也。("文库"本第283页)

对例(1),马氏只说"诸句皆详于动字相承篇矣",比较含糊。例(2),则是"诸句助动'得'字后直承散动,往往间以'而'字",清楚地说明了两动字之间间以"而"字者也是"动字相承"。例(3),则说"中间'而'字,此动字相承例也",再清楚不过地表明两动字之间间以"而"字者也是"动字相承"之例。

看来,在"动字相承"之例中,有两动字之间间以"而"字者,也有两动字之间不间以"而"字者;同样,在"动字平列而不相承"之例中,也有两动字之间间以"而"字者,也有两动字之间不间以"而"字者。

可见,卷五讲"动字相承"而不讲两动字之间间以"而"字者,讲"动字平列而不相承"又全以两动字之间间以"而"字为例,不讲"动字平列"不用"而"字者,是不怎么妥当的。

句读中所用散动之式,不止此也。有用如起词者,有用如表词者,有用如司词者,有用于偏次者。无论内外动字,各可以其止词、转词从之。("文库"本第222页,《读本》第374页,"校注"本第282页)

[按]末句"无论内外动字,各可以其止词、转词从之",说法不严谨,内动字只能以"转词"从之,外动字才能"以其止词、转词从之"。

散动用如起词者。("文库"本第222页,《读本》第374页,"校注"本第282页)

[按]此为小标题,但这个标题下所举的例句,并不是单一的散动字用如起词,而是散动字与其止词、转词一块儿作起词,所以,在下文的分析中,有"'交邻国'三字为'有'字之起词"、"散动字与其止词,而为各句之起词"、"'不教民而用之'一顿,其起词也"、"'意''知''分'三外动字,而'入''出'二内动字,各与其所属而为起词"等说法。

《孟·梁下》:"齐宣王问曰:'交邻国有道乎'"——"交"外动字,"邻国"其止词,"有"坐动也,"道"则其止词也。"交邻国"三字为"有"字之起词,"交"字散动而为"有"字之起词。盖齐王问交邻国之道,非交邻国之人之道也。("文库"本第222页,《读本》第374页,"校注"本第282页)

[按]既说"'交邻国'三字为'有'字之起词",又说"'交'字散动而为'有'字之起词",自相矛盾。

《孟·离下》:"孟子曰:'世俗所谓不孝者五:惰其四支,不顾父母之养,一不孝也。博奕好饮酒,不顾父母之养,二不孝也。好货财,私妻子,不顾父母之养,三不孝也。从耳目之欲,以为父母戮,四不孝也。好勇斗狠,以危父母,五不孝也。章子有一于是乎?'"——历数不孝之事,皆散动字与其止词,而为各句之起词。所谓"一不孝也""二不孝也"云云者,则皆表词也。("文库"本第222

页,《读本》第 374 页,"校注"本第 282—283 页)

[按]不宜说"一不孝也"、"二不孝也"为"表词","也"是助字,附于表词之后。

《公·僖十六》:"曷为先言霣而后言石？霣石,记闻。"又:"曷为先言六而后言鹢？六鹢退飞,记见也。"——诸所引,皆以散动为起词也。("文库"本第 223 页,《读本》第 375 页,"校注"本第 283 页)

[按]马氏的意思是说"先言霣而后言石"、"先言六而后言鹢"等是"散动为起词",但这并非是以"散动"一字为起词,而是以散动字与其止词、转词一起组成的短语作起词。

散动用如表词者。("文库"本第 223 页,《读本》第 375 页,"校注"本第 283 页)

[按]从这个小标题下所举的例句来看,只有《孟·滕上》"彻者彻也,助者藉也"和"庠者养也,校者教也,序者射也"两例中是一个散动字用如表词,其余都是散动字与其止词、转词一起作表词。

《史·货殖列传》:"故善者因之,其次利道之,其次教诲之,其次整齐之,最下者与之争。"——"因之""利道之"等散动字,皆表词也。("文库"本第 224 页,《读本》第 376 页,"校注"本第 284 页)

[按]说"因之"和"利道之"是"散动字",不妥,其中"之"是止词。

散动用如司词者。("文库"本第 224 页,《读本》第 377 页,"校注"本第 284 页)

[按]这是小标题,但这个标题下所举的例句,只有《礼·大学》"于止知其所止,可以人而不如鸟乎"等少数例中是一

个散动字用如司词，其余都是散动字与其止词、转词一起作司词。例如马氏在分析"可使制梃以挞秦楚之坚甲利兵矣"一句时说："'挞'字与其止词，皆'以'字之司词也。"

散动用于偏次者。（"文库"本第224页，《读本》第377页，"校注"本第285页）

[按]此为小标题，但在这个标题下所举的例句，基本上都不是一个散动字用如偏次，而是散动字与其止词、转词或状词一起作偏次，所以，在下文的分析中，有"'大有为'与'不召'，皆散动字与其状字，皆在偏次"、"'引弓'在偏次"、"'见慕'与'感慨悲歌'诸字，皆在偏次"等说法。

《赵策》："彼秦者，弃礼义而上首功之国也。"——"弃"、"上"两散动字，皆在偏次，以附于"国"字。（"文库"本第225页，《读本》第378页，"校注"本第285页）

[按]应该说"弃礼义"、"上首功"皆在偏次，以附于"国"字。

《庄·胠箧》："将为胠箧探囊发匮之盗而为守备……。"——"胠"、"探"、"发"三散动字，皆在偏次，以明其为何为之"盗"。（"文库"本第225页，《读本》第378页，"校注"本第285页）

[按]在偏次者非"胠"、"探"、"发"三散动字，而是"胠箧"、"探囊"、"发匮"三个短语，"明其为何为之'盗'"者也是"胠箧"、"探囊"、"发匮"三个短语。

又："跂行喙息蠕动之类，莫不就安利而辟危殆。"——"行""息""动"三散动字，皆在偏次。（"文库"本第225页，《读本》第378页，"校注"本第285页）

[按]在偏次者非"行"、"息"、"动"三散动字,而是"跂行"、"喙息"、"蠕动"三个短语。

韩《张中丞叙后》:"云知贺兰终无为云出师意。"——"出师意",即云出师之意也,故"出"字亦在偏次。(《文库》本第225页,《读本》第378页,"校注"本第286页)

[按]不应该只说"出"字在偏次,而应该说"出师"在偏次。

六、《实字卷之六》拾误

凡状者,必先其所状,常例也。(《文库》本第227页,《读本》第380页,"校注"本第289页)

[按]"必"与"常例"矛盾。如果说"凡状者,必先其所状",那就没有"后其所状"的变例存在,那就不用说"常例也"了。如果说状字"先其所状"只是"常例也",还有"后其所状"的"变例"存在,那就只能说"状者,先其所状,常例也",把"必"字去掉。

《孟·离上》:"既不能令,又不受命,是绝物也。"——"既""又""不"三字,皆状字也,两句"不"字,一以"既"字状之,一以"又"字状之,而皆先焉。(《文库》本第227—228页,《读本》第381页,"校注"本第290页)

[按]在"既……,又……"格式中,"既"和"又"宜分析为连字。《马氏文通》卷八论"连字"时指出:"事有蝉联而至者,

承以'既'字或'又'字。而'既'、'又'两字又互为呼应者。"("文库"本第305页)"凡言'既'字,皆先提一事,后及他事也。'既'字所附者,辞气未完,皆读也,故列入连字。"("文库"本第306页)又说,"又"为"继事之辞"("文库"本第306页),也是连字。

《孟·梁下》:"君是以不果来也。"——"不"、"果"两字皆状字,"不"状"果"字,故先焉。("文库"本第228页,《读本》第381页,"校注"本第290页)

[按]"不"状"果来",非状"果"字。

不惟此也,名字,代字,顿也,读也,皆为状焉。("文库"本第228页,《读本》第382页,"校注"本第290页)

[按]一、从下面的例句来看,状字还可以状"句"。其例句及解说是:"韩《应科目时与人书》:'盖非常鳞凡介之品汇匹俦也。'又:'盖十八九矣。'又:'盖一举手一投足之劳也。'——'盖',辜较之辞,状字也,今置诸句之首以状焉。状字之状句有如此者。"("文库"本第229页)因此本句应该是:"名字,代字,顿也,读也,句也,皆为状焉。"

二、一般认为,副词不修饰名词。因此,说"名字,代字,顿也"可为状字所状的观点还值得研究。在本卷的开头,马氏说过:"状字之于动字,亦犹静字之于名字,皆所以肖貌之者也。"因此应该说,状字是"肖貌"动字的,静字是"肖貌"名字的。名字、代字不应该为状字所状。多数"顿"是名词性的,也不应该为状字所状。

《孟·离下》:"君之视臣如手足,则臣视君如腹心;君之视臣如犬马,则臣视君如国人;君之视臣如土芥,则臣视君如寇雠。"——六"如"字皆状字,而所状又皆名字。("文库"本第228页,《读本》第382页,"校注"本第291页)

[按]此"如"字应为"同动字"。《马氏文通》卷四说:"至'如'、'若'等字,虽为状字,而其用与动字无异,亦可列入同动字也。"("文库"本第182页)又说:"'如'字为用不一,而作'同'、'若'之解者,其后皆有名、代等字以为止词,或为表词亦可,与动字无异,故列入同动字。"("文库"本第183页)后来人一般都认为,把"如""若"等字列入同动字是对的,列入状字不能接受。

吕叔湘指出:"马氏把'如'、'若'、'犹'等作为状字,是近于荒谬的说法。"(孙玄常《马氏文通札记》第121页批语)

《史·封禅书》:"获一角兽,若麟然。"——"若麟然"者,有似于麟也,非真麟也。先以"若"字,复以"然"字为殿者,亦常例也。("文库"本第228页,《读本》第382页,"校注"本第291页)

[按]这里说"先以'若'字,复以'然'字为殿者,亦常例也",可是后文又说:"先以'若'、'如'等字,而复殿以'然'字者为常,且必置于所状之后,此变例也"("文库"本第232页),两说互相矛盾。

《孟·告上》:"是以若彼濯濯也。"——"彼"代字,"若"字状之。故"若此""若是""如何""或此""或彼"诸语,经籍中常常有之,皆此例也。("文库"本第228页,《读本》第382页,"校注"本第291页)

[按]"若"为同动字,非状"彼"字之状字。

《汉·司马迁传》:"不以此时引维纲,尽思虑……"云云。——"以此时"三字一顿,"不"字状之。("文库"本第 228 页,《读本》第 383 页,"校注"本第 291 页)

[按]"不"字所状,不是"以此时"三字,而是"以此时引维纲,尽思虑"整体。

《左传·定九》:"吾从子如骖之靳。"——"骖之靳"一顿,"如"字状之而先焉。("文库"本第 228 页,《读本》第 383 页,"校注"本第 291 页)

[按]"如"为同动字,非状字"状之而先"者。

《礼·中庸》:"或生而知之,或学而知之,或困而知之,及其知之一也。或安而行之,或利而行之,或勉强而行之,及其成功一也。"——"或"状字,六用之以状读焉。("文库"本第 229 页,《读本》第 383 页,"校注"本第 291 页)

[按]此处"或"是连字,非状字。《马氏文通》卷八论连字时对此例有正确的解说。

《孟·梁上》:"以若所为,求若所欲,犹缘木而求鱼也。"——"犹"亦状字,以状所比之读而先焉。("文库"本第 229 页,《读本》第 383 页,"校注"本第 291 页)

[按]"犹"为同动字,非状字。

有假借名字为状字者。此与宾次节与内动字节内所引同例。《孟·梁上》:"庶民子来。"——"子来"者,如子之来也。"子"名字,先乎动字而成状字。《孟·万下》:"今而后知君之犬马畜伋。"——"犬马畜伋"者,犹言畜伋如犬马也。"犬马"二字名字,置"畜"字之先而用如状字。……诸句皆以名字状动字而先焉。("文库"本第 230 页,《读本》第 385—386 页,"校注"本第 293 页)

[按]先说"假借名字为状字",后又说"以名字状动字",自相矛盾。按前说,则句中名字已转为"状字",按后说,则句中名字并未转为"状字"。

《孟·梁上》:"及寡人之身,东败于齐,……西丧地于秦七百里,南辱于楚。寡人耻之。"——"东"、"西"、"南"三静字,今先动字,以状其处也。("文库"本第230页,《读本》第386页,"校注"本第294页)

　　[按]按《马氏文通》体系分析,"东"、"西"、"南"三字已成状字,不宜再称之为"三静字"了。说"三静字,今先动字,以状其处也",好像"状其处"也是静字的功能似的。应该说:"东"、"西"、"南"三字,本静字,今为状字,以状其处也。本卷论"状字别义"时又举此例,并分析说:"'东'、'西'、'南'三字,各记其败丧与见辱之地,盖记其丧败之地,即所以状其丧败时之情境,故曰状字。惟其为状字,所以先于动字也。"("文库"本第233页)

状字用以象形肖声者,其式不一。有用双声者,有用叠韵者,而双声叠韵诸字概同一偏旁者。有重言者,有重言之后加以"焉"、"然"、"如"、"乎"、"尔"诸字者。("文库"本第231页,《读本》第387页,"校注"本第294页)

　　[按]"而双声叠韵诸字概同一偏旁者"之"而"字(或"概"字)应改为"有",否则有语病。"双声叠韵诸字"并非"概同一偏旁者"。

状字为双声叠韵且同一偏旁者。("文库"本第231页,《读本》第387页,"校注"本第294页)

[按]此为标题语,但下文所举之例有的是"双声不同一偏旁者",有的是"双声且同一偏旁者",有的是"叠韵不同一偏旁者",有的是"叠韵且同一偏旁者",并非"既双声叠韵又同一偏旁者"。

又《诗·小雅·皇皇者华》云:"六辔沃若。"《易·乾》云:"夕惕若。"《公羊传·文公十四年》云:"力沛若有余。"《礼·玉藻》云:"二爵而言言斯。"——夫如是,则"若"、"斯"二字亦可藉以为状辞之助语矣。("文库"本第232页,《读本》第389页,"校注"本第296页)

[按]"状辞"和"助语"费解。

《马氏文通》中"状辞"一语凡4见,意义多不相同。这里说"沃若"、"惕若"、"沛若"、"言言斯"中"若"、"斯"二字为状辞之助语,其"状辞"好像是指"沃若"、"惕若"、"沛若"中的词根。《马氏文通》卷九说《左·哀十七年传》"裔焉大国,灭之将亡"中"裔焉"的"焉""为状辞,同'然'字"("文库"本第359页),其"状辞"又好像是指"裔焉"等词中的词缀。

《马氏文通》本卷后来说:"至记处记时之语,率用'上'、'下'、'左'、'右'、'内'、'外'、'中'、'间'等字,缀于地名人名时代之后,与夫记价值、记度量、记里数诸名字,皆可名为状辞。"("文库"本第244页)其"状辞"好像指的是"××上""××下""××中"一类方位短语。

《马氏文通》卷十又说:"句读中往往有连两字、三字或四字、五字以肖面貌、体态、服制、情性、材质等事,类若状语,而诵时应少住者,故谓之言容之顿。……无可强名,故谓之顿,视同状辞耳。"("文库"本第409页)这里的"状辞"指的是"顿",

不过其中有些"顿"也很像小句。

把这些不同性质的语言单位皆称为"状辞",是欠考虑的。

至"犹"、"若"、"如"等字用以为比者,亦以记成事之容。……《孟·告上》:"性犹杞柳也,义犹桮棬也。"——"性"与"杞柳","义"与"桮棬",本无相关之义,今以"犹"字先乎"杞柳",则"性"为所状矣,先乎"桮棬",则"义"为所状矣。此"犹"字所以记容之状字也。"如"、"若"诸字同例。……又《商君列传》云:"君之危若朝露。"——诸句内所有"如"、"若"等字,皆以状所比也。而"如"、"若"、"犹"诸字之所状,或为名字,或为静字,或为一读皆可。("文库"本第 235 页,《读本》第 394—395 页,"校注"本第 300 页)

[按]"犹"、"若"、"如"诸字皆为同动字,非状字,既非"记成事之容",亦非"状所比也"。

"然"字、"尔"字解作"如是"者,亦肖容之状字也。《孟·梁下》:"今也不然。"——犹云"今非如此"也。此"然"字解作"如此"而为表词者,实肖容之状字也。又《告上》:"非天之降才尔殊也,其所以陷溺其心者然也。"——"尔殊"者,如此有异也。"尔"解如"然"字。下"然"字同前。《左·成八》:"惟然,故多大国矣。"——"惟然"者,犹云"惟其事之如是"也。《汉·贾谊传》:"其异姓负强而动者,汉已幸胜之矣。又不易其所以然,同姓袭是迹而动,既有证矣,其埶尽又复然。"——"所以然"者,所以为如此也,"复然"者,复为如此也。《公·庄三十二》:"公子牙今将尔。"——"今将尔"者,犹云"今将如此"也。韩《答冯宿书》:"仆何能尔?"又《答陈商书》:"不知君子必尔为不也。"——"能尔"者,"能为如此"也,

"必尔为不也"者,"必如此为抑否也。"("文库"本第235—236页,《读本》第395—396页,"校注"本第300—301页)

[按]这种用法的"然"字、"尔"字,都不应分析为状字,因为它们都不具备状字的句法功能,它们既不"先其所状",也不"以状动字"。

马氏说上述例句中的"然"字和"尔"字是"状字",又说它们是"表词",这也是有问题的。状字不能作表词,如果作表词,那应该是"静字"了。

(状字)答语可单用一字,不必附于他字。《礼·内则》云:"男惟,女诺。"——然则"惟"、"诺"二字皆可单用矣。《论语·里仁》云:"曾子曰:'惟。'"又《阳货》:"孔子曰:'诺,吾将仕矣。'"《礼·檀弓》云:"有子曰:'然。'"——此皆单用一字以为答也。《史记·自叙》云:"惟惟,否否,不然。"——此重言亦所以为应答之辞也。("文库"本第238页,《读本》第400页,"校注"本第304页)

[按]这是在"状字别义·五、以决事之然与不然者"中讲的,但这里所说的"惟"、"诺"、"然"等字都不具备状字的句法功能,既不"先其所状",也不"以状动字",不应分析为状字。

至《孟·梁惠王下》云:"不若与人。"又云:"今也不然。"又《公孙丑上》云:"虽有智慧,不如待时。"——三句"若"、"然"、"如"三皆状字,"不"字先之,皆所以言事理之如此也。("文库"本第239页,《读本》第401页,"校注"本第304页)

[按]说此三句中"若"、"然"、"如"三"皆状字",而此三句中的"若"、"然"、"如"三字皆非状字,它们都不具备状字的句法功能,既不"先其所状",也不"以状动字",不应分析为状

字。

《易·系辞》云:"君子之道,或出,或处,或默,或语。"与《礼·中庸》"或生而知之"诸"或"字,皆辞之未定为一者也,故皆状字。("文库"本第244页,《读本》第410页,"校注"本第311页)

[按]这些"或"字并非状字。"辞之未定为一者"非状字必有特性,说"皆辞之未定为一者,故皆状字",没有道理。《马氏文通》卷七论连字时说:"其他承接连字,率皆假借于动、状等字。凡事理可分举者,则承以'或'字"("文库"本第305页)。又举此两例并作分析:

《易·系辞》:"君子之道,或出,或处,或默,或语。"……此"或"字分承者,皆单字也。

《礼·中庸》:"或生而知之,或学而知之,或困而知之,及其知之一也。或安而行之,或利而行之,或勉强而行之,及其成功一也。"……此"或"字分承读也。

《马氏文通》卷七的分析是对的。

七、《虚字卷之七》拾误

"之"字训为代字,训为动字,已详于前。训为介字,则不为义,故曰虚字。经生家训"之"字云:"言之间也。"("文库"本第246页,《读本》第414页,"校注"本第315页)

[按]说"之"字"训为介字,则不为义",不妥。"之"字有义,经生家说它是"言之间也",也就是对介字"之"的词义的

一种描述。本卷中,马氏亦指出:"所引'之于'两字,离之则各有义"("文库"本第259页),也承认"之"和"于"两字"各有义"。

其一,散动字用于偏次,而名字在正次者,率间"之"字以明之。《汉·贾谊传》:"及太子既冠成人,免于保傅之严,则有记过之史,彻膳之宰,进善之旌,诽谤之木,敢谏之鼓。"——"记过"者,动字及其止词也,"宰"名字也,中间"之"字,以明偏正之次。下句同解。又《赵后传》:"乃反覆校省,内暴露私燕,诬污先帝倾惑之过,成结宠妾妒媚之诛,甚失贤圣远见之明,逆负先帝忧国之意。"又:"不然,空使谤议,上及山陵,下流后世,远闻百蛮,近布海内,甚非先帝托后之意也。盖孝子善述父之志,善成人之事,惟陛下省察!"——引内诸句,以"过""诛""意""志""事"五字为煞字者,皆此例也。诸句动字用如名字,而正次名字又皆只字,故以"之"字四之也。("文库"本第248页,《读本》第417—418页,"校注"本第318页)

[按]本节论说"散动用于偏次",实为"散动与其止词一起用于偏次"。比如"记过之史",马氏说:"'记过'者,动字及其止词也",可见,用如偏次的是"记过"(动字及其止词),而不是单个的动字"记"。

分析语中说"'记过'者,动字及其止词也,'宰'名字也,中间'之'字,以明偏正之次",疑有错字,或有脱文。句中"记过"并非是"宰"的偏次。("记过"是"史"的偏次,"彻膳"是"宰"的偏次)

本节小题是"散动字用于偏次",可是最后又说这些字是

"动字用如名字",二者之间有矛盾。按照《马氏文通》的"用如"说,则这些散动字已经假借为名字了,但这些字还带着止词、转词,而名字是不具备这些功能的,因此还是分析为"散动字用于偏次"较为妥当。

《马氏文通》认为,"述父之志"和"成人之事"是与"倾惑之过"、"妒媚之诛"、"远见之明"、"忧国之意"同为"散动用于偏次"之例,不妥。吕叔湘、王海棻《马氏文通读本》指出:"述父之志"与"成人之事"非散动字用于偏次之例,"父之志"为"述"的止词,"人之事"为"成"的止词。

《孟·告上》:"如有能信之者,则不远秦楚之路,为指之不若人也。"——"为",言故之连辞也,故"为"后之读,间以"之"字。("文库"本第249页,《读本》第418页,"校注"本第319页)

[按]"连辞"应为"连字",因为"连字"是《马氏文通》论字类的正式的有"界说"的术语,而"连辞"则不是。《马氏文通》中的"×辞"是个非正式的术语,通常指两个字和两个字以上的短语,而本例中"为"仅为一字,不当称为"×辞"。

《汉·匈奴传》:"汉骠骑将军之出代二千余里,与左贤王接战,汉兵得胡首虏凡七万余级。"《庄·养生主》:"始臣之解牛之时,所见无非牛者。"——两引皆记时之读也。("文库"本第249页,《读本》第419页,"校注"本第319页)

[按]"始臣之解牛之时"是记时之"顿",非"记时之读"。"臣之解牛"为读,在偏次。

《庄·逍遥游》:"鹏之徙于南冥也,水击三千里。"《论·学而》:"夫子之至于是邦也,必闻其政。"《齐语》:"昔者圣王之治天下也,参其国而伍其鄙。"《史·李斯列传》:"彼贤人之有天下也,专用天下适己而已矣。"又《张陈列传》:"秦之灭大梁也,张耳家外黄。"又《商君列传》:"五羖大夫之相秦也,劳不坐乘,暑不张盖。"《蜀志·诸葛亮传赞》:"诸葛亮之为相国也,抚百姓,示仪轨,约官职,从权制,开诚心,布公道。"——共引书七次,其读之为起词,各间"之"字而助以"也"字者,皆以记同时之事。如鹏之水击三千里,皆其徙南冥时之事也。余可类推。("文库"本第250页,《读本》第420页,"校注"本第320页)

[按]马氏认为上7例是"读"为起词,不妥。

吕叔湘、王海棻《马氏文通读本》认为:上7例"读既记同时之事,则是用如状字,不应定为起词"。笔者认为,把《张陈列传》"秦之灭大梁也,张耳家外黄"一句定为读用如状字,特别合适。其余似可分析为前读后句的"读先乎句"句型,前面"读"之起词,与后面"句"之起词相同,"句"之起词因而省略。这是一种"读先乎句而有起词为联者"。例如:

(1)寡人之于国也,尽心焉耳矣。(《孟子·梁惠王上》)

(2)昔周辛甲之为大史也,命百官……(《左传·襄公四年》)

(3)叔孙通知上益厌之也,说上曰。(《史记·叔孙通列传》)

《马氏文通》认为,例(1)—(3)是"读先乎句",并且说:"系三,读如先句,句之起词已蒙读矣,则不复置。"("文库"本第388页)

《汉·东方朔传》:"若夫燕之用乐毅,秦之任李斯,郦食其之下齐,说行如流,曲从如环,所欲必得,功若丘山,海内定,国家安,是遇其时也。"《礼·大学》:"古之欲明明德于天下者,先治其国。"《史·李斯列传》:"秦之乘胜役诸侯,盖六世矣。"又《黥布列传》:"我之取天下,可以百全。"《汉·贾谊传》:"秦王之欲尊宗庙,安子孙,与汤武同。"——所引诸读,惟间"之"字,以读之起词,亦即坐动之起词,故不助"也"字,使辞气较直捷耳。"古之欲明明德于天下者"一读,其起词即为"者"字,而复冠以"古"字者,欲"之"字有可间之地也。("文库"本第250页,《读本》第420—421页,"校注"本第320—321页)

[按]说这几个句子"读之起词,亦即(句之)坐动之起词",恐非是。例如《史·李斯列传》"秦之乘胜役诸侯,盖六世矣",《礼·大学》"古之欲明明德于天下者,先治其国",前面读的起词并不是后面句的起词。"秦之乘胜役诸侯,盖六世矣"一句中能有句之"坐动"吗?

《汉·东方朔传》一句,从总体上看,也是一个判断句。"是"字前面的"燕之用乐毅,秦之任李斯,郦食其之下齐,说行如流,曲从如环,所欲必得,功若丘山,海内定,国家安"是"前次","是"字则为同次,"是"字后面的部分是表词。《马氏文通》论"同次"时讲到过这类句子,说是"凡动字、名字历陈所事,后续代字以为总结者"("文库"本第109页),如:

(1)堕肢体,黜聪明,离形,去知,同于大道,此谓坐忘。(《庄子·大宗师》)

(2)夫可与乐成,难与虑始,此乃众庶之所为耳。(《汉书·刘歆传》)

(3) 礼义廉耻,是谓四维。(《汉书·贾谊传》)

《马氏文通》认为,这类句子中,前面的"诸动字但言事",为前次,后面的"此"字"是"字为同次,统指以前各项,而为"句之起词"。

总之,上述 5 个例句并不同类,把它们囫囵视为"读之起词,亦即(句之)坐动之起词"是不妥当的。

更有承动先置者,如《左传·僖公七年》云:"郑将覆亡之不暇,岂敢不惧?"——"覆亡",动字也,以承"不暇"者,今倒置焉。犹云"郑将不暇于覆亡"也。又《襄公二十四年》云:"侨闻君子长国家者,非无贿之患,而无令名之难。"——犹云"非患无贿而难无令名也"。韩《郑尚书序》云:"及既至,大府帅先入据馆,帅守屏,若将趋入拜庭之为者。"——犹云"若将趋入为拜庭者"。以上三引,皆承动先置,而间以"之"字者,盖非弗辞,即疑辞耳。("文库"本第 253 页,《读本》第 424 页,"校注"本第 323 页)

[按]所谓"承动",就是"散动"。《马氏文通》卷五论"动字相承"时说:"一句一读之内有二三动字连书者,其首先者乃记起词之行,名之曰坐动;其后动字所以承坐动之行者,谓之散动。"("文库"本第 208 页)这里讲"承动先置",则是先者为散动,后者为坐动了,与"动字相承"说矛盾。

以上 3 例也可分析为"止词先置"句式。

不宁惟是,状字必先所状,常也。而《庄子·养生主》云:"技经肯綮之未尝,而况大軱乎!"——"未尝"两字,所以状"经"字也,今后置焉,犹云"技未尝经乎肯綮"也。或云"技经肯綮者未尝也",亦通,则"未尝"两字用如表词,而"技经肯綮"则为读矣,亦无

不可。("文库"本第253页,《读本》第425页,"校注"本第324页)

[按]马氏认为"状字必先所状"是"常"例,"后其所状"是"变"例。为了证明状字可以"后其所状",这里才举出了《庄子·养生主》"技经肯綮之未尝"例句,可是又接着用"或云""亦通"自己否定了自己,则"状字可以后其所状"之说又没有例证了。

马氏经常用这种方法来破坏自己的学说体系。

又,说"'未尝'两字用如表词,而'技经肯綮'则为读矣",亦有不妥,如"未尝"两字用如表词,而"技经肯綮"则是"读之起词",而不是"读"了。

静字后往往附有司词以足其义者,而所以联缀司词以附於静字者,率用"於"字。详见静字篇内。《汉·东方朔传》:"夫谈有悖於目,拂於耳,谬於心而便於身者,或有说於目,顺於耳,快於心而毁於行者,非有明王圣主,孰能听之。"——凡八用"於"字,皆以联缀司词以附静字也。("文库"本第255页,《读本》第428页,"校注"本第326页)

[按]马氏说"於"字"以联缀司词以附静字",意思是"於"字不在司词之内,但在卷三论"象静司词"时,却多次把"於×""于×"整个儿说成象静司词。这样,"於""于"二字在"象静司词"之内还是在其外,就说不准了。《马氏文通》的"转词"也有这种情况。

凡外动字之止词变为起词,是即外动字之转为受动矣。至外动字之起词转为受动,则有书有不书者,其书者往往介以"於"字者,明其行之所自发也,已详于受动字篇矣。("文库"本第256页,

《读本》第 430 页,"校注"本第 328 页)

[按]说"外动字之起词转为受动",不妥。"受动"即"受动字",是表示被动意义的动字,外动字可以转为"受动",外动字之起词不可转为受动。这句可改为"外动字之起词附于受动",或"外动字之起词转为受者",《马氏文通》有"受者"一语,相当于今之"受事"。

"於"字司读者为常。《孟·梁上》:"王无异於百姓之以王为爱也!"——"百姓之以王为爱"一读,乃"异"字转词,今为"於"字所司。("文库"本第 260 页,《读本》第 436 页,"校注"本第 332—333 页)

[按]说"百姓之以王为爱"一读是"异"字转词,是把"异"字看作动字了。其实,"异"字今天看来是形容词,在《马氏文通》中该叫做"静字",《马氏文通》也说过"同""异"是"两静字"。

司词后乎介字,转词后乎动字者,常也。("文库"本第 260 页,《读本》第 437 页,"校注"本第 333 页)

[按]说司词后乎介字常也,可以。但说"转词后乎动字者,常也",则有不妥。因为转词是可先可后的,应该说是"先后无常"。《马氏文通》说过:"记从来之处者,其转词概以'自'字为介,而先后无常。"("文库"本第 166 页)还说:"前论止词必后外动,而转词则先后无常。"("文库"本第 174 页)

《孟·万上》:"晋人以垂棘之璧与屈产之乘,假道于虞以伐虢。"——第一"以"字司名字,解"用"也。"以伐虢"者,"伐"外动字,"虢"其止词,皆为"以"字所司,今后乎"假"字者,以言所为"假道"也,即假道之初意。此"以"字以联先后动字之法,见于书者,所在皆是。《史·日者列传》:"夫卜者多言夸严以得人情,虚高人禄命以说人志,擅言祸灾以伤人心,矫言鬼神以尽人财,厚求拜谢以私于已,此吾之所耻。"又《匈奴列传》:"愿寝兵,休士卒,养马,除前事,复故约,以安边民,以应始古。"《吴语》:"请王励士以奋其朋势,劝之以高位重畜,备刑戮以辱其不励者。"——所引"以"后散动字,皆言其前动字之所向也。("文库"本第263页,《读本》第441—442页,"校注"本第337页)

[按]以上4例句中12个"以"字,除"晋人以垂棘之璧与屈产之乘""劝之以高位重畜"中的两"以"字外,其余"以"字接连接前后两个动词性短语,非介字用法。马氏也说"此'以'字以联先后动字之法",既然其作用是"联",为什么不把它们分析为连字呢?

"是以"皆冠句首,然如"楚是以无分"句,则"是以"置于起词之后,亦顺。("文库"本第264—265页,《读本》第444页,"校注"本第338页)

[按]"'是以'皆冠句首"过于绝对,与下文"然如'楚是以无分'句,则'是以'置于起词之后,亦顺"相矛盾。除"楚是以无分"外,马氏后来还举了别的"是以"不在句首的例句,如《汉书·杨王孙传》云:"吾是以赢葬,将以矫世也。"("文库"本第265页)

两静字义可分者,参"以"字以联之。《礼·乐记》:"是故治世之音安以乐,其政和。乱世之音怨以怒,其政乖。亡国之音哀以思,其民困。"——"安"、"乐"两静字,参"以"字以联之,犹"安而乐"也。余同,见静字篇。《大戴礼·曾子制言》:"富以苟,不如贫以誉,生以辱,不如死以荣。"——同上。所引"以"字,前后间有动字,而亦视同静字者,为其言已然之境也。《礼·聘义》:"温润而泽,仁也,缜密以栗,知也。"——"以"、"而"两字互用之证,故用义必同也。《荀子·议兵》:"故制号政令,欲严以威,庆赏行罚,欲必以信,处舍收臧,欲周以固,徙举进退,欲安以重,欲疾以速,窥敌观变,欲潜以深,欲伍以参,遇敌决战,必道吾所明,无道吾所疑,夫是之谓六术。"——诸用两静字,皆联以"以"字。韩《送郑尚书序》:"蛮夷悍轻,易怨以变。"——同上。《晋语》:"狐偃其舅也,而惠以有谋。赵衰其先君之戎御赵夙之弟也,而文以忠贞。贾佗公族也,而多识以恭敬。"《公·庄二十四》:"戎众以无义。"——曰"有谋",曰"多识",曰"无义",皆可视同静字,故"以"字联之。("文库"本第266页,《读本》第446页,"校注"本第340—341页)

[按]这种用法的"以"字连接平列的两个静字,现在都分析为"连词",而不分析为介词。

《马氏文通》卷八论连字时讲到了连字"以",此节可移入。

"以为"二字,或省"为"字,而单用"以"字者焉。《左·昭二十五》:"公以告臧孙,臧孙以难,告郈孙,郈孙以可劝。"——"以难"者,犹云"以为难"也。其所"以"者,即上文逐季氏也。《释文》曰:"'郈孙以可'绝句,'劝',劝公逐季氏也。"犹云"郈孙以逐季氏为可而劝之"也。"难""可"两字皆静字而为表词者。又有以"以"字解作"谓"字者,文义虽同,而以释字法,则强合矣。《齐策》:"臣之妻私臣,臣之妾畏臣,臣之客欲有求于臣,皆以美于徐公。"——犹云"皆以为美于徐公"也。"美"亦表词。《史·张释之列传》:"陛下以绛侯周勃何如人也?"又《萧相国世家》:"高祖以萧何功最盛。"——犹云"以绛侯周勃为何如人"也,"以萧何功为最盛"也。

《赵策》:"今臣新从秦来,而言勿与,则非计也,言与之,则恐王以臣之为秦也。"——犹云"以臣为为秦"也。所引皆含"为"字。此种句法,见于今文者盖寡。("文库"本第266—267页,《读本》第447页,"校注"本第341页)

[按]以上几个例句中作"以为"解的"以"字都是动字,非介字。

这几个作"以为"解的"以"字都是"认为"的意思。《马氏文通》卷三论同次、论表词都曾经指出"以为"有两个意义,卷四论外动字又指出"以为"有五个意义,都讲到"以为"有一个意义是解作"谓辞"或"意谓",并指出"作谓辞者,则'以为'二字必联用"("文库"本第105页)例如:

(1)臣愚以为陛下法太明,赏太轻,罚太重。(《史·冯唐列传》)

(2)故臣以为足下必汉王之不危己,亦误矣。(《史·淮阴侯列传》)

(3)惠帝怪相国不治事,以为岂少朕与。(《史·曹相国世家》)

(4)以为李广老,数奇。(《史·李将军列传》)

《马氏文通》分析说:"所引'以为'皆连用而解作'意谓'者也。"("文库"本第134页)而这些"以为"都是"认为"的意思,马氏把它们分析为"谓辞",作动字看,是对的。

上述六个"以"字都是"意谓"、"认为"的意思,是动字,而不是介字。

"与",介字也,凡以联名代诸字之平列者。……《论·公冶》:

"夫子之言性与天道,不可得而闻也。"——"性"及"天道"两名平列,盖皆为夫子所可言者也,故以"与"字联之。《论·子罕》云:"子罕言利与命与仁。"——"利"、"命"、"仁"三者,皆夫子所"罕言",故联以"与"字。《左·庄二十八》:"赂外嬖梁五与东关嬖五。"——有云下"嬖"字衍,当作"东关五"。盖东关五第二,见于《汉书·古今人表》者也。故"梁五"及"东关五"皆为"外嬖",皆所当"赂"者也,故联以"与"字。("文库"本第268页,《读本》第449—450页,"校注"本第343—344页)

［按］"联名代诸字之平列者"的"与"字应当分析为连字。

动字前有互指代字者亦然。……《汉·司马迁传》:"夫仆与李陵俱居门下,素非相善也。"——"俱居""相善"同上。韩《上于相公书》:"故其文章言语与事相侔。"又《权公墓碑》:"前后考第进士,及庭所策试士,踵相蹑为宰相达官,与公相先后。"——凡引句内动字,前有"相"、"俱"诸互指代字者,皆有"与"字先之也。("文库"本第269页,《读本》第450—451页,"校注"本第344页)

［按］说"俱"是"互指代字",不妥。因为马氏论代字时仅说"自"、"相"、"交"等字为互指代字,未言"俱"为互指代字。

马氏认为,"俱"(具)是约指代字。马氏论约指代字时所举例句有:《史记·萧相国世家》:"以何具得秦图书也。"("文库"本第84页)意思是"具"为约指代字。《马氏文通》卷三论同次时又说:"约指、逐指代字,加于名代诸字之后,以为总括之辞者,曰加词。"举例有《史记·司马迁传》"夫仆与李陵俱居门下。"并分析说:"'俱'字约指以上两人也。"("文库"本第107页)《马氏文通》卷四曾举《史记·淮阴侯传》"诚能听臣之计,

莫若两利而俱存之"一句为例，并分析说："'两''俱'二字，约指代字，先动字者，例也"。（"文库"本第158页）

凡历数诸名诸代字与顿、读之用如名者，可参用"及"字。"与""及"两字互文也，见同次节。《孟·梁上》："汤誓曰：'时日曷丧，予及女偕亡。'"——"予"、"女"代字，"及"以联之。《史·叔孙通列传》："遂与所征三十人西，及上左右为学者，与其弟子百余人，为绵蕞野外习之。"——三顿，以"与"、"及"两字联之。韩《原性》："夫始善而进恶，与始恶而进善，与始也混而今也善恶，皆举其中而遗其上下者也，得其一失其二者也。"《汉·食货志》："乃募民能入奴婢，得以终身复，为郎增秩，及入羊为郎，始于此。"《左·昭元》："夫弗及而忧，与可忧而乐，与忧而弗害，皆取忧之道也。"……《汉·贾谊传》："太子之道，在于早谕教与选左右。"……又："且今节度观察使及防御营田诸小使等，尚得自举判官，无间于已任未任者。"——所引顿、读，有联以"与"字者，亦有联以"及"字者，可与同次节参观。（"文库"本第269页，《读本》第451页，"校注"本第344—345页）

[按]"与"、"及"两字以联并列的名诸代字与顿、读之用如名者，相当于今之"和"字，宜分析为连字。

"与"字于助动后，无司词者常也。《论·子罕》："子曰：'可与共学，未可与适道，可与适道，未可与立，可与立，未可与权。'"——"可与共学"者，言"可与之共学"也。"之"者，以指"可与共学"之人，下同。"可"，助动也。此等句法，动字往往解为受动。（"文库"本第271页，《读本》第454页，"校注"本第347页）

[按]"此等句法，动字往往解为受动"，语义含糊。本例

中动字共6个,即"学"、"适"、"适"、"立"、"立"、"权",它们虽然都在助动字"可"字后,但都不可以"解为受动",因为它们的止词没有转为起词。

然《孟子·告子下》云:"不知者以为为肉也,其知者以为为无礼也。"又《万章下》云:"仕非为贫也,而有时乎为贫。"——诸"为"字之司词,皆以煞句,而后无动字者,则以皆为句之表词也。故"为肉"者,乃不知者妄度孔子所为不税冕而行也。他句同此。("文库"本第272页,《读本》第456页,"校注"本第348—349页)

[按]说"诸'为'字之司词,皆以煞句,而后无动字者,则以皆为句之表词也",就是把上两例中"为"字之司词,分析为"句之表词",不妥。"为"字之司词居宾次,句之表词居主次,二者有明显的区别。表词前面的"为"字,非介字。

司代字则"之"字居多。……《孟·离上》:"况于为之强战。"《论·先进》:"而求也为之聚敛而附益之。"《史·淮阴侯列传》:"今足下虽自以与汉王为厚交,为之尽力用兵,终为之所禽矣。"韩《上留守郑相公书》:"为其长者,岂得不小致为之之意乎!"——所引"为之强战","为之聚敛","为之尽力","为之之意"皆介字也。("文库"本第272页,《读本》第456页,"校注"本第349页)

[按]说"为之强战"、"为之聚敛"、"为之尽力"、"为之之意"、"皆介字也",不严谨。只能说"为之强战"、"为之聚敛"、"为之尽力"、"为之之意"中的"为"字,"介字也"。

又,"为之之意"与"为之强战"等结构不同,"为之之意"中的"为"字恐非介字,疑为动字。

《庄·齐物论》:"故为是举莛与楹,厉与西施,恢恑憰怪,道通为一。"——"是"代字,"为"字所司。其他代字之所司者,详代字篇。("文库"本第 272 页,《读本》第 456 页,"校注"本第 349 页)

[按]"其他代字之所司者"说法欠推敲。只有介字才有"所司者",代字则只能是"为之所司者"。应加上一个"为"字,说成"其他代字为之所司者",或者加上两个"为"字,说成"其他代字为'为'之所司者",才对。

然"为"字有解作语助不为义者,有解作"有"字者。至解作断词,则见询问代字节。今皆解作介字,亦通。至因所解而音韵有别者,皆后人为之。孰是孰非,未有确证。("文库"本第 273 页,《读本》第 458 页,"校注"本第 350 页)

[按]"为"字有解作语助不为义者,有解作"有"字者,有解作断词者,把以上三义"皆解作介字",肯定不妥。

《马氏文通》说过:"字各有义"。又说:"字有一字一义者,亦有一字数义者。……凡字之有数义者,未能拘于一类,必须相其句中所处之位,乃可类焉。"("文库"本第 23 页)也就是说,区分字类时必须考虑到字义,一个字如有多个字义,可能是同形词而分属不同的字类。今把不同意义的"为"字,"皆"解作介字,当然不妥。

"由"之司词,有隐寓者。《汉·文帝纪》:"今法有诽谤訞言之罪,是使众臣不敢尽情,而上无由闻过失也。"又《刑法志》:"今人有过,教未施而刑已加焉,或欲改行为善而道亡繇至。"——犹云"上无所从闻过失"也,"道无所从至"也。"繇",通"由",并训"从"。("文库"本第 274 页,《读本》第 459 页,"校注"本第 351 页)

[按]上两例句中"无由"、"无繇",可训为"无法"、"无缘","由""繇"作名字看,不作介字解,因而也就不是介字"由"之司词"隐寓者"。

"用",《广韵》云:"以也。"介字。司名字不常。……《史·酷吏列传》:"用廉为令史。"韩《郑公神道碑》:"公之为司马,用宽廉平正得吏士心。"——"用",以也。所司皆静字而名用者。司名字罕见,否与名字无异矣。("文库"本第 274 页,《读本》第 459 页,"校注"本第 351 页)

[按]末句"司名字罕见,否与名字无异矣",费解。吕叔湘、王海棻《马氏文通读本》注释说:"疑'司名字罕见否'六字为衍文"。笔者以为,可能有讹字。既然段首说过"司名字不常",则"司名字罕见"回应上文,不当为衍文。本句主语为前文"用"字,说"'用'……司名字罕见,否与名字无异矣",是说"用"字如果司名字,则与别的某一类字无异,要之,这类字不是"名字",而是"动字"无疑。马氏是说,"用"作为介字,司名字不常,"用"如果司名字,则"与动字无异矣"。可以设想,"名字"二字为"动字"之误。

马氏认为:"用"字既是介字,又是动字。《马氏文通》卷八说:"'用'、'由'等字,介、动两用者,往往而有。"("文库"本第 287 页)这也可作为上述设想的一点旁证。

《史·诸侯年表序》:"故广强庶孽,以镇抚四海,用承卫天子也。"——"用"司散动字,与"以"字同,此避重耳。("文库"本第 275 页,《读本》第 460 页,"校注"本第 352 页)

[按]例句中"以"、"用",是表示目的的虚词,宜看作连

字,不作介字解。

"微",非也,介字,惟司名字,置句前则为假设之辞。《庄·田子方》:"丘之于道也,其犹醯鸡与!微夫子之发吾覆也,吾不知天地之大全也。"——"微夫子"者,"非夫子"也。("文库"本第275页,《读本》第460页,"校注"本第352页)

[按]"微"字不是仅与名字"夫子"直接组合,而是与"夫子之发吾覆也"组合,因此,说"微"字"惟司名字",不甚妥当,把"微夫子"三字拿出来解释,亦不甚妥当。

("微",非也,介字,惟司名字,置句前则为假设之辞。)《论语·宪问》"微管仲,吾其被发左衽矣。"——马《注》云:"微,无也。"未确。《汉·赵充国传》:"微将军,谁不乐此者?"——如云"无将军",则失之矣。《史·李斯列传》:"微赵君,几为丞相所卖。"韩《答崔立之书》:"微足下,无以发吾之狂言。"又《伯夷颂》:"微二子,乱臣贼子,接迹于后世矣。"《左·哀十六》:"微二子者,楚不国矣。"——所引"微"字,皆可代以"非"字,且皆冠于句首,以为假设之辞。("文库"本第275页,《读本》第460页,"校注"本第352页)

[按]"微"字既为"假设之辞",则为连字,非介字。不少语法书上都说这样的"微"字是连词。吕叔湘、王海棻《马氏文通读本》指出:这里的"微"字是动字。

八、《虚字卷之八》拾误

连字用以劈头提起者,本无定字,而塾师往往以"夫"、"今"、

"且"、"盖"四字为提起发端之辞,今姑仍之。("文库"本第277页,《读本》第464页,"校注"本第355页)

[按]"夫"、"今"、"且"、"盖"四字当中,只有"且"字可分析为连字,其余三字,很难说是连字。

"夫"字为指示代字,马氏也清楚这一点,他在论其为连字时还说:"是则'夫'字仍为指示代字,而非徒为发语之虚字也。"("文库"本第277页)

"今"为表时间的名词,马氏称为"状字"。他在论其为连字时还说:"'今',状字也。文中往往先叙他事,而后说到本题,则用'今'字。"("文库"本第278页)

"盖"是状字,马氏在论其为连字时还说:"然则'盖'字用为状字者居多,而用若提起连字冠于句首者,实罕见也。"("文库"本第280页)

马氏自己也承认,把"夫"、"今"、"且"、"盖"四字定为提起连字,是"姑仍之"古代"塾师"之说。

(提起连字)"且"字冠于句首者,紧顶上文,再进一层也。……《孟·公上》:"且以文王之德,百年而后崩,犹未洽于天下。"——顶上文以齐易王之可惑,即文王有德之久而论,犹尚如此云云,故"且"字更进一层,以明所惑之是。《论·季氏》:"且尔言过矣。"——上责二子当谏,下将责二子居位不去,不得辞其责,故以"且"字进说也。又《微子》:"且而与其从辟人之士也岂若从辟世之士哉!"《齐策》:"且颜先生与寡人游,食必太牢,出必乘车,妻子衣服丽都。"《庄·人间世》:"且苟为悦贤而恶不肖,恶用而求有以异。"又《大宗师》:"且汝梦为鸟而厉乎天,梦为鱼而没于渊,不识今之言者,其觉者乎?梦者乎?"——诸"且"字之在句首,皆顶接前文,更进一层说。("文库"本第279页,《读本》第466—467页,"校注"本第357页)

[按]马氏定"且"字为"提起连字",但从例句来看,马氏所说的"'且'字冠于句首",实为冠于下一句之首,在前面的句子之后,是"继事之辞",应归入"承接连字"。

马氏既然知道这里的"且"字"皆顶接前文,更进一层说",就应当把它归入"承接连字"才对。

六字句,有上截三字,下截两字,中间"而"字者,亦有上两下三者。《孟·离上》:"旷安宅而弗居,舍正路而不由,哀哉!"——"旷安宅"者,外动与其止词也,此上截三字。"弗居"者,即"弗居安宅"也,下截两字。中间"而"字,此动字相承例也。("文库"本第283页,《读本》第473页,"校注"本第363页)

[按]《马氏文通》卷五论"动字相承"时,没有论述两动字之间间以"而"字者为"动字相承"之例。卷五论"动字相承"时倒是说过:"两动字意平而不相承者,则间以'而'字连之,两意相反者亦如之。"("文库"本第219页)按卷五之说,"旷安宅而弗居"和"舍正路而不由"就不是动字相承,而按本卷之说,"旷安宅而弗居"和"舍正路而不由"则是动字相承之"例",互相矛盾。

贾谊《过秦论》云:"此四君者,皆明智而忠信,宽厚而爱人,尊贤而重士。"——此三句,首句上下截皆为静字,中一句上截静字下截动字,第三句则皆动字矣。他本第三句无"而"字。("文库"本第285页,《读本》第476页,"校注"本第365—366页)

[按]措辞不严谨,其中两处"动字"均应改为"动字与其止词"。

《孟·万上》:"始舍之,圉圉焉,少则洋洋焉,攸然而逝。"——"攸然",状字,所以肖将逝之容。下接"而"字,以连"逝"字者,则"攸然"非"逝"时之容,乃"逝"前之容也。("文库"本第286页,《读本》第478页,"校注"本第367页)

[按]解说费解。"攸然"当然是说生鱼"逝去"时之容,若说是"逝去"前之容,即先在此"攸然"而后并不"攸然"地"逝去",恐说不通。

又:"虽然,欲常常而见之,故源源而来。"——如是,"常常"两字,不直状"见"字,盖犹云"欲见之常常"也。"源源而来"者,犹云"故其来之源源"也。("文库"本第286页,《读本》第478页,"校注"本第367页)

[按]"常常"是状"见"字的,"源源"是状"来"的。说"常常"两字,不直状"见"字,没有根据。

("而"字)又可用为介字与动静诸字之过递者,惟不常耳。……故"以"、"与"两字,用为动字,与本义无异。惟"之"字之为动字,则解"往"也,"至"也,与本义远矣。又"用"、"由"等字,介、动两用者,往往而有。夫然,介字既可视同动字,则以"而"字为过递者,非连介字也,连动字也明矣。("文库"本第287页,《读本》第480页,"校注"本第368页)

[按]前后两段说法矛盾。依前说,"而"字是"介字与动静诸字之过递者",依后说,"而"字前面的介字则不是介字而是动字,"而"字是前面"动字"与后面"动静诸字"之过递者。

《论•阳货》云："鄙夫可与事君也与哉！"《易•系辞》云："是故可与酬酢，可与佑神矣。"……所引"与"字，可作受动观。（"文库"本第287页，《读本》第480页，"校注"本第368页）

[按]两句中两"与"字，非受动字。两"与"字是介字，不可"作受动观"。

《马氏文通》论介字"与"字时曾引此两例，认为这是介字"与"在助动字后而省略司词这样一种情况（"文库"本第271页）。同时所举的例句有：

(1) 子曰："可与共学，未可与适道，可与适道，未可与立，可与立，未可与权。"（《论语•子罕》）

(2) 赐也始可与言诗已矣。（《论语•学而》）

(3) 可与入德矣。（《礼•中庸》）

可见，"与"是介字，而非受动字。

《周语》："以歜之家而主犹绩，惧干季孙之怨也。"——"歜之家"，"以"字之司词也。下连"而"字，则意进一屠，犹云"以歜之家世如此，而家主犹自纺绩，惧干季孙怨"也。凡以"以"字为上截，而后连以"而"字者，皆应重读。重读，则含有动字之意。（"文库"本第288页，《读本》第480页，"校注"本第368—369页）

[按]前后两说矛盾。前面说"以"字是介字，那么，"歜之家"是"以"字之司词，后面说"以"字"含有动字之意"，是动字，那么，"歜之家"则为动字之止词了。

《孟•公上》："人役而耻为役，由弓人而耻为弓，矢人而耻为矢也。"——"人役"、"弓人"、"矢人"，三名也，而自为上截者，盖上截当重读，犹云"既为人役而耻为人役"云云，故"人役"、"弓人"、

"矢人"虽自为上截,而其意含有动字者也。("文库"本第289页,《读本》第482页,"校注"本第370页)

[按]前说"'人役'、'弓人'、'矢人'三名也"是对的,后说"'人役'、'弓人'、'矢人'……其意含有动字者也",不妥。"人役"、"弓人"、"矢人"三名字分别是"人役而耻为役"、"弓人而耻为弓"、"矢人而耻为矢也"三"读"之起词,是名字。

若《左传·昭公四年》云:"牛谓叔孙:'见仲而何?'"——犹云"见仲而何知"也。又《齐策》云:"威王不应而此者三。"——"而此"者,即"而如此者"也。两引皆可视同状字。("文库"本第290—291页,《读本》第484页,"校注"本第372页)

[按]"两引皆可视同状字"说法含混,当云:"两引之中的'何'字和'此'字可视同状字"。

凡上下截两相背戾,则以"而"字掜转,似有"乃"字、"然"字之意。故"而乃"、"然而"常各相连者,此也。("文库"本第292页,《读本》第487页,"校注"本第374页)

[按]本节讲"而"字是承接连字,却混入"而"字表掜转的内容,不妥。

"而"字表示"掜转",应放到下一节"转掜连字"节内讲。

是以《孟子·公孙丑下》云:"然而不胜者,是天时不如地利也。"又《梁惠王上》云:"然而不王者,未之有也。"《汉书·贾谊传》云:"然而天下少安;何也?"——诸"然而"字当拆读。"然"字一顿,以承上文,"而"字所以拗转也。("文库"本第292页,《读本》第487页,"校注"本第374页)

[按]"然而"二字,结合紧密,是双音节词,不当拆读。

凡上下文事有异同者,"则"字承之,即为直决之词。事之所谓异同者有三:一、其事或本相同也,或本相异也,"则"字承之,所以决其为是为非,故"则"字之后,即为表词。("文库"本第300页,《读本》第499页,"校注"本第383—384页)

[按]"'则'字之后,即为表词"这种情况不多,马氏所举的30个例句中有许多"则"字之后不为表词的。例如:

(1)《论语·公冶》:"则曰:'犹吾大夫崔子也。'"

(2)《庄子·田子方》:"夫天下也者,万物之所一也。得其所一而同焉,则四肢百体将为尘垢,而死生终始将为昼夜,而莫之能滑,而况得丧祸福之所介乎!"

(3)《赵策》:"若乃梁,则吾乃梁人也。"

例(1)—(3)"则"字后都是"句",而非"表词"。例(1)"则"字后为劲字"曰","曰"字后是一个省略主语的句子"××犹吾大夫崔子也"。例(2)"则"字后为几个小句,例(3)"则"字后是"句"(分句)。

另有一些例句,"则"字后词语看上去是"表词",但究其实还是句子,是省略了起词的句子,例如:

(4)《孟·离娄下》:"其妻问所与饮食者,则尽富贵也。"

(5)《公羊传·僖十六》:"霣石记闻。闻其磌然,视之则石,察之则五。"

(6)又:《宣二》:"赵盾就而视之,则赫然死人也。"

例(4)"则"字后"尽富贵也"虽然看上去是表词,其实它前面省略了好多成分,说全了,应是"则曰[所与饮食者尽富贵也]",这样"则"字后就不是一个表词了。例(5)(6)"则"字后面也是省略了起词的"句"。"视之则石,察之则五"的意思是说"视之则[其物为石],察之则[其数为五]"。"赵盾就而视之,则赫然死人也"的意思是说"赵盾就而视之,则[所见乃赫然死人也]。"

韩《伯夷颂》:"若至于举世非之,力行而不惑者,则千百年乃一人而已耳。"又《争臣论》:"问其官,则曰谏议也,问其禄,则曰下大夫之秩也,问其政,则曰我不知也。"又:"若书所谓,则大臣宰相之事,非阳子之所宜行也。"又《答冯宿书》:"此岂徒足致谤而已,不戮于人则幸也。"又《答李秀才书》:"见元宾之所与者,则如元宾焉。"——诸引"则"字后皆为表词,所以决事之同异也。("文库"本第301页,《读本》第500页,"校注"本第384—385页)

[按]马氏说"诸引'则'字后皆为表词",不对。上面例句中,"则"字之后都是"句"(分句),而不是"表词"。细析之:

韩《伯夷颂》"若至于举世非之,力行而不惑者,则千百年乃一人而已耳"一句,是假设复句,"若……则……"是关联词语,"则"字后是一个分句。

《争臣论》"问其官,则曰谏议也,问其禄,则曰下大夫之秩也,问其政,则曰我不知也"一句,是3个假设复句组成的多重复句,3个"则"字之后各是一个分句。

《争臣论》"若书所谓,则大臣宰相之事,非阳子之所宜行也"也是假设复句,"则"字后也是分句。

《答冯宿书》"不戮于人则幸也"是紧缩式假设复句,"则"字后是紧缩的小句,绝非表词。

《答李秀才书》"见元宾之所与者,则如元宾焉"原句为:"思元宾而不见,见元宾之所与者则如元宾焉",意思是:思念元宾而不得见,见到元宾之所赞许的人就如同见到元宾一样,可知"则"字后面的"如元宾焉"意为"如同见到元宾一样","则"字后不是表词。

"则"字常解,决词也,所以足句也,后乎读者也。("文库"本第304页,《读本》第506页,"校注"本第389页)

[按]"决词"意义不明。《马氏文通》中"决词"术语共两见,另一是:"断词,一曰决词。"("文库"本第129页)而"断词"是,参于起词表词之间的"为"、"是"之类实字,这里再说"则"字为"决词",而"则"字是连字,是虚字,与"为""是"之类实字有很大不同,马氏在运用术语时似欠考虑。

《汉·儒林传》:"仲尼既没,七十子之徒,散游诸侯。"《史·货殖列传》:"既已施于国,吾欲用之家。"……凡言"既"字,皆先提一事,后及他事也。"既"字所附者,辞气未完,皆读也,故列入连字。不则何以异于状字。("文库"本第306页,《读本》第508页,"校注"本第390—391页)

[按]"既"作"既然"讲,或者"既"与"又""且"等字配合使用时,它连接分句与分句,这样的"既"字是连字(连字)。

但不能把所有的"既"字都分析为"连字"。例如"既"用在动字之前,表示动作行为完结,则应分析为副词(状字)。《汉·儒林传》"仲尼既没,七十子之徒,散游诸侯"中的"既"字应分析为状字。

又,《史·货殖列传》"既已施于国,吾欲用之家"句中,

"既"与"已"连用，置于动字前，也应分析为状字。《马氏文通》卷六论状字时说："'既已'二字意重，并记过去之时也"（"文库"本第234页），也认为"既已"是记时的状字。

《马氏文通》卷六论状字时曾说过"既"为状字（"文库"本第228—229页），但可惜的是所举例句"既不能令，又不受命"中的"既"字应分析为连字。

有联用"又"字以为历叙之辞者。《楚语》云："楚之所宝者曰观射父。"继云"又有左史倚相"，又继云"又有薮曰云连徒洲"云云。韩文《送穷文》云："其名曰智穷。"后乃历数，则云"其次名曰学穷"，"又其次曰文穷"，"又其次曰命穷"，"又其次曰交穷"，皆各为一段。（"文库"本第306页，《读本》第509页，"校注"本第391页）

[按] 马氏认为"联用'又'字"，则"又"字为"历叙之辞"，不同于"继事之辞"。其实"历叙之辞"是从段落或篇章的角度讲的，"继事之辞"是从本句与前面句子的关系讲的。如果都从本句与前面句子的关系来讲，"历叙之辞"也是"继事之辞"。

又《与袁相公书》，首言樊宗师孝友，从言其学问，乃进言其文章，则云"又善为文章"，一段后又云"又习于吏职"，皆以"又"字上承首段，故"又"字虽用为历数之辞，而谓为代指樊宗师亦可。（"文库"本第306页，《读本》第509页，"校注"本第391页）

[按] "又"字无替代作用，说"又"字"代指樊宗师"，值得商榷。

又《答吕医山人书》云："以吾子始自山出，有朴茂之美，意恐未砻磨以世事。又自周后文弊，百子为书，各自名家，乱圣人之宗,后生习传,杂而不贯,故设问以观吾子。"一段,"以"字起至"不贯",皆言故之读。其故有二:一则始出山而未阅世事,一则周后文杂而后生不能贯通。今于第二"故"之前冠以"又"字者,即以代"以"字也。("文库"本第 306 页,《读本》第 509 页,"校注"本第 391—392 页)

[按]"又"字并非以代"以"字。本句中,"又"字联系原因的另一方面,与"又"字前"以"字所连的那一方面并列,统为"以"字所连。马氏说"其故有二",实则"其故只一",即"始出山而未阅"和"周后文杂而后生不能贯通"。

又,例句中"又"字前面的句号不当,应改为逗号。

他如《孟子·滕文公上》云:"及至葬。"又:"及其闻一善言,见一善行。"《汉书·司马迁传》云:"及其在阱槛之中,摇尾而求食。"——曰"及至",曰"及其"者,皆因前事而殊后之文也。("文库"本第 308 页,《读本》第 511—512 页,"校注"本第 393 页)

[按]马氏举以上例句,意思是说"及至"和"及其"都是连字。但"及至"后来人多分析为介词,笔者则认为"及至"(或其中的"至")应该是《马氏文通》中所说的"无属动字"。(卷五论"无属动字"时曾讲"陵迟而至""一岁至""不至"为"无属动字以为连字者",就是说其中的"至"字是"无属动字"。)

上两例中的"及其"也不宜分析为连字,其中"及"是记时之连字(属于"承接连字"大类),"其"是代字,作主语。《马氏文通》后来又引《孟子·滕文公上》"及其闻一善言,见一善行"一例,说其中的"及"是"记时之连字"、"记两事之相值也"、"用以领读而为承接连字"。("文库"本第 310、311 页)吕叔湘、王海棻《马氏文通读本》认为,把《孟子·滕文公上》例中"及"字分析为承接连字,比把"及其"分析为承接连字更好些。笔者认为,《汉书·司马迁传》例中"及其"也一样。

"比"、"及"也,用以领读,则为连字。若《礼·祭义》云:"比时具物。"——"比时",及时也,则为介字。又《王制》云:"比年一小聘。"——"比年",每年也,则为代字。而《汉书·食货志》云:"梁国平原郡,比年伤水灾。"——"比年",频年也,则为静字。("文库"本第311页,《读本》第516—517页,"校注"本第397页)

[按]马氏措辞不严谨。好像说:"比……为连字","比时……为介字","比年……为代字","比年……为静字"。其实,按《马氏文通》之意,当云:"比时",及时也,其中"比"为介字;"比年",每年也,其中"比"为代字;"比年",频年也,其中"比"为静字。不过,"比"字之词性是否这样变来变去,还值得研究。

转捩连字中,"然"字最习用。"然"字义本状字。状字之"然",用以落句,口然之而意亦然也。连字之"然",用以起句,口虽然而势已转也。将飞者翼伏,将跃者足缩,将转者先诺,同一理也。故"然"字非转也,未转而姑"然"之,则掉转之势已成。此"然"字之所以为转语辞也。("文库"本第311页,《读本》第518页,"校注"本第398页)

[按]既说"'然'字非转也",又说"此'然'字之所以为转语辞也",前后句互相矛盾。

韩《燕喜亭记》:"吾州之山水名天下,然而无与燕喜者比。"又《复上宰相书》:"然而周公求之如此其急。"——所引"然而"皆拆

读。("文库"本第312页,《读本》第519页,"校注"本第399页)

[按]"然而"是双音节词,不宜拆读。

《孟·公下》:"然则子之失伍也亦多矣。"——"然"者,然其所云失伍之士之当去也,"则"者,由士之失伍推及其人之失伍也。故"然则"两字,亦可拆读。……韩《上张仆射第二书》:"然则毬之害于人也决矣。"——所引"然则"两字,皆可拆读,同上。("文库"本第312页,《读本》第519页,"校注"本第399页)

[按]"然则"是双音节词,不宜拆读。

("然"字一顿,其无衬者,则乘势掉转;其有衬者,曰"然而",曰"然则",曰"然后",曰"然且"等,则各视其所乘之势以定。)总之,"然"字非转语词也,不过一顿,借以取势。至下文如何转接,则以续加之字为定。("文库"本第313页,《读本》第521页,"校注"本第400页)

[按]句中"转语词"在早期版本中为"转语辞",章锡琛《马氏文通校注》改为"转语词",商务印书馆1983年版《马氏文通》仍之,吕叔湘、王海棻《马氏文通读本》再改为"转语辞"。

吕叔湘、王海棻《马氏文通读本》指出:"本节开始说:'此"然"字之所以为转语辞也。'而此处又说'总之,"然"字非转语辞也。'前后抵牾。"

马氏这里的意思是:在"然而"、"然则"、"然后"、"然且"、"然故"、"然乃"诸词中,"然"字本非转语辞,而"然"字后面的"而"、"则"、"后"、"且"、"故"、"乃"诸字,是表示"转接"的。但他没有把话说清楚。而且,"然"字单用于下句句首时,它本身就是一个"转语辞",马氏忽略了这一点。

"顾"字于转语词中最轻婉,用之有回环往复之态。("文库"本第 315 页,《读本》第 524 页,"校注"本第 403 页)

[按]句中"转语词"即"转语辞",即"转捩连字",作为科学著作,对于同一概念,不宜有多种不同写法。

"虽"字有以领一字者,有以领一读者。《论·乡党》:"见齐衰者,虽狎必变。见冕者与瞽者,虽亵必以貌。"《礼·中庸》:"果能此道矣,虽愚必明,虽柔必强。"《左·宣三》:"德之休明,虽小,重也。其奸回昏乱,虽大,轻也。"——诸"虽"字皆领一字以为推宕者。然所领者虽仅一字,而与读无别。"虽狎必变"者,犹云"虽素与之狎而必变其容"也。故"虽狎"二字,已成一读矣。余同此。("文库"本第 317 页,《读本》第 526 页,"校注"本第 404—405 页)

[按]"虽"字"以领一字",说法不妥。

《马氏文通》说过:"推拓连字,惟以连读而已。"("文库"本第 318 页),因此,作为"推拓连字"的"虽",也只能"领一读",而不能"领一字"。

其实,马氏自己也知道这里的"以领一字"就是"以领一读",他说:"'虽狎'二字,已成一读矣。"既如此,何必要节外生枝,说"'虽'字有以领一字者,有以领一读者"两类呢?说"以领一读"一类不就成了吗?

设辞往往借用两字者。("文库"本第 319 页,《读本》第 529 页,"校注"本第 407 页)

[按]马氏所说之"设辞",共使用了 11 次,其中 5 处表示"假设连字"即"推拓连字",6 处表示"假设之读"。语义不很

固定。

此处说"设辞往往借用两字者",显然是指"推拓连字"。但"推拓连字"有单字者,有两字者,所以,不应说"设辞往往借用两字者"。

统观诸引设辞,皆推宕之读。读则辞意未毕,故必有收句以为应者。而收应之句,有承以"则"字、"必"字、"亦"字者,有煞以"矣"字、"也"字、"而已"者,有无承无煞,而句意相应者。详观诸引,阅者可自得之。设辞之后,复有以"虽"字宕跌者,亦习见也。《礼·大学》:"心诚求之,虽不中不远矣。"——"心诚求之"者,设辞之读也。"虽不中"者,跌进一步也。"不远矣"句,则折收矣。("文库"本第319页,《读本》第530页,"校注"本第408页)

[按]本段三言"设辞",皆为"假设之读"之义,与前引"设辞往往借用两字者"之"设辞"不同。一名二义,殊不可取。

《论·学而》:"求之与,抑与之与?"《礼·中庸》:"南方之强与,北方之强与,抑而强与?"《孟·公下》:"求牧与刍而不得,则反诸其人乎,抑亦立而视其死与?"《秦策》:"诚病乎,意亦思乎?"——三引"抑"字,皆以领起进商之句者,暗寓转意,所引《秦策》句内,"意"同"抑"字。("文库"本第321—322页,《读本》第533—534页,"校注"本第411页)

[按]"进商之句"术语在《马氏文通》中仅此一见,且无界说,不妥。应为"两商之句"。

接下去,《马氏文通》便使用了"两商之句"术语:"经史内于两商之句,有以'其'字领起者"。("文库"本第322页)前后仅隔十来行字。

再隔十来行字,《马氏文通》又把"两商之句"说成"两商之辞",原句是:"两商之辞,煞以'乎''与''耶'等助字者,所以写其拟度之情也。"("文库"本第322页)

可见,《马氏文通》在使用术语时是不很严谨的。

《马氏文通》卷九论助字"与"字时,引韩《上宰相书》"其将往而全之与,抑将安而不救与",和《行难》"先生之所谓贤者,大贤欤,抑贤于人之贤欤"两句,分析说:"所引皆两商之句"。("文库"本第374页)

《马氏文通》卷十象七论"句",把两商之句作为"舍读独立之句"的一个小类,有一段专门的论述,并指出:"两商之句……一见于八卷之终,又见于卷九传疑助字"("文库"本第433页)。所谓"一见于八卷之终",便是指这里所引出的关于"进商之句"、"两商之句"、"两商之辞"的论说。

九、《虚字卷之九》拾误

凡虚字用以结煞实字与句读者,曰助字。("文库"本第323页,《读本》第536页,"校注"本第413页)

[按]说助字用以结煞句读,可以,但说助字"用以结煞实字"则不妥。句子是动态单位,后面可以用助字(语气助词)来"结煞";而"实字"是静态单位,是没有语气的,何以要用助字(语气助词)来"结煞"?

当然,马氏所谓"用以结煞实字"的"实字",是指用在句子中的"实字",是句子的一部分,说穿了,它是句子的某种成分,因此,"用以结煞实字"的正确的表述应该是:用在句中某些成分后面,表示句中的小停顿。

朱德熙《语法讲义》论语气词,也认为语气词有"在句尾停顿处出现"和"在句子内部停顿处出现"两种情形。(商务印书馆1982年版第213页)

黄伯荣、廖序东《现代汉语》指出:"语气词常用在句尾表示种种语气,也可以用在句中表示停顿。"(第45页)

《马氏文通》含混地说助字"结煞实字"是不适合的。

助字所传之语气有二:曰信,曰疑。故助字有传信者,有传疑者。二者固不足以概助字之用,而大较则然矣。传信助字,为"也"、"矣"、"耳"、"已"等字,决辞也。传疑助字,为"乎"、"哉"、"耶"、"欤"等字,诘辞也。("文库"本第323页,《读本》第536页,"校注"本第413—414页)

[按]马氏说"助字所传之语气有二:曰信,曰疑",不很全面。现在一般认为句子的语气有四,即:陈述、祈使、疑问、感叹。

马氏说"助字有传信者,有传疑者",是继承了前人之说。例如柳宗元《复杜温夫书》说:"'乎''欤''耶''哉''夫'者,疑辞也。'矣''耳''焉''也'者,决辞也。"马氏继承前人之说,虽说有一定道理,但所说有遗漏。例如:"也"字不只表决断,还可表疑问,表祈使,表感叹;"耳"字也可表感叹,"乎""哉""耶""欤"等字不仅表疑问、反诘,也可表感叹,"哉"字也表祈使。

"也"字所助有三:曰助句,曰助读,曰助实字,以视所谓三用者较为涵盖。("文库"本第 325 页,《读本》第 539 页,"校注"本第 415 页)

［按］说"也"字助"实字"不适合。"也"字用在句中某些词语后面只是表示句中的小停顿,而不是"助"它前面的那个字。

《庄子·天道》云:"圣人之静也,非曰静也,善,故静也,万物无足以铙心者,故静也。"——节内第一"也"字,助读,所以为顿挫也。第二"也"字,助实字,所以助字也。第三第四"也"字,助句,所以表论断也。("文库"本第 325 页,《读本》第 539 页,"校注"本第 415 页)

［按］第二"也"字是附在"句"的后面,非仅助"静"字一字。

惟句有表词,煞"也"字以决其是者,概无断词参之。("文库"本第 325 页,《读本》第 539 页,"校注"本第 416 页)

［按］有"也"字以决其是的表词之句,有时也用断词。说"概无断词参之"不符实际。《马氏文通》卷三论表词时曾举以下例句并作论说:

(1)《史·刺客列传》:"此必是豫让也。"——"是""也"二字兼用。("文库"本第 132 页)

(2)《赵策》:"即有所取者,是商贾之人也。"——同上。("文库"本第 132 页)

(3)《庄·大宗师》:"故善吾生者,乃所以善吾死也。"——"乃""也"兼用,以直决其然。起表两词皆豆也。("文库"本第 132 页)

说"'是''也'二字兼用"、"'乃''也'兼用",就是承认煞"也"字以决其是的表词之句是有断词参之的。

更有以状字为表词,煞以"也"字,所以决其容之如是也。《论语·乡党》云"恂恂如也","侃侃如也","闇闇如也"等句,皆是也。《汉书·万石君传》云:"子孙胜冠者在侧,虽燕居必冠,申申如也,僮仆欣欣如也,惟谨。"皆此例也。("文库"本第 327 页,《读本》第 541—542 页,"校注"本第 417—418 页)

[按]"以状字为表词"说法不妥,实为以静字为表词。

间有以"所谓"、"此谓"诸语为先,而煞以"也"字者,亦在此例。盖"所"、"此"两字后,其继之者或名或读,皆与同次而为之表词者也。("文库"本第 328 页,《读本》第 543—544 页,"校注"本第 419 页)

[按]第二句"盖'所'、'此'两字之后,其继之者,皆与同次而为之表词者也",措辞不严谨。

在"所谓……也""此谓……也"句式中,"所"、"此"两字后皆为"谓……",是以动字"谓"开头的动词性短语,它怎能与"所"、"此"二字同次呢?能与"所"、"此"二字"同次而为之表词者",是"谓"字之后的"名或读"。

《马氏文通》的意思是说,在"所谓……也"、"此谓……也"句式中,"'所谓'、'此谓'之后","其继之者或名或读",分别与"所"字、"此"字"同次而为之表词"。

马氏没有把话讲清楚。

《左·桓二》:"戊申,纳于大庙,非礼也。"……《汉·赵充国传》:"此人臣不忠之利,非明主社稷之福也。"……——以上所引,其结句或为名,或为顿,皆各蒙以"非"字而煞以"也"字,有如此

者。("文库"本第 329 页,《读本》第 545 页,"校注"本第 420 页)

[按]"结句或为名,或为顿"说法不妥,应为"其表词或为名,或为顿",或"结句中表词或为名,或为顿"。

"表词"与"结句"不同。表词是句成分,是"结句"的一部分,表词可以"或为名,或为顿",而不包含断词"非"和助字"也"字在内。而"结句"是"句",必须包括表词,包括断词"非"和助字"也"字在内。

"有""无"两字,同动字也,其煞"也"字者,与助动同。("文库"本第 330 页,《读本》第 548 页,"校注"本第 422 页)

[按]"有""无"两字,是"同动字",与"助动字"肯定不同。"有""无"两字决事之"有""无",助动字断事之可否。

其一,读之为起词也,有助以"也"字者。……《左传·昭七年》云:"及其将死也,召其大夫曰。"("文库"本第 335 页,《读本》第 555—556 页,"校注"本第 428 页)

[按]《左传·昭七年》"及其将死也,召其大夫曰"一句,非"读之为起词也"之例。"及其将死也"的"及"是连字,"其将死也"为读,但"其将死也"不是下句之起词,只有其中的"其"字与下句意念上的起词同。马氏在接下去的"其二,读之记时记处也,有助'也'字者"("文库"本第 336 页)的论述中又引此句为例,可知"及其将死也"是"读之记时也",而非"读之为起词也"。

凡静字有助以"矣"、"乎"、"哉"诸字以为咏叹者,则其起词之读,助以"也"字者,概后置焉。……起词倒置于表词之后,此叹辞之常例也。非叹辞,则起词之读先置,此《孟子·公孙丑下》所以

云:"然则子之失伍也亦多矣。"("文库"本第335页,《读本》第556页,"校注"本第428页)

[按]咏叹句的起词之读"概后置焉"说法过于绝对。"非叹辞,则起词之读先置"说法亦过于绝对。

静字助以"矣""乎""哉"诸字以为咏叹者,其起词之读,也有不后置者。如下面《孟子·公孙丑下》"然则子之失伍也亦多矣。"马氏认为,此句"非叹辞",其实此句确确就是叹辞。又,《马氏文通》后来论"矣"字时曾举《孟子·公下》"若是,则夫子过孟贲远矣"句,该句也是静字助以"矣"字以为咏叹者,其起词之读亦未后置。该节所举例句甚多,它如:

《论语·八佾》:"天下之无道也久矣。"

《汉书·张敞传》:"吾为是公尽力多矣。"

又《日者列传》:"能知别贤与不肖者寡矣。"

又《信陵君列传》:"吾所以待侯生者,备矣。"

至于"非叹辞"的表词之句,起词之读也有不先置者,例如询问代字为表词,起词之读往往在后,如:

《史记·相国世家》:"谁可代君者?"——犹云"可代君之人是谁",问词,故倒文也,详后。"可代君者"句之起词也。

《汉书·贾谊传》:"何三代之君有道之长,而秦无道之暴也?"——"何"字亦表词,置于前耳,犹云"三代之君有道之长而秦无道之暴者是何也"。

马氏说上一例为"'者'字煞读为句之起词者"("文库"本第66页),下一例为"'何'字询问,有先起词者,惟为表词则然"。

("文库"本第73页)

《论·述而》:"甚矣吾衰也。"——"吾衰也"者,读之为起词也,"甚矣"者,其表词也。("文库"本第335页,《读本》第556页,"校注"本第428页)

[按]不宜说"甚矣"为"表词","甚"是表词,"矣"是助字。《史·货殖列传》:"清,寡妇也,能守其业,用财自卫,不见侵犯。"《史·留侯世家》:"黥布,天下猛将也,善用兵。"……《公·宣六》:"子,大夫也,欲视之,则就而视之。"——曰"清",曰"黥布",曰"子",皆名之为起词也。曰"寡妇也",曰"天下猛将也",曰"大夫也",则皆加读而为决辞。《庄子·逍遥游》云:"野马也,尘埃也,生物之以息相吹也"一节,与此正同。"野马也",公名为起词,而助以"也"字也,"尘埃也",加读也,下为表词之句。统观以上诸引,可见读为起词之变止矣。("文库"本第336页,《读本》第557页,"校注"本第429页)

[按]把上述这些句子说是"读为起词",难于理解。吕叔湘、王海棻《马氏文通读本》也认为"此语殊嫌牵强"。

上述这些句子可分析为"读先乎句",第一句中,"清,寡妇也"为"读","能守其业"、"用财自卫"、"不见侵犯"为三句。"句"之起词因同于"读"之起词而省略。

第二句中,"黥布,天下猛将也"为"读","善用兵"为一句,"句"之起词亦因同于"读"之起词而省略。下仿此。

另外,"则皆加读而为决辞"的说法也有不妥。《马氏文通》中并没有给"决辞"下定义,而传统语文学中的"决辞"是指一些虚词而言。

读有助以"也"字而承以"而"字者,转折之句也。《孟·万下》:"诸侯恶其害己也,而皆去其籍。"——"害己也"一顿,"而"字承转一折。("文库"本第338页,《读本》第560页,"校注"本第431页)

[按]解说不妥,文不对题。解说语中"'害己也'一顿",与标题语"读有助以'也'字"无关。

既然标题语说"读有助以'也'字",则解说语中应指出:"诸侯恶其害己也"为读,"而"字承转一折。

另外,说"'害己也'一顿",也是错误的。"害己"为"其害己"一读的语词,不应是顿。

"也"字助实字。凡实字之注意者,借助"也"字,则辞气不直下,而其字有若特为之揭出矣。助字中之助实字者惟"也"字,余只助句、助读而已。而实字借助于"也"字者,不一其类。("文库"本第339页,《读本》第562页,"校注"本第432页)

[按]"也"字助实字,实为"也"字用于句中表示小的停顿。

又,此处讲"助字中之助实字者惟'也'字,余只助句、助读而已",与后文矛盾。《马氏文通》后来说到"者"字助字问题。例如,《论语·卫灵公》:"事其大夫之贤者。"《宪问》:"君曰:'告夫三子者。'"《左传·隐公五年》:"公将如棠观鱼者。"马氏认为,三句中"三'者'字用以助字,非以助句也。"("文库"本第361页)不过,这三个"者"字在今天看来都不是语气助词。

《马氏文通》后来还说到"矣"字助静字、"焉"字助字问题。他说:"'焉'字所助有三:曰句,曰读,曰字。"("文库"本第350页)不过,"矣"字助静字、"焉"字助字,实际上也是"矣"字

"焉"字用于句中表示停顿,而不是"助"什么字。

公名有助以"也"字者。《孟·公下》:"夫士也,亦无王命而私受之于子,则可乎?"——"士"公名,而助以"也"字,一顿,以指注意之所在。("文库"本第339页,《读本》第562页,"校注"本第432页)

［按］"也"在"夫士也,亦无王命而私受之于子"句中表示小的停顿,非"助"公名。

《孟·滕下》:"其母杀是鹅也,与之食之。"《左·庄二十八》:"先君以是舞也,习戎备也。"又《僖二十八》:"君子谓是盟也信,谓晋于是役也能以德攻。"又《公·僖四》:"楚有王者则后服,无王者则先叛。夷狄也而亟病中国。"《庄·逍遥游》:"是鸟也,海运则将徙于南冥。"又:"之人也,物莫之伤。大浸稽天而不溺,大旱金石流土山焦而不热。"又《天道》:"轮扁曰:'臣也以臣之事观之。'"——诸引内,曰"鹅",曰"舞",曰"盟",曰"役",曰"夷狄",曰"鸟",曰"人",曰"臣",诸公名皆助"也"字,借此一顿,特地指出,方接下文,此所谓顿住起下也。凡"也"字助字,皆此义也。("文库"本第339页,《读本》第562—563页,"校注"本第433页)

［按］"也"字非助"鹅"、"舞"、"盟"、"役"、"夷狄"、"鸟"、"人"、"臣"等"名字",而是各助句读或句读成分。

"其母杀是鹅也"中,"也"字用在前一分句之后,表示句中停顿,非仅助"鹅"一字。吕叔湘、王海棻《马氏文通读本》亦指出:"'也'字助'其母杀是鹅',非仅助'是鹅'。"(第563页)

"先君以是舞也","也"字也是用在前一分句之后,表示句中停顿。

"君子谓是盟也信,谓晋于是役也能以德攻"中,第一

"也"字用在句中"是盟"二字之后,第二"也"字用在"于是役"三字之后,皆表示句中的小停顿,并非仅助"盟"字"役"字。吕叔湘、王海棻《马氏文通读本》指出:"第二'也'字助'晋于是役',非仅助'是役'"(第563页)。杨树达《马氏文通刊误》认为"也"字助"于是役"一顿或"谓晋于是役"一顿。

其余四例,"夷狄也而亟病中国"中,"也"字附于起词"夷狄","臣也以臣之事观之"中,"也"字附于起词"臣","是鸟也,海运则将徙于南冥"中,"也"字附于提前之止词"是鸟","之人也,物莫之伤"中,"也"字附于"之人",亦提前之止词,都是用在句中表示小停顿,非以助"夷狄"、"臣"、"鸟"、"人"等名字。

本名有助以"也"字者。《论·公冶》:"赐也非尔所及也。"又《先进》:"今由与求也,可谓具臣矣。"又:"回也非助我者也。"《孟·万下》:"然而轲也尝闻其略也。"《左·襄二十一》:"若之何其以虎也弃社稷。"又《隐十一》:"吾将使护也助吾子。"又《昭二十八》:"吾与戎也县,人其以我为党乎!"又《哀十一》:"须也弱。"《公·襄二十九》:"饮食必祝曰:天苟有吴国,尚速有悔于予身。故谒也死,余祭也立。余祭也死,夷昧也立。夷昧也死,则国宜之季子者也。季子使而亡焉。"又《公·庄三十二》:"鲁一生一及,君已知之矣?庆父也存。"《庄·大宗师》:"丘也请从而后也。"——诸本名后,助以"也"字,与公名助"也"字者同义。("文库"本第339页,《读本》第563页,"校注"本第433页)

[按]以上11例中,诸本名后之"也"字,皆用在句中表示句中的小停顿,不是用"也"字去"助"本名。

"若之何其以虎也弃社稷"和"吾将使护也助吾子"两句中的"也"字,吕叔湘、王海棻《马氏文通读本》认为是"助读"。

名字助以"也"字,当重读,经生家即解以假设之辞。不知字经重读,则文势一停,即有含而未伸之意。其有假设之辞者,势也,非字也。《左传·文七年》云:"此子也才,吾受子之赐;不才,吾惟子之怨。"——"子",公名也,助以"也"字而承以"才"字,读之,自觉有含意未伸者矣。又《宣四年》云:"椒也知政,乃速行矣,无及于难!"——"椒",本名,助以"也"字,义同上。("文库"本第339—340页,《读本》第563—564页,"校注"本第433页)

[按]所谓"当重读"的"名字"后面的"也"字,实际上是"也"字用在句中,表示句中的小停顿,不是用"也"字去"助"名字。

其余实字,有助"也"字者,要皆借以停顿而引起下文也。"也"字助静字者,惟为论断其是非而已。《孟子·离娄下》有云:"中也养不中,才也养不才。"——"中"、"才"两静字,而助以"也"字者,是犹云"子弟之德本中也,而以不中养之。其能本才也,而以不才养之"也。是则"也"字仍有论断其为"中"为"才"之口气。然则"也"助静字不为读不为句,而惟以助其停顿之势者,未之见也。("文库"本第340页,《读本》第564页,"校注"本第434页)

[按]既然"中也"、"才也"犹云"子弟之德本中也"、"其能本才也",而且"也"字仍有论断其为"中"为"才"之口气,则应视为"也"字助读,而不是"'也'字助静字者"。马氏自己也说:"'也'助静字不为读不为句,而惟以助其停顿之势者,未之见也。"

"也"字助代字,经史中仅见。《庄子·人间世》云:"使予也而有用,且得有此大也邪?"——"予",指名代字,助以"也"字,所以顿住而起下也。然此乃仅见之句。询问代字助"也"字者,"何"字而已。详见询问代字篇。("文库"本第 340 页,《读本》第 564 页,"校注"本第 434 页)

[按]"也"字助代字,提法不妥。《庄子·人间世》"使予也有用,且得有此大也邪"句中,"使"为假设连字,"予",起词,"也"字附于起词之后,用在句中,表示句中的小停顿。

又,说"询问代字助'也'字者,'何'字而已",非。其实,询问代字"谁"作表词,其后也可以附以"也"字。前此,《马氏文通》曾说:"至于代字为表词而助以'也'字者,概皆询问代字。经籍习有'何谓也'、'何也'、'谁也'等句是也。"("文库"本第 326 页)

"也"字助动字,所以直指其动字之行,其为用也同乎名。《孟子·滕文公上》云:"夫泄也非为人泄。"——"泄",内动字也。"泄也"者,所以解其动字之行,而用如名字之为起词也。《论·卫灵》:"耕也馁在其中矣,学也禄在其中矣。"《庄·养生主》:"吾生也有涯,而知也无涯。"又《知北游》:"生也死之徒,死也生之始。"韩《五箴》:"行也无邪,言也无颇。"又:"从也为比,舍也为仇。"——诸引内动字,助以"也"字,皆可视同名字。("文库"本第 340 页,《读本》第 564—565 页,"校注"本第 434 页)

[按]以上"也"字助动字之例,除《论·卫灵》"耕也馁在其中矣,学也禄在其中矣"一句外,其余皆"也"字附于起词之后,用在句中,表示句中的小停顿。马氏在分析第一例时也

说:"'泚也'者,……用如名字之为起词也。"

又,马氏谓"诸引内动字,助以'也'字,皆可视同名字",不确。《论·卫灵》"耕也馁在其中矣,学也禄在其中矣"句中,"耕"、"学"仍是动字,是起词省略的"读"。韩《五箴》"从也为比,舍也为仇"同。

"也"字有助静字而成为状字者,如"今也"、"昔也"之类。《庄子·山木》云:"向也不怒而今也怒,向也虚而今也实。"至《论语》:"必也使无讼乎。"又《雍也》"必也圣乎。"——所谓"必也",亦视同状字。《左传·昭十二年》云:"仲尼曰:'古也有志。'"《论语·阳货》云:"古者民有三疾,今也或是之亡也。"——同一"古"字,一助"也"字,一助"者"字,而有不可互易者,盖助"也"字有低徊咏叹之意,而助"者"字则惟直陈其已事而已。至叹今日之亡,故又助以"也"字者,此也。("文库"本第340—341页,《读本》第565页,"校注"本第434页)

[按]在《马氏文通》中,"今"、"昔"本来就是状字,而不是"静字"。《马氏文通》状字章曾指出:"曰'今也',则状字合于'也'字矣。"("文库"本第245页)马氏以"今也"、"昔也"为例来证明"'也'字有助静字而成为状字者",是把"今"、"昔"误为"静字"了。

"向也"、"必也"、"古也"之"向"字、"必"字、"古"字本来也是状字。

"矣"字助静字,常也。("文库"本第341页,《读本》第566页,"校注"本第435页)

[按]"矣"字助"静字",说法不妥。《马氏文通》接下去

说:"'矣'字助象静字以成句者固多,而以读为起词者,尤习见也。"可知,所谓"'矣'字助静字"实为"矣"字助"句"或"读"。

《孟·公下》:"公孙丑曰:'齐卿之位,不为小矣,齐滕之路,不为近矣'。"——"小矣"、"近矣"者,犹云"卿位之非小与齐滕之非近,亦既章章明矣。"此所谓已然之口气也。"小"、"近"两静字,皆助"矣"字。("文库"本第341页,《读本》第566页,"校注"本第435页)

[按]"'小'、'近'两静字,皆助'矣'字",说法不妥。应为"'小''近'两静字,为表词,两句皆助'矣'字"。

《孟·公下》:"曰:'若是,则夫子过孟贲远矣。'"——"远矣"者,煞句也。"远"者何也?"夫子"之"过孟贲"也。此读之为起辞也。("文库"本第341页,"校注"本第436页)

[按]"起辞"为"起词"之误。

以上"矣"字之助象静,皆置句末,故谓之句。而同一助也,置于先者则为读。《左·昭三》:"姜族弱矣,而妫将始昌。"——"弱矣"者,象静之助以"矣"字也,承以"而"字,则前此者辞气未完,所谓读也。("文库"本第342页,《读本》第568页,"校注"本第437页)

[按]"'矣'字之助象静",说法不妥。既然这样的"矣"字在象静之后,并且"皆置句末,故谓之句。而同一助也,置于先者则为读",那么,这个"矣"字就是助"句"或助"读"。如《左·昭三》:"姜族弱矣,而妫将始昌。"其中"矣"字用在"读"末,表示语气,而非仅助"弱"字。

其绝句助"矣"字外,复蒙"已"、"既"、"固"、"尝"各字,而辞气益复阐缓矣。然诸状字之加否,于句义无增损也。("文库"本第344

页,《读本》第571页,"校注"本第439页)

[按]说"诸状字之加否,于句义无增损也",似有不妥。加上"已"、"既"、"固"、"尝"各字,"句义"必有变化。马氏说是"辞气益复闯缓矣",说明"句义"已有变化。

夫"矣""也"两字皆决辞,有时所别甚微。("文库"本第347页,《读本》第576页,"校注"本第443页)

[按]说"矣"、"也"等字为"决辞",虽是古人的说法,但在今天看来,并不怎么准确。比如,"也"字除了表示判断语气以外,还可以表示祈使语气,疑问语气,感叹语气。"也"字表示祈使、疑问、感叹等语气时,便不能称为"决辞"。

《汉书·田叔传》云:"相曰:'王自使人偿之。不尔,是王为恶而相为善也。'"——"不尔"者,"不如此"也,两字为读。"尔"字助之,以为决辞。("文库"本第350页,《读本》第580页,"校注"本第446页)

[按]"'尔'字助之,以为决辞"费解,疑有误字。

《马氏文通》卷六论状字时说:"'尔'字解作'如是'者,亦肖容之状字也。"("文库"本第235页)既然马氏这里把"不尔"解作"不如此",则"尔"字乃卷六所论之"状字",而非助字。

今人认为,"如此"、"这样"是"指代词"。(吕叔湘《现代汉语八百词》)

"焉"字所助有三:曰句,曰读,曰字。("文库"本第350页,《读本》第581页,"校注"本第447页)

[按]"焉"字助"字",提法不妥。

其"焉"字有有解者,有无解者,阅者观于前,可以反隅矣,而无庸多赘也。("文库"本第354页,《读本》第587页,"校注"本第451页)

[按]作为助词,"焉"字应当都有解,而没有"无解者"。前此,马氏曾说:"其为助字也,《玉篇》所谓'语已之辞'"("文库"本第 350 页)。后此,马氏又说:"'焉'字助读,凡以为顿挫之辞耳。其为义也,与助句同。"("文库"本第 356 页)"'焉'字助字,其见于经籍者,不若其助读之数数也。而其为义也,亦惟以足所助者之语气耳。"("文库"本第 358 页)说明"焉"字都是"有解"的。

"焉"字助字,与助读同。"焉"字助字,其见于经籍者,不若其助读之数数也。而其为义也,亦惟以足所助者之语气耳。("文库"本第 358 页,《读本》第 594 页,"校注"本第 457 页)

[按]"焉"字助"字",提法不妥。

《庄子·德充符》云:"先生之门,固有执政焉如此哉!"——"执政",公名,助以"焉"字,宛若一顿,而语气以足。("文库"本第 358 页,《读本》第 594 页,"校注"本第 457 页)

[按]"焉"字附于"固有执政"之后,表示句中停顿,并非"'执政'公名助以'焉'字"。

《墨子·非攻篇》云:"天乃命汤于镳宫,用受夏之大命。汤焉敢奉率其众以乡有夏之境。"——"汤"本名也,"焉"字助之,文势一振。("文库"本第 358 页,《读本》第 594 页,"校注"本第 457 页)

[按]"汤"本名而为起词,"焉"字附于"起词",表示起词之后的小停顿。

至王氏引《山海经·大荒南经》云"云雨之山,有木,名曰栾,群帝焉取药",又引《楚辞·招魂》云"巫阳焉乃下招曰",以两"焉"字作"于是"解者,是矣,不知"群帝"与"巫阳",一公名,一本名,助

以"焉"字,文气以足。("文库"本第358—359页,《读本》第594—595页,"校注"本第458页)

[按]"群帝"与"巫阳"皆名字而为起词,"焉"字附于"起词",表示起词之后的小停顿。

不特此也,《诗·陈风》之《防有鹊巢》云:"谁侜予美,心焉忉忉。"又《小雅·巧言》云:"往来行言,心焉数之。"《左传·隐公六年》云:"我周之东迁,晋郑焉依。"又《襄公三十年》云:"安定国家,必大焉先。"又《昭公九年》云:"使逼我诸姬,入我郊甸,则戎焉取之。"《吴语》云:"今王播弃黎老,而孩童焉比谋。"……此以上,皆"焉"字之助名字也。("文库"本第359页,《读本》第595页,"校注"本第458页)

[按]在"心焉忉忉"、"心焉数之"、"戎焉取之"之"焉"字附于"起词";"晋郑焉依"、"必大焉先"、"孩童焉比谋"之"焉"字附于"止词",都在句中表示小的停顿,而非以"助名字也"。

(《诗·陈风》之《防有鹊巢》云:"谁侜予美,心焉忉忉。"又《诗·小雅·巧言》云:"往来行言,心焉数之。"《左·昭公九年》云:"使逼我诸姬,入我郊甸,则戎焉取之。")引《诗》两句与《左·昭九年传》句之"焉"字,起词也,故皆助字也。如读若"是"字,则为倒文,而为止词矣。("文库"本第359页,《读本》第595页,"校注"本第458页)

[按]说"'焉'字,起词也,故皆助字也",不通,疑有讹夺。吕叔湘、王海棻《马氏文通读本》说:"疑'起词也'之前脱'助'字。"笔者以为,加一"助"字后,前句通顺,而后句仍不通顺,"……而为止词矣"的主语仍无着落。盖此例中的5个分句,

主语不同,而皆置于同一主语之后:

> 引《诗》两句与《左昭九年传》句之"焉"字,[1]起词也,故[2]皆助字也。如[3]读若"是"字,则[4]为倒文,[5]而为止词矣。

其中,[2]和[3]跟主语"引《诗》两句与《左昭九年传》句之'焉'字"是相配的,指"焉"字,[4]的主语应是"原句",[1]和[5]的主语应该是"'焉'字前面的字"。马氏句子错误如此,单加一个"助"字,尚未完全解决问题。

《左·哀十七年传》云:"裔焉大国,灭之将亡。"《孟子·尽心上》云:"人莫大焉无亲戚君臣上下。"——两"焉"字,王氏解作"于"字。谓"边于大国"也。有以"裔焉"解作"远焉",则"焉"为状辞,同"然"字,而以"大焉"仍解"于是"两字,下文"无亲戚君臣上下",乃"是"之加辞。两说姑两存焉。要之"焉"字助静字以为顿挫者,不概见也。("文库"本第 359 页,《读本》第 595—596 页,"校注"本第 459 页)

[按]术语使用混乱。"状辞"应为"状字","加辞"应为"加词"。又,"而以'大焉'仍解'于是'两字"说法不严谨,应为:"而以'大焉'之'焉'字仍解'于是'两字",解作"于是"者不含"大"字在内。

"焉"助动字,后有承以连字者。《庄·天地》:"夫大壑之为物也,注焉而不满,酌焉而不竭。"《左·襄二十一》:"叔向亦不告免焉而朝。"韩《原道》:"郊焉而天神假,庙焉而人鬼飨。"又《与陆员外书》:"主司疑焉则以辨之,问焉则以告之,未知焉则殷勤而语之。"——诸引"焉"字,所助者惟动字耳。不知诸动字有此一助,自成上截，承以"而"字"则"字，则下截或为继事，或为言效之句。是"焉"字所助之上截，读也，非仅为动字而已。("文库"本第360页，《读本》第596—597页，"校注"本第459页)

　　[按]前言与后语相矛盾。前面说"焉"字所助是"动字"；后面说"焉"字所助是"读"，"非仅为动字而已"。

至助字助读而不助句者，则惟"者"字。("文库"本第360页，《读本》第597页，"校注"本第460页)

遍考古籍，"者"字无助句者。("文库"本第361页，《读本》第598页，"校注"本第460页)

　　[按]马氏在此两次明确地说"者"字"不助句"，但后面又以韩愈《论变盐法事宜状》"右奉敕，将变盐法，事贵精详，宜令臣等各陈利害可否闻奏者"为例，说"此殆所谓'者'字助句也"("文库"本第361页)。还说这是"唐人疏状"中的用法，且为"宋明因之"。因而有些自相矛盾。

　　后人则认为，"者"字可以助句，杨树达《高等国文法》列有"者"字助句的六种用法，如"助句，表疑问"、"助句，表伪饰"、"助句，表拟度"、"助句，表商榷"、"助句，表假设"等。

　　周秉钧(1981)《古汉语纲要》"语气助词"节有如下关于"者"字的例句：

　　　　(1)吾视郭解状貌不及中人，言语不足采者。(《史记·游侠传》。"者"犹今言"似的")

　　　　(2)子之哭也，壹似有重忧者。(《礼记·檀弓》)

　　　　(3)安见方六七十如五六十而非邦也者?(《论语·先进》)

(4)君言太谦,君而不可,尚谁可者?(《汉书》)

《古汉语纲要》认为,例(1)(2)中"者"是表示"陈述语气"的句尾语气助词,例(3)(4)中"者"是表示"疑问语气"的句尾语气助词。用《马氏文通》的话来说,这些"者"字就是"助"句的。

传疑助字六:"乎"、"哉"、"耶"、"与"、"夫"、"诸"是也。其为用有三:一则有疑而用以设问者;一则无疑而用以拟议者;一则不疑而用以咏叹者。三者用义虽有不同,要以传疑二字称焉。("文库"本第361页,《读本》第599页,"校注"本第461页)

[按]传疑助字为用有三,只有其一为"有疑",其二则"无疑",其三则"不疑"。既然三者之中有两者是"无疑"或"不疑",又怎能"以传疑二字称焉"呢?

("乎"、"哉"、"耶"、"与"、"夫"、"诸")六字所助者,句读中之动字耳。("文库"本第361页,《读本》第599页,"校注"本第461页)

[按]"乎"、"哉"、"耶"、"与"、"夫"、"诸"六字都是语气助词,或附于句末表示疑问、感叹等语气,或在句中表示停顿,非以助"句读中之动字"。

问句不用"乎"字,往往以询问代字代之。如"如何"、"何以"、"若之何"等语,此凡例也。("文库"本第362页,《读本》第600页,"校注"本第462页)

[按]"往往以询问代字代之"说法不妥。有询问代字而无疑问语气助词"乎"的疑问句,并不是用询问代字去"代替""乎"字。

由是《齐策》云:"王以天下为尊秦乎?且尊齐乎?"《史记·魏

世家》云:"富贵者骄人乎? 且贫贱者骄人乎?"《孟子·告子下》云:"子以为有王者作,则鲁在所损乎? 在所益乎?"——三引同上,虽有"且"、"则"承接连字为领,而非"宁"、"抑"折转诸连字也。("文库"本第364页,《读本》第603—604页,"校注"本第465页)

[按]解说语费解。"折转诸连字"说法不知何义。"'宁'、'抑'折转诸连字"之说法疑有误。"宁"、"抑"等字是在"推拓连字"节讲的,应该是"推拓连字"。

至承转连字,则犹是"抑"、"宁"、"将"等字也。("文库"本第365页,《读本》第604页,"校注"本第466页)

[按]"承转连字"费解。好像既是"承接连字"又是"转捩连字"。但"承接连字"节、"转捩连字"节中皆未讲"抑"、"宁"、"将"等字,惟"推拓连字"节说过:"用以递进者,则以'抑'、'将'、'宁'等字以为询商之辞,又或以'非惟'、'不惟'与'亦'、'抑'、'复'等字为撇转之辞。要之,此种连字,皆从假借而来,本无定式。而经史往往借以推宕文机,故胪举焉。"("文库"本第321页)疑"承转连字"为"推拓连字"之误。

《孟子·滕上》:"孔子曰:'大哉尧之为君也,惟天为大,惟尧则之,荡荡乎民无能名焉。君哉舜也,巍巍乎有天下而不与焉。'"——"大哉""君哉",其为咏叹之辞固矣。"荡荡乎"、"巍巍乎"与之平列,其为咏叹之辞,亦无疑矣。此"乎"字助状字先置,而其后之读,谓为起辞可也。("文库"本第366—367页,《读本》第607页,"校注"本第468页)

[按]说"荡荡乎"和"巍巍乎"中"'乎'字助状字",不甚妥当。此"乎"字实附于提前之表词之后的,是附于"表词"表示

感叹语气的。

又,"起辞"术语不妥。吕叔湘、王海棻《马氏文通读本》指出:"'起辞'应为'起词'。"

《庄·养生主》:"恢恢乎其于游刃必有余地矣。"《礼·檀弓》:"孔子曰:'拜而后稽颡,颓乎其顺也!稽颡而后拜,颀乎其至也!'"《论·子罕》:"惜乎吾见其进也,未见其止也。"《庄·秋水》:"严乎若国之有君!其无私德。繇繇乎若祭之有社!其无私福。泛泛乎其若四方之无穷!其无所畛域。"又:"默默乎河伯!女恶知贵贱之门,小大之家?"韩《送齐皞下第序》:"故上之人,行志择谊,坦乎其无忧于下也!下之人,克己慎行,确乎其无惑于上也!"——所引皆"乎"字助状、静各字,先置句首以为咏叹者也。("文库"本第367页,《读本》第607页,"校注"本第468页)

[按]"乎"字非助"状、静各字",而是附于"表词"后表示感叹语气。

《庄子·齐物论》云:"君乎,牧乎!固哉!"——此"乎"字助公名以为慨叹者。又《大宗师》云:"吾师乎!吾师乎!"《穀梁·僖公十年》云:"天乎!天乎!"——"师"与"天"皆公名,"乎"字助之以叠呼者。《论语·里仁》云:"子曰:'参乎!吾道一以贯之。'"《左传·宣公十七年》云:"召文子曰:'燮乎!吾闻之。'"——"参""燮"两本名,"乎"字助之,所以召告者。是则"乌乎"、"嗟乎"诸叹辞,以附此例,殆无不可。("文库"本第367页,《读本》第607页,"校注"本第468页)

[按]"乎"字表示句子的感叹语气,非助"公名"、"本名"。

又,"乌乎"、"嗟乎"为"叹字",若写成"叹辞",则易与"咏叹之辞"(咏叹之句)混淆。

然"哉"字所以最称咏叹之句者,则惟在单助动静等字耳。《论语·八佾》云:"管仲之器小哉!"《孟子·离娄上》云:"旷安宅而弗居,舍正路而不由,哀哉!"——两引"哉"字,一助静字,一助动字,皆以殿句。("文库"本第370页,《读本》第611页,"校注"本第471—472页)

　　[按]两"哉"字皆附于句,表示感叹语气,非"一助'静字',一助'动字'"。

《礼·中庸》:"大哉圣人之道!"《论·八佾》:"大哉问!"又《颜渊》:"富哉言乎!"又《子路》:"野哉由也!"又《先进》:"孝哉闵子骞!"又《子路》:"有是哉子之迂也!"又:"小人哉樊须也!"又《泰伯》:"大哉尧之为君也!"《孟·尽下》:"大哉居乎!"又《梁下》:"善哉问也!"《礼·檀弓》:"张老曰:'美哉轮焉!美哉奂焉!'"……《庄·人间世》:"奈何哉其相物也!"……诸引"哉"字,各助一实字,本表词也,而先置者,所以勃发其感喟之情也。继之者或为名,或为顿,或为读,皆其起词也。此与《论语·学而》"鲜矣仁",及《子罕》"惜乎,吾见其进也,未见其止也"两句,同为赞叹之式,而尤深者,则惟用"哉"字。故曰,"哉"字用于咏叹者为最称也。("文库"本第370页,《读本》第611—612页,"校注"本第472页)

　　[按]马氏说上引"哉"字"各助一实字",其实不然,"哉"字附"表词"后表示感叹语气,非以助"一实字"。马氏也知道"哉"字所助之"实字","本表词也"。

《礼·中庸》有"强哉矫"之句,"强哉"乃上文表词。("文库"本第370页,《读本》第612页,"校注"本第472页)

[按]不宜说"强哉"为"表词","强"是表词,"哉"是助字。《易·系辞》云:"古之聪明睿知神武而不杀者夫!"……《左传·成公十六年》云:"天败楚也夫!"——以上所引诸句,"夫"字皆与他字合助,如"也夫"、"已夫"、"者夫"、"矣夫",其为咏叹,不言而喻。("文库"本第376页,《读本》第623页,"校注"本第480页)

[按]《左传·成公十六年》"天败楚也夫"句中,"也夫"是"也"字与"夫"字合助,《易·系辞》"古之聪明睿知神武而不杀者夫"句中,"者夫"不是助字"者"字与"夫"字合助。《马氏文通》论"合助助字"时说:"'者'字先乎诸助字者,如'者也'、'者矣'等语,皆为接读代字,而不能以助字目之。"("文库"本第381页)也就是说,"者夫"中的"者"是接读代字。

《论语·学而》云:"子曰:'赐也始可与言诗已矣。'"又《八佾》曰:"商也始可与言诗已矣。"——"已矣"者,双合助字,皆以状句中"可"字也。凡助字,皆以传动字之辞气耳。("文库"本第377页,《读本》第625页,"校注"本第482页)

[按]"已矣"为双合助字,附于"句"表示感叹语气,非以"状句中'可'字"。"状句中'可'字"的是"始"字。

《论语·子张(学而)》云:"就有道而正焉,可谓好学也已。"——"也已"者,"也"字断词,常语也,所以助"好学"也。"已"字助"可"字,所以决其已然也。("文库"本第378页,《读本》第625页,"校注"本第482页)

[按]一、"也"字非"断词"。《马氏文通》中的"断词"是指参于起词表词之间的"是"、"非"、"为"、"即"、"乃"诸字。《马氏文通》说:"凡决断口气,概以'是'、'非'、'为'、'即'、'乃'

诸字参于起词表词之间,而谓之断词。"("文库"本第 325 页)

二、"已"字非以助"可"字,"已"字是助字,附于"句"表示感叹语气。

三、"已"字不可以"决其已然也",只有"可"字有决断作用。

《礼·中庸》云:"父母其顺矣乎!"——"矣乎"者,双合助字也。"矣"助静字,助事之已往者与有效者,皆常例也。"顺矣"者,言效也,"乎"叹辞也。("文库"本第 379 页,《读本》第 628 页,"校注"本第 484 页)

[按]"矣"附于"句"后,表示感叹语气,说成仅"助静字"不妥。

又,"乎"为"叹字",说成"叹辞"则易与"咏叹之辞"(感叹句)混淆。

《论语·宪问》云:"莫我知也夫!"——"也"煞句,"夫"叹辞,指上文。("文库"本第 380 页,《读本》第 629 页,"校注"本第 485 页)

[按]"夫"为"叹字",说成"叹辞"易与"咏叹之辞"(感叹句)混淆。

《诗·周南·麟趾》曰:"于嗟麟兮。"——"于嗟",同"吁嗟",亦叹辞。然则统观诸叹辞,或单音,或双音,音至于三至矣,无过之者。("文库"本第 383 页,《读本》第 632 页,"校注"本第 488 页)

韩文《猫相乳》云:"噫,亦异之大者。"——以上诸引叹辞,皆在句首者。("文库"本第 384 页,《读本》第 634 页,"校注"本第 490 页)

又《书张中丞传后序》云:"虽至愚者不忍为,呜呼,而谓远之贤而为之邪!"——以上所引叹辞,皆在句中者。("文库"本第 384

页,《读本》第634页,"校注"本第490页)

《诗·王风·中谷有蓷》云:"何嗟及矣。"——"嗟"在句中,叹辞也。("文库"本第384页,《读本》第634页,"校注"本第490页)

《诗·小雅·节南山》云:"民言无嘉,憯莫惩嗟。"——言在位者无所惩也,故嗟叹其如此。"嗟"在句末,叹辞也。("文库"本第384页,《读本》第634页,"校注"本第490页)

[按]以上六"叹辞"皆为"叹字",说是"叹辞"易与"咏叹之辞"(感叹句)混淆。

十、《论句读卷之十》拾误

凡句读各有起词。("文库"本第636页,《读本》第636页,"校注"本第491页)

[按]句读有省略起词者,有"本无起词"者。

《左传·隐公三年》云:"郑武公庄公为平王卿士。王贰于虢。郑伯怨王。王曰:'无之。'故周郑交质。王子狐为质于郑。郑公子忽为质于周。王崩,周人将畀虢公政。四月,郑祭足帅师取温之麦。秋,又取成周之禾。周郑交恶。"——共十二句,内惟"秋又取成周之禾"一句,起词连上,他句皆有起词。("文库"本第386页,《读本》第637页,"校注"本第492页)

[按]应为十三句。按《马氏文通》分析方法,"王曰:'无之。'"应算两句。

又,十三句中,"无之"是"本无起词"之句,马氏未提及。

《论语·学而》云:"有子曰:'其为人也,孝弟而好犯上者鲜矣。不好犯上而好作乱者,未之有也。君子务本,本立而道生。孝弟也者,其为仁之本与。'"——此节句与读共计有十。……"本立而道生"第八为双扇之句,"本"与"道"其起词也。……"其为仁之本与"第八为句。("文库"本第 386 页,《读本》第 637 页,"校注"本第 492 页)

[按]有错字。"'其为仁之本与'第八为句"为"'其为仁之本与'第十为句"之误。

《论语·学而》云:"子曰:'道千乘之国,敬事而信,节用而爱人,使民以时。'"——四单句,皆无起词。……又《贤贤易色章》皆无起词,盖论立身之道也。……大抵论议句读皆泛指,故无起词。……泰西古今方言,凡句读未有无起词者。……《穀梁·僖公二十二年传》云:"倍则攻,敌则战,少则守。"——三平句,无起词,论治兵也。……《庄子·则阳》云:"旧国旧都,望之畅然。虽使丘陵草木之缗,入之者十九,犹之畅然。"——句中望之者谁,未明言也。所引皆同上。史籍凡议事论道,其句读概无起词也。……韩文《送高闲上人序》起云:"苟可以寓其巧智"云云,两篇起句,即无起词,振起有势。……"公曰:'无庸,将自及。'"——答辞无起词。又《三年》云:"若弃德不让,是废先君之举也,岂曰能贤!"——一读两句,皆无起词,公自言也。……韩文《诤臣论》云:"问其官,则曰谏议也,问其禄,则曰下大夫之秩也。"——两答皆无起词。……《左传·成公十六年》云:"'骋而左右,何也?'曰:'召军吏也。''皆聚于中军矣。'曰:'合谋也。''张幕矣。'曰:'虔卜于先君也。''辙幕矣。'曰:'将发命也。''甚嚣且尘上矣。'曰:'将塞井夷灶而为行也。''皆乘矣,左右执兵而下矣。'曰:'听誓也。''战乎?'曰:'未可知也。''乘而左右皆下矣。'曰:'战祷也。'"——八问八答,皆无起词,所指已明,不言可知。("文库"本第387—388页,《读本》第638—640页,"校注"本第493—494页)

[按]以上各例皆系于"议事论道之句读,如对语然,起词可省"标题下。但马氏不讲"起词可省"或"起词省去",却先后11次讲"无起词"、"皆无起词"、"故无起词"、"概无起词",这样易与"系五,无属动字,本无起词"相混淆。《马氏文通》既然说它们是"起词可省"(省略),因此,应该说成"省略起词"才对。否则,与"本无起词"如何区别?

《庄·山木》云:"少君之费,寡君之欲,虽无粮而乃足。"——以上所引,皆非戒即命之辞,而皆无起词,如对语者然。("文库"本第388页,《读本》第640页,"校注"本第494页)

[按]此句系于"命戒之句,起词可省"之下,但它不是"命戒之句"。"少君之费,寡君之欲,虽无粮而乃足"是议论句。这一句在《庄子·山木》原文里是市南子回答鲁君的话,原文是:"君曰:'彼其道幽远而无人,吾谁与邻?吾无粮,我无食,安得而至焉?'市南子曰:'少君之费,寡君之欲,虽无粮而乃足。'"市南子回答鲁君的话不是"命戒之句"或"非戒即命之辞"。此例可移入"系一,议事论道之句读,如对语然,起词可省"段内。

《礼·大学》云:"身有所忿懥,则不得其正,有所恐惧,则不得其正,有所好乐,则不得其正,有所忧患,则不得其正。"——共计读四,句四,皆以"身"为起词,而"身"只见于首句,后则不复见矣。

（"文库"本第389页，《读本》第642页，"校注"本第496页）

[按]说"身"字"见于首句"，似可推敲。既为"读四，句四"，则起词"身"字并非"见于首句"，而乃见于"首读"矣。"身有所忿懥"是首读，"则不得其正"是首句。

《庄子·天运》云："且子独不见夫桔槔者乎，引之则俯，舍之则仰。彼，人之所引，非引人也，故俯仰而不得罪于人。"——共计读三，句五，盖"引之"、"舍之"两读起词，乃"桔槔者"，"则俯"、"则仰"两句起词，即"桔槔"也。"人之所引"，又一读也。后两句，则以"彼"字为起词矣。（"文库"本第390页，《读本》第643页，"校注"本第497页）

[按]"且子独不见夫桔槔者乎"句中的"桔槔者"，是名字后附"者"字，"桔槔者"就是"桔槔"，而非"引舍桔槔之人"。《马氏文通》名字章有专门论述，举例有"人者"、"南冥者"、"齐谐者"等。马氏说"'引之'、'舍之'两读起词，乃'桔槔者'"，即"桔槔"，而非"引舍桔槔之人"，不对。"引之"、"舍之"两读起词，乃"人"，"引之则俯，舍之则仰"的意思是"人引之则桔槔俯，人舍之则桔槔仰"。

《汉·赵充国传》云："臣位至上卿，爵为列侯，犬马之齿七十六，为明诏填沟壑死，骨不朽，亡所顾念。"——"臣"字乃"填沟壑"之主次也，而为前三读之偏次也。犹云"臣之位、臣之爵、臣之犬马之齿"也。（"文库"本第391页，《读本》第645页，"校注"本第498页）

[按]措辞欠严谨，"为前三读之偏次"，非以"读"为正次，而以"臣"为偏次也。应该说："臣"字"为前三读中起词'位'、'爵'、'犬马之齿'之偏次"。

《庄·人间世》云:"夫柤梨橘柚果蓏之属,实熟则剥,剥则辱,大枝折,小枝泄,此以其能苦其生者也。"——一顿冠首,而为"剥""辱"与"能苦"诸读之主次。("文库"本第391页,《读本》第645页,"校注"本第499页)

[按]"夫柤梨橘柚果蓏之属"一顿是"剥"、"辱"的止词,居宾次,非为"剥"、"辱"诸读之主次。"剥"、"辱"犹"剥之"、"辱之"。

凡句读必有语词。("文库"本第392页,《读本》第647页,"校注"本第500页)

[按]语词也可以省略。后此,《马氏文通》曾说:"排行句读,坐动同者,一见而已,下句可省。"又说:"比拟句读,凡所与比者,其语词可省。此节已散见于前,今特为发明语词之可省耳。"

《论语·八佾》云:"子曰:'管仲之器小哉!'或曰:'管仲俭乎?'"——共四句,"小哉""俭乎"两表词,而为句之语词也。两引诸句,皆起词先乎语词。("文库"本第393页,《读本》第647页,"校注"本第500页)

[按]不宜说"'小哉'、'俭乎'两表词","小"、"俭"是表词,"乎"是助字。

《论语·泰伯》云:"大哉,尧之为君也!"——"大哉",语词,"尧之为君也",起词,而反后焉。("文库"本第393页,《读本》第648页,"校注"本第501页)

[按]不宜说"'大哉',语词","大"是语词,"哉"是助字。

经生家以《论语·学而》"鲜矣仁"二字为句法之奇,然"鲜矣"

助字,与前引同。("文库"本第 393 页,《读本》第 648 页,"校注"本第 501 页)

[按]不宜说"'鲜矣'助字","鲜"是表词,"矣"是助字。

又《襄公二十一年》云:"若大盗,礼焉以君之姑姊与其大邑,其次皂牧舆马,其小者衣裳剑带,是赏盗也。"——三读坐动,皆"礼焉",外动字,故只一见。("文库"本第 394 页,《读本》第 649 页,"校注"本第 502 页)

[按]不宜说"三读坐动,皆'礼焉',外动字",只能说"三读坐动,皆'礼'字,外动字"。"礼"是动字,在本句中为"坐动","焉"是助字。

《史记·吴王濞列传》云:"能斩捕大将者,赐金五千斤,封万户;列将,三千斤,封五千户;裨将,二千斤,封二千户;二千石,千斤,封千户;千石,五百斤,封五百户;皆为列侯。"——首句"能斩捕"三字,读之坐动也。"赐金",首句之坐动也,皆一见耳,后从删。("文库"本第 394 页,《读本》第 650 页,"校注"本第 502 页)

[按]不宜说"'能斩捕'三字,读之坐动也","能"是坐动,"斩捕"是散动。

又,不宜说"'赐金',首句之坐动也","赐"是坐动,"金"是止词。

又所谓坐动者,即句读之语词也。("文库"本第 394 页,《读本》第 650 页,"校注"本第 503 页)

[按]不应把"坐动"与"语词"等同。如果把"坐动"与"语词"等同,那么,"散动"等成分是什么?难道"散动"在语词之外?"止词"、"转词"、"状词"在不在语词之内?

《马氏文通》论"顿"时说:"凡曰语词,则动字与其所系者皆举焉。"("文库"本第 405 页)可知,"动字……其所系者"都在语词当中,把"坐动"与"语词"等同是不对的。

句读表词,往往以名、代、顿、读为之者,而起表两词之间,无断辞为间者,常也。("文库"本第 395 页,《读本》第 651 页,"校注"本第 503 页)

[按]起表两词之间,有"有断辞为间者",有"无断辞为间者",很难说是"无断辞为间者"是"常例"。

凡为外动止词者,位其后。外动字或为语词,或为散动,其止词必位其后。("文库"本第 396 页,《读本》第 652 页,"校注"本第 504 页)

[按]不能说"凡为外动止词者,位其后",也不能说"外动字……止词必位其后",因为外动字止词也可以位于外动字之前。《马氏文通》本节主要就是论说止词也可以位于外动字之前的,请看本节四个小标题:

系一,外动字之止词而为意之所重者,率先弁诸句首。

系二,凡外动字状以弗辞,或起词为"莫""无"等字,其止词如为代字者,概位乎外动之先。

系三,询问代字为止词,则先其动字。

系四,止词先乎动字者,倒文也。

可见,凡止词不是"必位其后"的。

《左传·桓公二年》云:"故天子建国,诸侯立家,卿置侧室,大夫有贰宗,士有隶子弟,庶人工商各有分亲,皆有等衰。是以民服事其上,而下无觊觎。"——计九句,其坐动皆外动字,而止词则皆

名字,各附于其后者。("文库"本第396页,《读本》第653页,"校注"本第504—505页)

［按］第4、5、6、7句坐动为"有"字,第9句坐动为"无"字,此5句坐动皆非"外动字",而是"同动字"。

《孟子·公孙丑下》云:"仁智,周公未之尽也。"又《滕文公上》:"诸侯之礼,吾未之学也。"《左传·僖公二十八年》云:"楚君之惠,未之敢忘,是以在此。"——诸引皆有"未"字为状,故以重指代字先乎其外动字也。("文库"本第398页,《读本》第656—657页,"校注"本第507页)

［按］此处所谓"重指代字"是指"之"字。把"之"字说是"重指代字"不妥。《马氏文通》卷二论代字时说:"'身'、'亲'、'自'、'己'四字,皆重指代字"("文库"本第55页)而"之"字则为"指名代字"。此处"重指"二字宜删。

韩愈《上张仆射书》云:"其所不能,不强使为。"——诸所引皆以读先起词,而下文止词可指焉,其不指者,有不辞也。("文库"本第399页,"校注"本第508页)

［按］"不辞"即"弗辞",宜统一为"弗辞"。查《马氏文通》,"弗辞"一语共使用55次,"不辞"术语仅2次。吕叔湘、王海棻《马氏文通读本》已改此处"不辞"为"弗辞"。

《左传·庄公九年》云:"子纠,亲也,请君讨之。管召,雠也,请受而甘心焉。"——第一句,常例也,第二句"甘心焉"者,犹云"甘心于管召"也,是"管召"为转词。今先置,而以"焉"字重指之。("文库"本第399页,《读本》第658页,"校注"本第508页)

［按］说"第一句(子纠,亲也,请君讨之)常例也"似有不

妥。第一句"子纠，亲也，请君讨之"是"止词先乎动字，后以'之'字重指者"句式，按照《马氏文通》观点，"凡为外动止词者，位其后。外动字或为语词，或为散动，其止词必位其后。"（"文库"本第396页）"外动字之止词，常位于后。"（"文库"本第396页）"止词先乎动字者，倒文也。"（"文库"本第401页）这一句既然是"倒文"，因而就不是"常例"。

《左·昭公十三年》云："叔向曰：'诸侯不可以不示威。'"——犹云"不可不示威于诸侯"也。"诸侯"先置，后无重者，不辞状也。（"文库"本第399页，《读本》第658页，"校注"本第508页）

[按]"不辞"即"弗辞"，宜统一为"弗辞"。

前卷论记处不一其处，附于内动字者，则详于四卷内动字节；记以状字者，则详于七卷状字；记以名字者，则详于三卷之宾次节。（"文库"本第401—402页，《读本》第662页，"校注"本第511页）

[按]有错字，"七卷状字"为"六卷状字"之误。

然凡言从来之处，概以"自"字为介，而置先于其动字。（"文库"本第402页，《读本》第662页，"校注"本第512页）

[按]此说不妥，与事实不符。而且《马氏文通》刚刚才分析过《左传·庄公二十八年》"楚公子元归自伐郑，而处王宫"一句，并且说："'自伐郑'者，言从来之处也。"而"自伐郑"非"置先于其动字"。《马氏文通》接着又分析《僖公二十三年》"出于五鹿，乞食于野人"，并且说："两'于'字，亦言所自也"。可见，言从来之处，并非"概以'自'字为介"，亦不必一律"置先于其动字"。

《史》《汉》言所在之地，介字概从删也。（"文库"本第402页，《读

本》第663页,"校注"本第512页)

[按]这个提法也是欠考虑的,《史记》《汉书》中"言所在之处"的转词,有不少也有介字。现举10例如下:

①庞涓死[于此树之下]。(《史记·孙子吴起列传》)

②樊哙覆其盾[于地]。(《史记·项羽本纪》)

③今吾拥十万之众,屯[于境上]。(《史记·信陵君列传》)

④秦王斋五日后,乃设九宾礼[于廷]。(《史记·廉颇蔺相如列传》)

⑤身客死[于秦]。(《史记·屈原贾生列传》)

⑥夫蔺先生收功[于章台],四皓采荣[于南山],公孙创业[于金马],骠骑发迹[于祁边]。(《汉书·扬雄传》)

⑦秋七月辛巳,皇太后崩[于未央宫]。(《汉书·高后纪》)

⑧王必欲除武,请毕今日之欢,效死[于前]。(《汉书·李广苏建传》)

⑨古者废放之人屏[于远方]。(《汉书·霍光传》)

⑩故使陛下赤子盗弄陛下之兵[于潢池中]耳。(《汉书·循吏传》)

《马氏文通》卷四动字章还讲过《史记》《汉书》中用"于"字表"所在之处"的情形。《文通》说:"记所在之处,介以'于'字者常也,不介者有焉。……《史记》往往同一句法,'于'字有用有不用者。……同一句也,《史记》用'于'字而《汉书》删去者,《汉书》用'于'字而《史记》删去者,难更仆数也。……

总观两书,《史记》之文纡馀,《汉书》之文卓荦。'于'字之删不删,其有以夫。"("文库"本第170页)该章还列举10组例句,其中有《史记》《汉书》中12处转词"记所在之处"而用了介字"于"的实例。

可见《史记》《汉书》言所在之地,介字也有许多不"从删"的。

记时转词,概无介词为介。("文库"本第402页,《读本》第663页,"校注"本第512页)

[按]一、"介词"为"介字"之误。

二、记时转词,并非"概无介词为介",亦有"有介字为介"者。本节就有例句,如:《孟子·尽心下》:"由孔子而来,至于今百有余岁。"《马氏文通读本》根据原著之意在"百有余岁"下加了着重号,指示被马氏认为"记既往至今之时"的"记时转词"为"百有余岁"且"无介词(介字)为介"。这是对的。但我们还发现,在记时转词"百有余岁"之前还有一个"记时转词"——"于今",这不正是一个"有介字为介"的"记时转词"吗?马氏为何视而不见,见而不言呢?再如:

①子[于是日]哭,则不歌。(《论语·述而》)

②是仁义用[于古]而不用[于今]也。(《韩非子·五蠹》)

③[于威宣之际],孟子荀卿之列,咸遵夫子之业而润色之。(《汉书·儒林传》)

④试用[于昔日],先帝称之曰能。(诸葛亮《出师表》)

这里的"于是日"、"于古"、"于今"、"于威宣之际"、"于昔日"不都是记时转词而有介字为介吗?

记时转词,除了介以"于"字外,还有介以"以"字的,如:

⑤将[以己丑]焚公宫。(《国语·晋语》)

⑥文[以五月五日]生。(《史记·孟尝君列传》)

⑦武[以始元六年春]至京师。(《汉书·苏武传》)

由此看来,《文通》转词节认为"记时转词,概无介词(介字)为介"的提法是欠考虑的。

转词之用之正变,皆详于八卷介字。("文库"本第403页,"校注"本第514页)

[按]有错字,"八卷介字"为"七卷介字"之误。吕叔湘、王海棻《马氏文通读本》已改。

《庄子·齐物论》云:"山林之畏佳,大木百围之窍穴,似鼻,似耳,似枅,似圈,似臼,似洼者,似污者。"——首句记处,一顿也;第二句起词,亦偏次之顿也;以后排顿,皆为表词,以表窍穴之形也。("文库"本第404页,《读本》第666页,"校注"本第515页)

[按]不宜说"首句记处,一顿也",因为"山林之畏佳"是"顿"不是"句"。

又起词往往为意之所重,提置于先,读时应略顿者。("文库"本第405页,《读本》第667页,"校注"本第515—516页)

[按]说起词可以"提置于先"不妥。马氏曾经说过:"凡起词必先乎语词"("文库"本第30页),"语词后而起词先者,常也。"("文库"本第392页)既然如此,起词何来"提置于先"之说呢?

《汉书·儒林传》云:"今陛下昭至德,开大明,配天地,本人伦,勤学兴礼,崇化厉贤,以风四方,太平之原也。"——"陛下"后,三字者四,四字者二,要皆为语词,谓之为顿也可,谓之为句也亦可。("文库"本第405页,《读本》第668页,"校注"本第516页)

[按]是"顿"是"句",马氏应当给出一个明确的说法,不宜说"……亦可,……也亦可"。

继云:"不以国,不以官,不以山川,不以隐疾,不以畜牲,不以器币。周人以讳事神,名终将讳之。故以国则废名,以官则废职,以山川则废主,以畜牲则废祀,以器币则废礼。晋以僖侯废司徒,宋以武公废司空,先君献武废二山。是以大物不可以命。"——共计前六顿,后五顿,末又三顿,皆有外动止词等字。是顿分三排,每排即可视作一句,而每顿谓之为句亦可。("文库"本第406页,《读本》第669页,"校注"本第517页)

[按]是"顿"还是"句",马氏应当给出一个明确的说法,不宜说"每顿谓之为句亦可"。

《左传·隐公十一年》云:"礼,经国家,定社稷,序民人,利后嗣者也。"——三顿,皆散动字为表词也。("文库"本第406页,《读本》第669页,"校注"本第517页)

[按]"经国家,定社稷,序民人,利后嗣者也"应为四顿,而非"三顿"。

又,各顿皆为"受动字与其止词"为表词者,非仅散动字为表词也。

《左·昭公二十年》云:"声亦如味,一气,二体,三类,四物,五声,六律,七音,八风,九歌,以相成也。清浊,小大,短长,疾徐,哀乐,刚柔,迟速,高下,出入,周流,以相济也。"韩文《原性》云:"其所以为性者五：曰仁，曰礼，曰信，曰义，曰智。"又云："其所以为情者七：曰喜，曰怒，曰哀，曰惧，曰爱，曰恶，曰欲。"又《送郑尚书序》云："其海外杂国，若耽浮罗、流求、毛人、夷亶之州、林邑、扶南、真腊、于陀利之属，东南际天地以万数。或时候风潮入贡，蛮胡贾人，舶交海中。"——凡所引平列诸名，皆同次而可顿者也。（"文库"本第408页，《读本》第672—673页，"校注"本第520页）

[按]马氏说"所引平列诸名，皆同次"，不妥。同次为专用术语，其定义是："凡名代诸字，所指同而先后并置者，则先者曰前次，后者曰同次。……同次云者，犹言同乎前次者，同乎前次者，即所指者与前次所指为一也。"（"文库"本第102页）本节又说："同次者，同乎前次也，即所指者与前次所指者一也。"（"文库"本第408页）以上"平列诸名"，不具备"所指同"、"所指为一"的要求，所以不能称为"同次"。

又："惟天下至诚，为能尽其性。能尽其性，则能尽人之性。"——叠一句。《论语·子路》"名不正"一节，亦叠一句。（"文库"本第416页，《读本》685页，"校注"本第529页）

[按]"叠一句"说法易滋误解。因为所叠用者"能尽其性"在前面是"句"，叠用后却成了"读"，两者性质有所区别。《论语·子路》"名不正"亦然。

《论语·公冶长》云："始吾于人也，听其言而信其行；今吾于人也，听其言而观其行。"——两读之煞以"也"字者各为句之起词。（"文库"本第417页，《读本》第687页，"校注"本第531页）

[按]把"始吾于人也"、"今吾于人也"说成下面"句"的起词，不怎么妥当。实际上只是其中的"吾"字才能是下句之

"起词"。

凡读之用如静字者,即读之用为表词也。而读之用为表词者,有煞以助字者,缀以静字而最为习用者,则接读代字也。("文库"本第 420 页,《读本》第 691 页,"校注"本第 534 页)

[按]"缀以静字而最为习用者,则接读代字也"不好理解,疑有脱字。

《马氏文通》在此观点下所举例句,有 3 类,一是"煞以助字者",一是"缀以静字者",一是"以接读代字为标志的'读'",因猜想马氏的意思可能是:"读之用为表词者,有煞以助字者,(有)缀以静字(者),而最为习用者则接读代字(之读)也"。即句中脱一"有"字和"者"字,且"而"字前应该有停顿。

凡读之用如静字者,即读之用为表词也。……《左传·隐公元年》云:"颍考叔,纯孝也,爱其母,施及庄公。"——"纯孝"而煞以"也"字,所以表颍考叔之为人也。又《定公四年》云:"三者,皆叔也,而有令德,故昭之以分物。"——"皆叔也"如上。又《隐公三年》云:"公子州吁,嬖人之子也,有宠而好兵。"——"嬖人之子也"同上。又《宣公四年》云:"……是乃狼也,其可畜乎!"又云:"君,天也,天可逃乎?"《秦策》云:"劫天子,恶名也,而未必利也。"——以上皆以"也"字煞表词之读。("文库"本第 420 页,《读本》第 691—692 页,"校注"本第 534 页)

[按]上述 6 例,马氏说是"读之用如静字者",很是不妥。

依《马氏文通》所说,"凡读之用如静字者,即读之用为表词也",可是上面 6 句中并没有"读之用为表词"的现象。作表词的"纯孝"、"皆叔"、"嬖人之子"、"狼"、"天"、"恶名"乃名字、静字和顿,而非"读"。

如果让这些"表词"与前面的"起词"组合成"读",即"颍考叔,纯孝也"、"三者,皆叔也"、"公子州吁,嬖人之子也"、"是乃狼也"、"君,天也"、"劫天子,恶名也",那么这些"读"并不作"表词",何来"读之用为表词也","读之用如静字者"呢?

何容《中国文法论》指出:"谓'纯孝也'为一读,用为表词而如静字,则读无起词,与读之界说不合;谓'颍考叔,纯孝也'为一读,则并非用为表词而如静字。"

《左传·隐公四年》云:"卫国褊小,老夫耄矣,无能为也。此二人者,实弑寡君,敢即图之。"——"褊小",两静字之缀于"卫国"而为表词也,犹"耄矣"之为"老夫"之表词也。此两语,即所以请陈国"图之"之故,故谓之读。("文库"本第420页,《读本》第692页,"校注"本第534页)

[按]不宜说"耄矣"为表词,"耄"是表词,"矣"为助字。

又,请陈国"图之"之故,除"卫国褊小"、"老夫耄矣"外,还有"无能为也",还有"此二人者,实弑寡君",并非"褊小"、"耄矣"所在之"两语"。

《赵策》云:"吾将使梁及燕助之,齐楚则固助之矣。"——是犹云"齐楚则固助之矣,吾将使梁及燕助之"。诸读之后置者,于义无关焉,而于文则非其常,故识之。("文库"本第425页,《读本》第699页,"校注"本第540页)

[按]说此句为"读之后置者",恐有不妥。把此句倒过来说,即"齐楚则固助之矣,吾将使梁及燕助之",很不通顺。两

句比附着说,"则"字应在下句。由此可见,《赵策》此例非"读之后置者"。"齐楚则固助之矣"也是一"句",而非"读"也。

句之为句,似可分为两类:一则与读相联者,一则舍读独立者。至不需读惟需顿与转词者,则所别甚细,不更为类焉。("文库"本第 425 页,《读本》第 700 页,"校注"本第 540 页)

[按]马氏把句子分为三类,即"与读相联者"、"舍读独立者"、"不需读惟需顿与转词者"。但既然是三类,就不能说是"两类"。对第三类,因其"所别甚细",而不"为类"论说,是不对的。

其实此段只一句,犹云"中国既受祉矣",一读,"而夷狄之国,未有教化,不禁内响而怨"一句。("文库"本第 426 页,《读本》第 700—701 页,"校注"本第 541 页)

[按]马氏本来把这段分析为三句,即"今封疆之内,冠带之伦,咸获嘉祉"、"靡有阙遗矣"、"内响而怨",但最后却说"此段只一句",把前两"句"说成"犹云'中国既受祉矣',一读",这种做法是不可取的。

《汉·张敞传》云:朝臣宜有明言曰:对所言则为句,对全节则为读"陛下褒宠故大将军以报功德,读,起词足矣。就所论则为句间者辅臣颛政,贵戚太盛,君臣之分不明,三读,言故请句之坐动,贯下罢霍氏三侯,皆就第,及卫将军张安世,宜赐几杖归休,时存问召见,以列侯为天子师。三读皆所请之止词,至此句止,其实自"朝臣"至此,为一假设之读。"明诏以恩不听,群臣以义固争而后许。又两句,其实至此皆假设之读,后乃言效天下必以陛下为不忘功德,而朝臣为知礼。一句,言两效霍氏世世无所患苦。又一句,言效节全。("文库"本第 426 页,《读本》第 701 页,"校

注"本第 541—542 页)

[按]说"朝臣宜有明言曰"一句"对所言则为句,对全节则为读",不妥,"句"和"读"应该区分清楚。

又,既把"朝臣宜有明言曰:陛下褒宠故大将军以报功德,足矣。间者辅臣颛政,贵戚太盛,君臣之分不明,请罢霍氏三侯,皆就第,及卫将军张安世,宜赐几杖归休,时存问召见,以列侯为天子师"分析为三读(间者辅臣颛政,贵戚太盛,君臣之分不明)、两句("陛下褒宠故大将军以报功德,足矣"为一句,"请罢霍氏三侯,皆就第,及卫将军张安世,宜赐几杖归休,时存问召见,以列侯为天子师"为第二句),和一个可以为句亦可为读的"朝臣宜有明言曰",又说"其实自'朝臣'至此,为一假设之读",就不妥当了。

再,既把"明诏以恩不听,群臣以义固争而后许"分析为"两句",又说"其实至此皆假设之读",也是极为不妥的,句就是句,读就是读,句读能不分吗?

韩愈《郑公神道碑文》云:公与宾客朋游饮酒,读,记处必极醉,句投壶博弈穷日夜,句若乐而不厌者。比读("文库"本第 428 页,《读本》第 702 页,"校注"本第 543 页)

[按]"公与宾客朋游饮酒"是"记时"而非"记处"。

韩愈《与袁相公书》云:阁下傥引而致之,读附起词密加识察。状读有少不如意,读,乃"识察"止词愈为欺罔大君子。句便宜得弃绝之罪于门下。再足一句("文库"本第 428 页,《读本》第 703 页,"校注"本第 543 页)

[按]马氏说"有少不如意"是"识察"的止词,不对。"有

少不如意"不是"识察"的止词,说"识察｜有少不如意"不通。其实,"阁下倘引而致之"、"密加识察"、"有少不如意"为三个并列的"读",表示"假设",与后面的"句"构成假设复句。

观于物:句,挺接前文见读之坐动山水崖谷,一顿,见之止词,下同鸟兽虫鱼草木之花实、日月列星、风雨水火、雷霆霹雳、歌舞战斗,共计五顿天地事物之变,顿,总前五顿可喜可愕,表词,贴前顿。或云:"凡天地事物之变之可喜愕者,皆寓于书也。"一寓于书。句。("文库"本第428—429页,《读本》第703—704页,"校注"本第544页)

[按]"鸟兽虫鱼草木之花实"应断开,为"鸟兽虫鱼、草木之花实",这样,"鸟兽虫鱼、草木之花实、日月列星、风雨水火、雷霆霹雳、歌舞战斗"就是"共计六顿",而非"共计五顿",加上前面的"山川崖谷"一顿,就是七顿,后面的"天地事物之变"就是"总前七顿",而非"总前五顿"。

(一、排句而意无轩轾者)……叠句有以状字连字为呼应者,已详于八卷承接连字节矣,重录数则以为式。《穀梁·僖公二年》云:"且夫玩好在耳目之前,而患在一国之后,此中知以上乃能虑之,臣料虞君中知以下也。"——首两排句,连以"而"字。("文库"本第431页,《读本》第707页,"校注"本第547页)

[按]马氏的"舍读独立之句"分为四类,第一类是"排句而意无轩轾者",第二类是"叠句而意别浅深者"。在"排句而意无轩轾者"标题之下说"叠句有以状字连字为呼应者",似有不妥。疑此"叠句"二字为"排句"之误。

又《谢孔大夫状》云:"欲致辞为让,则乖伏属之礼;承命苟贪,又非循省之道。"——诸引排句,各有"且"、"或"、"亦"、"而"、

"又"、"既"、"则"诸连字,与状字相为承接,则叠句便觉灵动矣。("文库"本第431页,《读本》第708页,"校注"本第548页)

[按]又说是"排句",又说是"叠句",措辞混乱。疑"叠句"为"排句"之误。又,"则"字不连"排句"。"则"字多用于后句内以与前句相比,或用于"读"与"句"之间表示推论,本例中"则"字用于"读"(欲致辞为让)与"句"(乖伏属之礼)之间表示推论。

韩愈《论变盐法事宜状》云:"百姓宁为私家载物取钱五文,不为官家载物取十文钱也。"又云:"臣以为若法可行,不假令宰相充使;若不可行,虽宰相为使无益也。"——诸引两商之句,大致相类,概皆先之以读,所以为设问也。其于设问之读,有煞以传疑助字者,则见诸九卷。要之,此种句法,辨事理最为便利。("文库"本第433—434页,《读本》第711页,"校注"本第551页)

[按]"百姓宁为私家载物取钱五文,不为官家载物取十文钱也"一句非"两商之句",它已经选定后者,没有"两商"之意,也不具备"先之以读,所以为设问也"的要求,在本节所举16个例句中,此例不类。

人闻读其能使物及不死,读为止词更馈遗之。句("文库"本第438页,《读本》第718页,"校注"本第556页)

[按]"人闻"后注"读",不妥,易使人误解为"人闻"二字为"读",其实,马氏是说"人闻其能使物及不死"为"读","其能使物及不死"亦为"读",因此,在"闻"字后应注"读之坐动"。

人皆以为读不治生业而饶给,读为止词又不知其何所人,读为止

词愈信，总上两句争事之。句（"文库"本第 438 页，《读本》第 718 页，"校注"本第 556 页）

[按]"以为"后注"读"，不妥，易使人误解为"人皆以为"四字为"读"，其实，马氏是说"人皆以为不治生业而饶给"为"读"，"不治生业而饶给"亦为"读"，因此，应在"以为"二字后注"读之坐动"。

又，"又不知其何所人"注"读为止词"易使人误解为它与"不治生业而饶给"一样，是"以为"的止词，其实不然，在"又不知其何所人"中仅"其何所人"为"读之止词"，因此，"知"字后应注"读之坐动"。

已顿而案其刻，读果齐桓公器。句一宫尽骇，读以为顿少君神，读数百岁人也。句止（"文库"本第 438 页，《读本》第 718 页，"校注"本第 557 页）

[按]在"以为"后注"顿"，不妥。"以为"有多解，此"以为"义为"认为"，是动字，是句之坐动，因此，应注为"句之坐动"。

禹抑鸿水，句，冒起十三年过家不入门，读陆行载车，水行载舟，泥行蹈毳，山行即桥，以别九州，三平句，共一顿 随山浚川，任土作贡。两平句（"文库"本第 438—439 页，"校注"本第 557 页）

[按]在"陆行载车，水行载舟，泥行蹈毳，山行即桥，以别九州"后注"三平句，共一顿"，不妥，应注为"四平句，共一顿"。吕叔湘、王海棻《马氏文通读本》不误。

然河菑衍溢，读，上读起词害中国也读，起词尤甚，读惟是为务。句（"文库"本第 439 页，"校注"本第 557 页）

[按]在"河菑衍溢"后注"读,上读起词",误。查《马氏文通》早期版本,此处注"读,下读起词",不误。此误自章锡琛《马氏文通校注》始,商务印书馆"汉语语法丛书"《马氏文通》承之,吕叔湘、王海棻《马氏文通读本》不误。

天子为其绝远,读,言故非人所乐往,静读听其言予节,句,两扇募吏民,句毋问读所从来,又一读为具备人众遣之,句以广其道。("文库"本第439页,《读本》第720页,"校注"本第558页)

[按]在"问"后注"读",不妥,易使人误解为"毋问"二字即为"读",其实,马氏是说"毋问所从来"为"读","所从来"亦为"读",因此,"问"字后应注"读之坐动"。

其吏卒亦辄复盛推句外国所有。读为止词,句止("文库"本第439—440页,《读本》第720页,"校注"本第558页)

[按]在"推"后注"句",不妥,易使人误解为"其吏卒亦辄复盛推"即为"句",其实,马氏是说"其吏卒亦辄复盛推外国所有"为"句",从句后所注的"句止"二字可以看出,因此,"推"字后应注"句之坐动"。

阳城,顿字亢宗,读北平人。句代为宦族。句好学,句贫能得书,读,言故乃求入集贤为书写吏,读窃官书读之。句("文库"本第440页)

[按]"贫能得书"为"贫不能得书"之误,查《马氏文通》早期版本,此处不误。商务印书馆"汉语语法丛书"《马氏文通》误之。章锡琛《马氏文通校注》、吕叔湘、王海棻《马氏文通读本》皆不误。

昼夜不出,读经六年,读遂无句所不通。读承,句止("文库"本第440页,《读本》第720页,"校注"本第559页)

[按]在"无"后注"句",不妥,易使人误解为"遂无"二字即为"句",其实,马氏是说"遂无所不通"为"句",从句后所注的"句止"二字可以看出,因此,"无"字后应注"句之坐动"。

未尝有句所贮积。读,句止("文库"本第440页,《读本》第721页,"校注"本第559页)

[按]在"有"后注"句",不妥,易使人误解为"未尝有"三字即为"句",其实,马氏是说"未尝有所贮积"为"句",从句后所注的"句止"二字可以看出,因此,在"有"字应后注"句之坐动"。

陈芪者,顿候读其始请月俸,承读常往称其钱帛之美,句月有获焉。句("文库"本第440页,《读本》第721页,"校注"本第559页)

[按]在"候"后注"读",不妥,易使人误解为"候"一字即为"读",其实,马氏是说"陈芪者,候其始请月俸"为"读",因此,在"候"字后应注"读之坐动"。

《马氏文通》标点校勘

《马氏文通》中的标点问题，并非马建忠本人所为，是后人加上去的。在《马氏文通》写作时，还没有现在这样的新式标点符号。早期版本的《马氏文通》，仅用一种旧式的读号点断文句。后来章锡琛写《马氏文通校注》(1954年出版)，才用上了当时通行的新式标点符号。1983年商务印书馆版《马氏文通》才用上了与现在完全相同的标点符号。

由于《马氏文通》的标点符号是后人添上的，有些地方就不一定能吃透作者原意，标点符号就不一定用得对。加上排版失误，校对失校，因而错误难免。从1981年起，不断有人指出《马氏文通》中的标点错误。但商务印书馆1983、1988、2000年版《马氏文通》，中华书局1988年版《马氏文通校注》，上海教育出版社1986年版《马氏文通读本》，都没有采纳。上海教育出版社2000年版《马氏文通读本》改掉了一小部分，但仍有许多未改。这些错误的标点符号，扭曲了马氏原意，增加了读者的麻烦。

笔者在阅读《马氏文通》时，曾留意于其中的标点问题，先后发现多处标点错误。现把笔者自己发现的和学界已经指出而现行版本未改的部分标点错误整理出来，以供读《马氏文通》者参考。

本文主要就商务印书馆1983、1988、2000年本《马氏文通》，中华书局1988年版《马氏文通校注》,上海教育出版社1986、2000年版《马氏文通读本》三书共有的标点错误展开讨论。已被2000年版《马氏文通读本》改正的随文注出。仅为商务印书馆1983、1988、2000年本《马氏文通》一书独有的标点错误,亦被列入。但仅为中华书局1988年版《马氏文通校注》一书独有的标点错误,未予列入。仅为上海教育出版社《马氏文通读本》一书独有的标点错误,因为要编入另文《〈马氏文通读本〉商榷》之中,所以不在此讨论。

自汉而降,小学旁分,各有专门。欧阳永叔曰:"《尔雅》出于汉世,正名物讲说资之,于是有训诂之学;许慎作《说文》,于是有偏旁之学;篆隶古文,为体各异,于是有字书之学;五声异律,清浊相生,而孙炎始作字音,于是有音韵之学。"吴敬甫分三家,一曰体制,二曰训诂,三曰音韵。胡元瑞则谓小学一端,门径十数,有博于文者、义者、音者、迹者、考者、评者,统类而要删之,不外训诂、音韵、字书三者之学而已。("文库"本第9页,《读本》"文通序"第1页,"校注"本"序"第1页)

[按]本段叙述"小学"的发展和马氏对"小学"门类的看法。本来为五句,第一句"自汉而降,小学旁分,各有专门"是总的观点,第二句是引用欧阳永叔的意见,第三句介绍吴敬甫的看法,第四句介绍胡元瑞的看法,第五句是马氏的结论。但通行的《马氏文通》版本未把第四、第五句断开,使马氏的结论没有了。其实,介绍胡元瑞的看法仅至"有博于文者、义者、音者、迹者、考者、评者"而止,以下"统类而要删之,不外训诂、音

韵、字书三者之学而已"则是马氏的结论。因此,应把"有博于文者、义者、音者、迹者、考者、评者"后面的逗号改为句号才对。(参见洪诚《中国历代语言文字学文选》第287—288页,江苏人民出版社,1982)

三者之学,至我朝始称大备。凡诂释之难,点画之细,音韵之微,靡不详稽旁证,求其至当。然其得失异同,匿庸与嗜奇者,又往往互相主奴,聚讼纷纭,莫衷一是。则以字形字声,阅世而不能不变,今欲于屡变之后以返求夫未变之先,难矣。盖所以证其未变之形与声者,第据此已变者耳。藉令沿源讨流,悉其元本所是正者,一字之疑、一音之讹、一画之误已耳。("文库"本第9页,《读本》"文通序"第1页,"校注"本"序"第1页)

[按]本段批评传统语文学只注重于"训诂"、"音韵"、"字书"的研究,而忽略了语法的研究。批评传统语文学"沿源讨流,悉其元本",其结果只是"是正"了"一字之疑、一音之讹、一画之误"而已。通行的《马氏文通》版本把"悉其元本"与"所是正者"未断开,而"悉其元本"是前面的分句,"所是正者"是下面分句之主语,不宜连在一起。因此应该在"悉其元本"后面加上逗号。(参见吴庆峰《〈马氏文通〉标点一则》,载《古籍整理研究学刊》2002年第2期)

《学记》谓"比年入学,中年考校,一年视离经辨志。"其《疏》云:"离经,谓离析经理,使章句断绝也。"《通雅》引作"离经辨句",谓"丽于六经使时习之,先辨其句读也。"徐邈音豆,皇甫茂正云:"读书未知句度,下视服杜。"度,即读,所谓句心也。然则古人小学,必先讲解经理、断绝句读也明矣。("文库"本第10—11页,《读本》"文通

序"第2页,"校注"本"序"第2页)

[按]本段引论古人对于"离经辨志"(讲解经理、断绝句读)的看法。实际上只引了《学记》、《疏》、《通雅》三书的看法。由于《通雅》引文中涉及"徐邈"、"皇甫茂正",遂使章锡琛等标点者误以为《马氏文通》引用了五书,其实"丽于六经使时习之,先辨其句读也。徐邈音'豆',皇甫茂正云:'读书未知句度,下视服杜。'度,即读,所谓句心也"皆是《通雅》原文,不能只把"丽于六经使时习之,先辨其句读也"作为《通雅》原文,因此,应把"所谓句心也"后面的下引号移到"所谓句心也"之后。皇甫茂正的话"读书未知句度,下视服杜"因此而在《通雅》原文之内,只能改用单引号。(参见洪诚《中国历代语言文字学文选》第289—290页,江苏人民出版社,1982)

天下事之可学者各自不同,而其承用之名,亦各有主义而不能相混。佛家之"根""尘""法""相",法律家之"以""准""皆""各""及其""即若",与夫军中之令,司官之式,皆各自为条例。以及屈平之"灵修",庄周之"因是",鬼谷之"捭阖",苏张之"纵横",所立之解均不可移置他书。若非预为诠解,标其立义之所在而为之界说,阅者必洸洋而不知其所谓,故以正名冠焉。("文库"本第10—11页,《读本》"文通序"第3页,"校注"本"序"第3页)

[按]本段说明"正名"之重要。引证中涉及佛家的4个术语,法律家的8个术语,以及军中之令,司官之式,屈原的"灵修",庄周的"因是",鬼谷子的"捭阖",苏秦张仪的"纵横"等术语。但通行的《马氏文通》版本由于引号用错,把法律家的8个术语即"以""准""皆""各""及""其""即""若"错误地标点成

"以""准""皆""各""及其""即若",这样就只是6个术语,这是与法律家使用的术语不同的。"及""其""即""若"是法律家的术语,不能标点成"及其""即若"。(参见吕友仁《从〈马氏文通·序〉的两处误标说到顿号在古籍整理中的使用》,载《信阳师范学院学报》(哲学社会科学版)1986年第4期;许守谦《〈马氏文通读本〉中的几处校点失误》,载《语言研究》1987年第2期)

荀卿子曰:"人之所以异于禽兽者,以其能群也。"夫曰群者,岂惟群其形哉!亦曰群其意耳。("文库"本第12页,《读本》"后序"第1页,"校注"本"后序"第1页)

[按]本段荀子的话"人之所以异于禽兽者,以其能群也",非荀子原话,是马氏自己归纳出来的,属于转述,非直接引用,因此"人之所以异于禽兽者,以其能群也"上面的引号应该去掉,"荀卿子曰"后面的冒号也要改为逗号。吴文祺、张世禄《中国历代语言学论文选注》第180页指出,这里所引用的荀子的话源于《荀子·王制》:"禽兽有知而无义,人有气有生有知亦且有义,故为天下贵也……人能群,彼不能群也。"(参见吴文祺、张世禄《中国历代语言学论文选注》,上海教育出版社1986年出版;许守谦《〈马氏文通读本〉中的几处校点失误》,载《语言研究》1987年第2期)

《庄·德充符》:"人莫鉴于流水而鉴于止水。惟止能止众止。"——"止"字四用:"止水"之"止",静字,言水不流之形也。"惟止"与"众止"两"止"字,泛论一切不动之物名也。"能止"之"止",有使然之意,动字也。是一"止"字而兼三类矣。("文库"本第24页,《读本》第55页,"校注"本第9页)

[按]本段本来是说"止"字"四用"而"兼三类"的,但从上面表达的文字里只见到"……静字,……动字也",另一类"名字"未见着。其实是标点出错。作为名字的"止"是"惟止"与"众止"的两个"止"字。因此应该把"泛论一切不动之物名也"一句从"物"字后断开,成为"泛论一切不动之物,名也","名也"即"名字也"。这样其解说语就是:"……静字,……名也,……动字",一"止"字而兼三类,也就没有问题了。(参见吴辛丑《〈马氏文通〉标点的一处失误》,载《中国语文》1990年第4期)

前论名代诸字与动静诸字,所有相涉之义,已立有起词、语词、止词、表词诸色名目,今复以名代诸字位、诸句读,相其孰先孰后之序而更立名称,凡以便于论说而已。("文库"本第27页,《读本》1986年版第59页,"校注"本第14页)

[按]"名代诸字位、诸句读"不可理解。实际上是标点有错误。其中"名代诸字"为一短语,"位"为动词,"诸"代"之于"二字,"名代诸字位诸句读"实际上是"名代诸字位之于句读"之意。因此,"位"后的顿号应去掉。(参见林玉山《汉语语法学简史》,湖南教育出版社,1981;许华《〈马氏文通读本〉校点补正》,载《古籍整理研究学刊》1989年第2期;蒋文野《〈文通〉界说中一个标点的辨正》,载《江苏社会科学》1992年第2期;张文国《〈马氏文通读本〉的一处标点失误》,载《中国语文》2000年第1期)

吕叔湘、王海棻《马氏文通读本》2000年版已改。

自介字天子王侯皆司词中国偏次,犹云中国之言六艺者言语词六艺止词者,"者"为起词字,必后置。又自"天"字至"者"字,皆"折"之起词折语词中作止词用于介词夫子,其司词可语词,其起词承上文,即"夫子"谓动字,附于"可"字至圣

矣。表词("文库"本第 31 页,"校注"本第 21 页)

[按]"'者'为起词字,必后置"中,"起词字"说法不妥,其实是断句有误,应为"'者'为起词,字必后置"。《马氏文通》早期版本亦在"起词"与"字"字之间断开。吕叔湘、王海棻《马氏文通读本》此处不误。

《左传·襄十一年》:"楚弱于晋,晋不吾疾也。"——犹云"晋不疾吾也"。此为弗辞之句,"吾"代字,止词,在宾次,而先于外动"疾"字弗辞之句。止词为代字,位概先其动字,其例见后。("文库"本第 43 页,"校注"本第 38 页)

[按]"先于外动'疾'字弗辞之句"不可理解;"止词为代字,位概先其动字"则更是错误,因为止词为代字,其位亦有不先于动字的。错误根源在"弗辞之句"前后标点不对,"弗辞之句"本属下句,但由于它前面没有标点,使它与上句宾语相连,成为"先于外动'疾'字弗辞之句"病句;又由于它后面有个句号,把它与下句分开,下句"止词为代字,位概先其动字"又成了病句。正确的标点应该是在"弗辞之句"前面加上句号,与前句分开;在它后面改用逗号,与下句相连。这样,前句成为:"'吾'代字,止词,在宾次,而先于外动'疾'字。"后句成为:"弗辞之句,止词为代字,位概先其动字,其例见后。"就都没有问题了。吕叔湘、王海棻《马氏文通读本》此处不误。

《汉·高帝纪》:"吾所以有天下者何?项氏之所以失天下者何?"——两"何"字各为两读,表词也。"何"字之位,或先或后,句法异而用以诘事理之故则一。("文库"本第 73 页,《读本》第 134—135 页,"校注"本第 80 页)

[按]"两'何'字各为两读"不可理解。根据《马氏文通》所说,"凡有起语两词而辞意未全者曰读"("文库"本第28页),也就是说,"读"要由"起词""语词"两部分组成。不过,起词是可以省略的,如果起词省略,语词为一字,则是"一字为读"("文库"本第209页)。但例句中"起词""语词"二者齐备,没有省略,怎能说"两'何'字各为两读"呢?其实,马氏的意思是说,句中"两'何'字各为两读之表词也",由于"之"字省用,所以从章锡琛《马氏文通校注》起,遂在应为"之"字的地方加上了逗号,造成了错误。以后《马氏文通》各版本承之。笔者有《马氏文通》商务印书馆1912年版本,本句标点为:"两何字、各为两读表词也",那是旧式句读,写成新式标点,应是:"两'何'字,各为两读表词也。"这就没有问题了。(参见邵霭吉《〈马氏文通〉标点拾误》,载《中国语文》2005年第6期)

《孟·告下》:"人皆可以为尧舜,有诸"?——"人",名也,"皆",约指代字,后乎名而重指之同在主次,而为"可"之起词。("文库"本第84页)

[按]"后乎名而重指之同在主次"本为两分句,被错误地连在一起,造成不好理解。前一分句"后乎名而重指之"说的是"皆"字("皆",约指代字,后乎名而重指之),后一分句"同在主次"说的是"人"和"皆"("人",名也,"皆",约指代字,后乎名而重指之,同在主次),因此应把两分句之间用逗号断开。章锡琛《马氏文通校注》、吕叔湘、王海棻《马氏文通读本》此处不误。

《诗·小雅·常棣》:"凡今之人,莫如兄弟。"《孟·告上》:"故凡同类者,举相似也。"《史·陆贾传》:"陆生乃粗述存亡之征,凡著十二篇。"——"凡"字三句,法各异而如《说文》所云"为最括之词"者一也。("文库"本第86页,《读本》第156页,"校注"本第99页)

[按]分析语中"法各异"拗口,实际上是"句法各异"四字被错误地断开,而使"句"字归入前语。《马氏文通》早期版本标点为:"凡字三、句法各异、而如《说文》所云为最括之词者、一也",断句不误。杨树达《马氏文通刊误》引用时写为:"'凡'字三,句法各异,而如《说文》所云'为最括之词'者一也。"亦不误。

又:"诸所与交通,无非豪桀大猾。"——诸字同上,并弁于读,犹云"诸所与交通者"。("文库"本第86页)

[按]"诸字同上"就是"各个字皆同上",非马氏本意。马氏实际上是说"'诸'这个字同上","诸"字是被引用的字,应加引号,即"'诸'字同上"。吕叔湘、王海棻《马氏文通读本》此处不误。

互指代字,必合动字,以明其互为宾主也。盖动字之行,有施有受,施者为主,而受者为宾,故有宾主之次。互指代字,即"自"、"与"、"相"、"交"诸字,先于动字,即以表施者受者之为一也。("文库"本第87页,"校注"本第101页)

[按]互指代字,并非"自"、"与"、"相"、"交"四字,乃"自"、"相"、"交"三字,可知"与"字的引号为误加。吕叔湘、王海棻《马氏文通读本》此处不误。

《庄·天道》:"圣人之心,静乎天地之鉴也,万物之镜也。"("文库"本第92页,《读本》1986年版第166页,"校注"本第109页)

［按］标点有误，"静乎"二字应属上句。正确的标点是："圣人之心静乎，天地之鉴也，万物之镜也。"吕叔湘、王海棻《马氏文通读本》2000年版已改。

又《封禅书》："赐民百户牛一，酒十石，加年八十孤寡，布帛二匹。"——曰"石"曰"匹"，别称也，"牛""羊"第数之。（"文库"本第123页，《读本》第217页，"校注"本第154页）

［按］《封禅书》例句标点有误。"加年八十孤寡布帛二匹"是一个"双宾语结构"，"年八十孤寡"和"布帛二匹"是外动字"加"字的两个宾语，其间不应有逗号。在《马氏文通》早期版本中，旧式标点是："赐民百户牛一、酒十石、加羊、八十孤寡、布帛二匹"，其中"加年"被误为"加羊"，所以在分析语中有"'牛''羊'第数之"之说。章锡琛《马氏文通校注》改"羊"为"年"，又删去其后逗号，是对的，但没有删去"年八十孤寡"和"布帛二匹"之间的逗号，是为失误，并为以后《马氏文通》各版本承袭之。

《史·留侯世家》："黥布，天下猛将也，善用兵。"——"黥布"名也，起词，"善"字表词，犹云"黥布善于用兵故天下名将也"，豆也，"用兵"二字，乃"善"字之司词也。（"文库"本第128页，《读本》第223—224页，"校注"本第160页）

［按］"豆也"二字与前后文皆搭配不上，似是多余。所以吕叔湘、王海棻《马氏文通读本》注释说："此'豆也'二字所指不明，疑有讹夺。"提出了章锡琛所加标点的问题。其实，在《马氏文通》早期版本中，此处的旧式标点是："留侯世家、黥布天下猛将也、善用兵、黥布名也、起词、善字表词、犹云黥布善

于用兵、故天下名将也、豆也、用兵二字、乃善字之司词也"。如果正确地改成新式标点，成为："《留侯世家》：'黥布，天下猛将也，善用兵。'——'黥布'名也，起词。'善'字，表词，犹云'黥布善于用兵'。故'天下名将也'，豆也。'用兵'二字，乃'善'字之司词也。"这样就完全没有问题。原句"黥布，天下猛将也，善用兵"被分为"'黥布'……'善'……'天下名将也'……'用兵'"四段加以分析，"豆也"二字是对"天下猛将也"的分析，不过，把"猛将"错写成"名将"罢了。章锡琛《马氏文通校注》把"犹云'黥布善于用兵'。故'天下名将也'，豆也"错误地标点成："犹云'黥布善于用兵故天下名将也'豆也"，商务印书馆1983年版《马氏文通》和吕叔湘、王海棻《马氏文通读本》在"豆也"前加了逗号，但始终未把"黥布善于用兵故天下名将也"从中断开，是为遗憾。此外，说"豆也"二字是对"天下猛将也"的分析，我们还有旁证：《马氏文通》卷九再引此例时曾指出："'黥布'……起词也；……'天下猛将也'……读"。（"文库"本第336页）

《史·留侯世家》："所与上从容言天下事甚众，非天下所以存亡，故不著。"——"天下所以存亡"，豆也，而为表词。其起词乃蒙上文"非"字，先乎表词，所以决其不是也。（"文库"本第130页，《读本》第226页，"校注"本第161—162页）

[按]"其起词乃蒙上文'非'字"一句不可理解。第一，句之"起词"略相当于今之主语，它怎么能是"上文"的"非"字呢？"非"字在《马氏文通》中一般被分析为"断词（断辞）"，在这里怎么又成了"起词"或者"主语"呢？第二，"蒙上文"即"蒙上文

而省略"的意思,既然在"非天下所以存亡"句中,"非"字与"天下所以存亡"连在一起,又怎能说是"蒙上文"省略了呢?第三,在"其起词乃蒙上文'非'字,先乎表词,所以决其不是也"一句中,好像"蒙上文'非'字"而省略的"起词"还具有"先乎表词,所以决其不是也"之作用似的,这也是说不通的。

其实这是由于标点错误而引起的。因为"其起词乃蒙上文'非'字"本不是一句,应于"其起词乃蒙上文"后断开,加上句号,自成一句,而将"'非'字"二字属下。《文通》的意思是说:"天下所以存亡"是一个"读"(豆)用作表词("天下所以存亡"豆也,而为表词)。它的起词"乃蒙上文"省而不书(其起词乃蒙上文)。"非天下所以存亡"的"非"字是个"先乎表词"而用以"决其不是"的"断词"("非"字先乎表词,所以决其不是也)。(参见邵霭吉《〈马氏文通〉的一处标点错误》,载《中国语文》2003年第6期)

又《李将军列传》:"上诚以为李广老,数奇。"(《读本》1986年版第233页,"校注"本第167页)

[按]"上诚以为李广老"不通。查《马氏文通》早期版本,此处无"上诚"二字,所以不误。商务印书馆1983年版亦无"上诚"二字,所以也不误。"上诚"二字是章锡琛《马氏文通校注》所加,1986年版《马氏文通读本》承之,2000年版《马氏文通读本》已改为"大将军青亦阴受上诫,以为李广老,数奇"。

《汉书·霍光传》:"卫太子为江充所败。"——"败",外动也,"江充"其起词。"所"字指"卫太子",而为"败"之止词。故"江充所败"实为一读,今蒙"为"字以为断,犹云"卫太子为江充所败之人",

意与"卫太子败于江充"无异。如此,"江充所败"乃"为"之表词耳。
("文库"本第160页,《读本》第275页,"校注"本第204页)

[按]末句"'江充所败'乃'为'之表词耳"引号有误。按照现在的引号理解,"江充所败"就是"为"字的表词了。其实不然,按照马氏所说,"为"字只是"断词",而"表词"是相对于"起词"而言的。《马氏文通》说过:"凡决断口气,概以'是'、'非'、'为'、'即'、'乃'诸字参于起词表词之间,而谓之断词。"在"卫太子为江充所败"句中,马氏说"今蒙'为'字以为断",就是说"为"字是句中断词。本句起词为"卫太子",断词是"为",表词是"江充所败",是一个完整的"起词+断词+表词"的句式。马氏说"'江充所败'乃为之表词耳",是说"江充所败"乃为他("卫太子")的表词,而不是说"江充所败"乃"为"字的表词,因此"为"字上不应该有引号。

《项羽本纪》:"项梁起东阿,西北至定陶。"("文库"本第168页,《读本》1986年版第289页,"校注"本第214页)

[按]"北"是错字,本为"比"字。"西北至定陶"标点有误,应为"西,比至定陶"。吕叔湘、王海棻《马氏文通读本》2000年版已改。

夫特指代字颛臾,主次,冒于句读之先。特提其名,文势一振昔者二字,状字之记时者先王起词以用也,动字,今为坐动为作也,亦动字,乃上承"以"字,所谓散动也。犹云"昔先王用颛臾为东蒙主"。故"为"字前含有"颛臾"二字,以其特提于句读之先,故不言而喻东蒙主字之偏次主,"为"之止词。如"为"字作"是"字解亦可,则"主"字乃表词。犹云"昔先王封之为东蒙主也"。至此言故之读,言所以为"社稷之臣"之故也且连字,进一层,所以连前读。意谓颛臾之为社稷之臣,不第先王封之之故,更以"且在"云云在坐动,其起词空冒于前邦域之中转词,以记处者矣。助字,以决事之已然者。至此又一读,亦言故也。两读意偏,下句意全是决辞,可视为本句之坐动,其起词"颛臾"已先提矣社稷偏次之介字臣表词也。助字,决理也。犹云"当日先王封之之故既如彼,其所居之地又如此,理当视为国家社稷之臣也"。至此句全何询问代字,乃"为"字司词倒置于先者,见询问代字篇以用也,作动字解。此坐动也,其起词指与语者,或暗指季氏亦可。犹云"既为社稷之臣,尔等何为用伐乎"伐散动字,上承"以"字为?"("文库"本第208—209页,"校注"本第264页)

[按]《论语·季氏》此句是一复句,第二分句("且在邦域之中矣")、第三分句("是社稷之臣也")后都不应该用句号。《马氏文通》卷十论"起词"时曾引此句,第二、第三两分句后皆用逗号,且分析第一、第二两分句为"读",第三、第四两分句为"句"("文库"本第300页)。卷十的标点是对的。

既连字状字皆可来坐动之。止词,此假设之读则连字,推言假设后应为之事安坐动,与上"来"字,其起词皆"有国者"之。止词,至此句意已全("文库"本第210页,"校注"本第266页)

[按]《论语·季氏》此句是一复句,前一分句("既来之")后不应该用句号。

吾起词恐坐动,以下至"也"字,皆所"恐"也,故为止词季孙之忧,一顿,下文两读之起词不在坐动颛臾,转词,至此为一小读而反转连字在坐动,起词在前萧墙之内转词,记处"在"字后无介字也。("文库"本第210页)

[按]"记处'在'字后无介字"不好理解。何为"记处'在'字"?其实是差一逗号。"记处"二字说的是前面的"转词"而非后面的"'在'字",正确的标点应是:"转词,记处,'在'字后无介字。"否则"记处'在'字"无法理解。章锡琛《马氏文通校

注》、吕叔湘、王海棻《马氏文通读本》此处不误。

今连字提起天下贤者起词,犹云"天下所有贤者","天下"偏次智能两静字("文库"本第211页,《读本》第356页,"校注"本第267页)

[按]"今"字后注"连字提起",不通。"连字"与"提起"之间差一个逗号,应为"连字,提起",即是说"今"字是连字,在句中起"提起"作用。在《马氏文通》篇章句法分析标注语中,有不少这样的例子,如"今夫颛臾,固而近于费"的"今"字后便注为"连字,提起","今由与求也,相夫子"的"今"字后也注为"连字,提起"。

士起词奚询问代字,"由"字司词先置例也由介字进?坐动,至此一句("文库"本第211页,"校注"本第267页)

[按]马氏在"奚"字后注:"询问代字,'由'字司词先置例也",不甚通。马氏的意思是说"奚"字是"询问代字",是"'由'字司词先置",这是"合于询问代字先于介字之'例'的"。因此,"'由'字司词先置"与"例也"之间应有一个逗号把它们断开。吕叔湘、王海棻《马氏文通读本》此处不误。

凡动字之在句读,有散动为承者,概为坐动。使散动之行与坐动之行,同为起词所发,则惟置散动,后乎坐动而已。夫如是,与助动无异。("文库"本第212页,"校注"本第269页)

[按]此段中多两个逗号,使得两个分句被无端读断。"使散动之行与坐动之行同为起词所发"和"则惟置散动后乎坐动而已"本来是一个假设复句,前分句中"使"即"假使","使散动之行与坐动之行同为起词所发"是一个分句,中间不宜断开,否则影响表达;后分句"则惟置散动后乎坐动而已"是一个"兼

语结构"的分句，更不宜在"兼语"后断开，因此"使散动之行与坐动之行"和"则惟置散动"后面的逗号应当去掉。吕叔湘、王海棻《马氏文通读本》此处不误。

惟"不"字先于静字，如"不仁者""不贤者"等语，则两字合成一语，解见静字篇内，并非借以决事理之当然也。（"文库"本第239页，"校注"本第304页）

[按]"不仁者""不贤者"各有三字，与"两字合成一语"矛盾，根源是引号用错。马氏说"两字合成一语"，指的是"不仁""不贤"，而非"不仁者""不贤者"，因此"不仁者""不贤者"的"者"字应在引号之外，即"不仁"者"不贤"者。"吕叔湘、王海棻《马氏文通读本》此处不误。

疑难状字，有与询问代字同字而不同用者，如"何""焉""胡""乌""曷""安"诸字。至如"岂""讵""庸"等字，惟用为状字耳。其或两代字用为状字，则不同义。（"文库"本第241页，《读本》1986年版第406页，"校注"本第308页）

[按]"其或两代字用为状字，则不同义"一句不好理解。吕叔湘、王海棻《马氏文通读本》1986年版注释说："句意不明。似是两个同义代字用作状字则不同义之义，但无例证。"其实，"其或两代字用为状字"中的"其""或"是两个被引用的字，"其或两代字"是说"其""或"这"两个代字"，与前面所引用的"何""焉""胡""乌""曷""安""岂""讵""庸"是9个被引用的字一样。所不同的是："焉""胡""乌""曷""安"原来是"询问代字"，"岂""讵""庸"只是状字，"其""或"原来分别是指名代字和指示代字。这段话是马氏论述"状字"时说的，不过他又联

系上了这些状字的来源,以致弄巧成拙,被后人误解。在没有新式标点符号的时候,只好让人去猜,在有了新式标点符号的今天,我们应该给"其""或"分别加上引号。吕叔湘、王海棻《马氏文通读本》2000年版已改。(参见邵霭吉《〈马氏文通〉的一处标点问题》,载《中国语文》1998年第6期)

凡"何"字合静字者,所以状之也,故为状字。《论语·子路》云:"何晏也?"《左传·哀公二十五年》云:"何肥也?"《汉书·东方朔传》云:"受赐不待诏,何无礼也? 拔剑割肉,壹何壮也? 割之不多,又何廉也? 归遗细君,又何仁也?"——诸"何"字犹云"何其",叹异之辞也。"无礼"二合用,与静字无异。《史记·陆贾传》云:"何念之深也?"——"何"虽不紧靠"深"字,然实贴"深"字。("文库"本第242页,"校注"本第308页)

[按]"何"字合静字,作"为何这么"讲时,句子为感叹句,句末应是感叹号。"何晏也?"应为"何晏也!""何肥也?"应为"何肥也!""受赐不待诏,何无礼也? 拔剑割肉,壹何壮也? 割之不多,又何廉也? 归遗细君,又何仁也?"应为"受赐不待诏,何无礼也! 拔剑割肉,壹何壮也! 割之不多,又何廉也! 归遗细君,又何仁也!""何念之深也?"应为"何念之深也!"吕叔湘、王海棻《马氏文通读本》已将后5个问号改为感叹号,前两个未改。

"於"字司词未见用指名之字者,用"所"字者亦罕见也。("文库"本第260页,"校注"本第332页)

[按]"'於'字司词未见用指名之字者"一句不通。"於"字的司词一般都是指名之字,根据《马氏文通》的分析方法,司词

都是指名之字。

其实,《马氏文通》这一句及以下相关内容,是讨论"之"和"所"两字与介字"於"字的关系的,下文说:"'所'司(于)'於'字,实所罕见,而司'之'字则未一见也。"因此,"指名之字"乃是"指名'之'字"之误。"之"字上应有一个"引号"。吕叔湘、王海棻《马氏文通读本》已将"之"字加上了引号。

《左·昭十一》:"王贪而无信,唯蔡於憨。"——"所於"憨者"蔡"也,故"於蔡"乃"憨"之转词,今先焉。"蔡"乃"於"字司词,今亦先焉。此皆反乎常例,而词气较劲。("文库"本第261页,"校注"本第333页)

[按]分析语中"所於"二字非引用语,不应有引号。吕叔湘、王海棻《马氏文通读本》已将"所於"二字上的引号去掉。

又,此句还可将"所於"二字上的引号改标在"於憨"二字上,成为:"所'於憨'者'蔡'也,故'於蔡'乃'憨'之转词,今先焉。"因为"於憨"可看作是被引用的字。

《庄子·人间世》云:"使予也而有用,且得有此大也邪!"——"予"指名代字,今单用"而"字承之者,"予"字应重顿,犹云"使予之为予而见用于世"也云。("文库"本第291页,《读本》第484—485页,"校注"本第372页)

[按]"今单用'而'字承之者"不可理解。用"而"字承接,没有"单用""合用"之别。倒是前面的指名代字"予"有"单用"和"与他字合用"的问题。在《马氏文通》中,此例正是列于"代字单用为上下截者"观点之下,可知,"今单用"说的是前面的代字"予"字,而非后面的"而"字。正确的断句应是:"'予'指

名代字,今单用。'而'字承之者,'予'字应重顿,犹云'使予之为予而见用于世'也云。"查《马氏文通》早期版本,"今单用"之后正是有一个标点。(参见邵霭吉《〈马氏文通〉标点拾误》,载《中国语文》2005 年第 6 期)

夫然,而"此之谓""或之谓""或谓之"诸语之"之"字,亦指前文,正此例也。("文库"本第 328 页,《读本》第 544 页,"校注"本第 419 页)

　　按,其中引号有误。按该标点,"此之谓""或之谓""或谓之"三者皆为"语",但《马氏文通》书中并没有把"或之谓""或谓之"两个称为"语"加以分析过,全书 7326 个例句中,竟没有一个"或之谓"或"或谓之"三字连用的例。笔者觉得,在古汉语中"或谓之"三字连用是有的,但"或之谓"三字连用则可能根本就没有。因此,认为《马氏文通》之"'此之谓''或之谓''或谓之'"应该是"'此之谓'或'之谓'或'谓之'"之误,"或"字在引号之外。《马氏文通》书中曾不止一次讨论过"'此之谓''之谓''谓之'",如:卷三论"同次"时说"谓"字"先后两语,所次必同",说"'生之谓性'……犹云'生谓之性'也"。说"'此之谓大丈夫'……云'此谓之大丈夫'也"。("文库"本第 106 页)卷四论"外动字"时说"'谓'乃外动字也,故'谓之'者犹云'称之'也。""皆作'之谓'者,因止词转为起词,故'之'字亦先乎'谓'字也。"("文库"本第 155 页)(参见邵霭吉《〈马氏文通〉标点拾误》,载《中国语文》2005 年第 6 期)

《孟·公下》:"夫士也亦无王命而私受之于子,则可乎?"——"士"公名,而助以"也"字一顿,以指注意之所在。名字篇已言之矣。("文库"本第 339 页,"校注"本第 432 页)

[按]"而助以'也'字一顿"易生误解，好像"'也'字"可以称做"一顿"，其实不然，"也"字是助字，不是"一顿"，"一顿"说的是"夫士也"，因此应在"而助以'也'字"与"一顿"之间断开，加上逗号。吕叔湘、王海棻《马氏文通读本》此处不误。

《汉书·田叔传》云："相曰：'王自使人偿之。不尔，是王为恶而相为善也。'"——"不尔"者，"不如此"也。两字为读，"尔"字助之，以为决辞。（"文库"本第350页，《读本》第580页，"校注"本第446页）

[按]对《汉书·田叔传》这句的分析语有问题。"两字为读，'尔'字助之"说不通，因为"两字"是指"不尔"两字，"尔"为"两字"之一，何来"'尔'字助之"之说？所以吕叔湘、王海棻《马氏文通读本》注释说："既云「不尔」'两字为读'，又云'「尔」字助之'，费解。"笔者觉得，如果把"两字为读"断归上句，即："'不尔'者，'不如此'也，两字为读。'尔'字助之，以为决辞。"这样也许好理解一点。也就是说，马氏先解释"不尔"为两字之读，再解释"尔"的作用是"助"字，是"决辞"。这里的"决辞"，是传统语言学中所说的"决辞"，相对于"疑辞"而言。这是柳宗元的观点，马氏继承之。

《穀·宣十五》："古者公田为居井灶，葱韭尽取焉"。（"文库"本第351页，《读本》1986年版第582页，"校注"本第448页）

[按]标点有误。"井灶"应属下句。"古者公田为居井灶，葱韭尽取焉"应为"古者公田为居，井灶葱韭尽取焉"。吕叔湘、王海棻《马氏文通读本》2000年版已改。

差比之句，其"焉"字本代字也，而既以殿句，亦可视同助字，用若"然"字。以状句者亦然。（"文库"本第355页，"校注"本第453页）

[按]"用若'然'字"后面的句号错误。

"用若'然'字以状句者亦然"本为一句,现在,中间有了句号,"用若'然'字"被断归前句,则后句"以状句者亦然"孤单单的不好理解。

把"用若'然'字"断归前句,前句也不好理解。难道"差比之句,其'焉'字……殿句",就用若"然"字吗?绝对不是。

考马氏原意,是说"焉"字还有这样两种用法,一是可以用在差比之句中"殿句",例如《孟子·尽上》:"反身而诚,乐莫大焉。"《马氏文通》分析说:"'焉'字所助者,差比之句也。'焉'字解如'于是',代字也。今如云'乐莫大于是',则语气不完,仍应加以'焉'字云'乐莫大于是焉',方可煞住。是'焉'字既为代字,又为助字,一字而两用明矣。"("文库"本第355页)

二是可以"用若'然'字以状句",例如《孟子·尽心下》:"孟子曰:'舜之饭糗茹草也,若将终身焉。'"《马氏文通》分析说:"'焉'代'然'字,犹云'若将终身然',与《尽心上》'宜若登天然'之句法同"。("文库"本第356页)

前者本代字,后者本状字,但现在都"视同助字"。因此,"用若'然'字"前面如有句号倒也可以,"用若'然'字"之后则不能用句号。

吕叔湘、王海棻《马氏文通读本》把"用若'然'字"之后的句号改为逗号。

"焉"助动字后,有承以连字者。《庄·天地》:"夫大壑之为物也,注焉而不满,酌焉而不竭。"……诸引"焉"字,所助者惟动字耳。不知诸动字有此一助,自成上截,承以"而"字"则"字,则下截或为

继事,或为言效之句。是"焉"字所助之上截,读也,非仅为动字而已。("文库"本第360页,"校注"本第459页)

[按]首句"'焉'助动字后,有承以连字者"之"'焉'助动字后"不好理解。实为标点有误。"后"字后面的逗号应移至"后"字之前,即"'焉'助动字,后有承以连字者"。吕叔湘、王海棻《马氏文通读本》此处不误。

"哉"音启齿,其声悠长,经籍用以破疑,而设问者盖寡,用以拟议、量度者居多,而用以往复咏叹者则最称也。("文库"本第367页,"校注"本第469页)

[按]按照这样的标点,似乎是说"哉"可以"用以破疑"("经籍用以破疑"),而很少用于"设问"("而设问者盖寡"),这是误解马氏原意了。考马氏原意,"经籍用以破疑"与"而设问者"本为一语,都"盖寡"。马氏本意不错,却被后人错误地断开,从而产生误解,因此应当把"破疑"二字后的逗号去掉。吕叔湘、王海棻《马氏文通读本》此处不误。

所引"哉"字各句,与配之字,则有"其"、"何"、"尚"、"亦"、"焉"、"能"、"曷"、"其"等语在先,以及"乎哉"、"与哉"合助诸字以殿后,而咏叹之神,自寓其中。("文库"本第369页,"校注"本第471页)

[按]"其"、"何"、"尚"、"亦"、"焉"、"能"、"曷"、"其"8字上引号有误。

《马氏文通》是在论说"哉"字时说这些话的。《马氏文通》说:"至("哉"字)不叠句而深得咏叹之神者,则惟视其相配之字而已。"("文库"本第369页)然后举了下面4例:

《论·为政》:"大车无輗,小车无軏,其何以行之哉!"

《礼·大学》："寔能容之,以能保我子孙黎民,尚亦有利哉!"

《孟·梁下》："臧氏之子,焉能使予不遇哉!"

《后汉·李云传》："若夫托物见情,因文载旨,使言之者无罪,闻之者足以自戒。贵在于意达言从,理归乎正,曷其绞讦摩上以衒沽成名哉!"

《马氏文通》认为,例1中与"哉"相配的是"其何",例2中与"哉"相配的是"尚亦",例3中与"哉"相配的是"焉能",例4中与"哉"相配的是"曷其",由于上四例中有"其何""尚亦""焉能""曷其"4语相配,所以能"深得咏叹之神"。因此,正确的标点应该是:

所引"哉"字各句,与配之字,则有"其何""尚亦""焉能""曷其"等语在先,以及"乎哉""与哉"合助诸字以殿后,而咏叹之神,自寓其中。

商务印书馆1983年版《马氏文通》和章锡琛《马氏文通校注》把"其何""尚亦""焉能""曷其"4语被标点成"其""何""尚""亦""焉""能""曷""其"8字,与马氏之意不合。

《论语·子路》云:"子曰:'庶矣哉!'"——"矣哉"者,双合助字也。"矣",助字之传信者,"哉",传疑者。"庶",静字,"矣"助"焉",常例也。殿以"哉"字者,叹辞也。("文库"本第379页,《读本》第627页,"校注"本第484页)

[按]其中"'矣'助'焉',常例也"一句不可理解。例句中本无"焉"字,"矣"助哪个"焉"呢?讲解"庶矣哉"一句,怎么会出现句中没有的"焉"字呢?"矣"和"焉"都是助字,怎么会

"'矣'助'焉'"呢？而且怎么还会是"常例"呢？

查对《马氏文通》早期版本，但早期版本都不用引号，可知，引号系章锡琛《马氏文通校注》所加。但其他引号都加对了，独"焉"字上的引号加错了。"焉"字不是被引用的字，不应加引号，若去掉引号，成为"'庶'，静字，'矣'助焉，常例也"，就没有问题了。"矣"助"焉"就是"'矣'助之"，"矣"助静字"庶"的意思。（参见邵霭吉《〈马氏文通〉标点拾误》，载《中国语文》2005年第6期）

首卷界说有言曰："凡有起词、语词而辞意已全者曰句，未全者曰读。"（"文库"本第385页，《读本》第636页，"校注"本第491页）

［按］"凡有起词、语词而辞意已全者曰句，未全者曰读"不是首卷界说里的原话，不当用引号把它们引起来。

首卷界说原文是：

起词、语词两者备而辞意已全者，曰句。

界说二十三：凡有起、语两词而辞意未全者曰读。

《左传·宣公二年》云："畴昔之羊子为政，今日之事我为政。"——犹云"子为之政我为之政"也。（"文库"本第391页，"校注"本第499页）

［按］"子为之政我为之政"非为一语，而是两语，不当用一个引号把它们合在一起，"子为之政"是就前分句"畴昔之羊子为政"而言，"我为之政"是就后分句"今日之事我为政"而言，它们是两语，应当用两个引号，即"子为之政"、"我为之政"。吕叔湘、王海棻《马氏文通读本》此处不误。

《庄子·马蹄》云："马，蹄可以践霜雪，毛可以御风寒，龁草饮水,翘足而陆,此马之真性也。"——"马"字冠首,而后犹云"马之蹄马之毛"也。"齝草"句,"马"为主次,故与所引《礼书》同例。("文库"本第392页,"校注"本第500页)

[按]"马之蹄""马之毛"非为一语,不当用一个引号把它们合在一起,"马之蹄""马之毛"是两语,应当用两个引号,即"马之蹄"、"马之毛"。吕叔湘、王海棻《马氏文通读本》此处不误。

《闵公二年》云:"夫帅师,专行谋,誓军旅,君与国政之所图也,非太子之事也。"——此句起词三顿,表词一读,中无断词为间。末句"太子之事"一顿,表词间以"非"字,决其不然。("文库"本第395页,《读本》第652页,"校注"本第504页)

[按]其中"表词间以'非'字"一句不好理解。根据《马氏文通》的观点,"非"字是一个"断词"。它说:"凡决断口气,概以'是''非''为''即''乃'诸字参于起词表词之间,而谓之断词"("文库"本第325页)。作为"断词"的"非"应该间于"起词表词之间",怎能说在表词本身里面"间以'非'字"("表词间以'非'字")呢?

即使联系前后文,"末句'太子之事'一顿,表词间以'非'字,决其不然"一句也不好理解。"末句'太子之事'一顿",怎么就是"表词间以'非'字"呢?"太子之事"中根本就没有"非"字,"间以'非'字"从何说起呢?

其实,问题在于,"表词间以'非'字"一句中间有一个标点被校勘者弄丢了,这个标点(可以用逗号,也可用分号)在"表词"与"间以'非'字"之间,这样,原句就是:"末句'太子之事'

一顿，表词；间以'非'字，决其不然。"也就是说，"'太子之事'一顿，表词"，和"间以'非'字，决其不然"是两个小句共同陈述主语"末句"的。《马氏文通》的意思是：在"末句"（即例句的后一分句）当中，起词（主语）承前省略了，表词由"太子之事"一顿充当，在起词和表词之间"间"有断词"非"字，"间"这个"非"字的作用是"决其不然"。（参见邵霭吉《〈马氏文通〉标点校勘一则》，载《古汉语研究》2004年第1期）

《易·系辞》云："是故夫象，圣人有以见天下之赜，而拟诸其形容，象其物宜，是故谓之象。"——此节首"是故夫象"一顿，有若起词，然以为下文所指也。象一之七系，即此志也。（"文库"本第405页，"校注"本第515页）

[按]其中"有若起词，然以为下文所指也"一句中间断句不对。"然"字应断归前句，即"有若起词然，以为下文所指也"。

"有若起词然"是一个比喻。《马氏文通》说："有时或用名字，或用静字，甚或用读，以状一相似之情者，则先以'若'、'如'等字，而复殿以'然'字者为常，且必置于所状之后，此变例也，已见平比节内。"（"文库"本第232页）

"有若起词然"在《马氏文通》中出现不止一次。例如：

> 句读内有同指一名以为主次、为宾次或为偏次者，往往冠其名于句读之上，一若起词者然，避重名也。（"文库"本第390页）

《论语·季氏》云："夫颛臾，昔者先王以为东蒙主，且在邦域之中矣，是社稷之臣也，何以伐为！"——"夫颛臾"

三字冒起，一若起词者然。("文库"本第390页)

《史记·叔孙通列传》云："仪，先平明，谒者治礼。"云云。——"仪"总冒一顿。所引各顿，弁诸句首，若起词然，故附识焉。("文库"本第405页)

如果把"然"字断归后句，则后句为"转折之句"，显然不合《文通》原意。吕叔湘、王海棻《马氏文通读本》此处不误。

《左传·桓公二年》云："夫德，俭而有度，登降有数，文物以纪之，声明以发之，以临照百官。"——"夫德"两字，置句首一顿，下文之字指焉。("文库"本第407页，"校注"本第518页)

[按]"下文之字"，就是"下文当中的字"，不合马氏原意。其实，马氏是说"下文中的'之'这个字"，因此。"之"字应加引号。吕叔湘、王海棻《马氏文通读本》此处不误。

《汉书·两粤传》云："朕以王侯吏不释之故，不得不立，今即位。"——两引"为"字，两引"以"字，以其先乎句也。辞气未完，故所弁者为读。("文库"本第413页，"校注"本第525页)

[按]"以其先乎句也"后面不能用句号。"以其先乎句也"的"以"字表原因，相当于今之"因为"，马氏分析语整个儿是用"以……故……"关联的因果复句，"两引'为'字，两引'以'字，以其先乎句也，辞气未完"是前一个分句，"故所弁者为读"是后一分句，完全没有毛病。现在，把前一个分句中间加上句号，使句号前的话（两引"为"字，两引"以"字，以其先乎句也）无法理解。因此应把"以其先乎句也"后面的句号改为逗号。吕叔湘、王海棻《马氏文通读本》此处不误。

读之殿以"也"字者，最所习见，而"矣""耳""焉"诸传信助字，

"与""乎""哉""耶"诸传疑助字,皆可假以煞读者,已散见于九卷助字矣。兹为各举一二以示隅。("文库"本第413页,"校注"本第525—526页)

[按]把"与"字跟"矣""耳""焉""乎""哉""耶"一样用引号引起来,不对。马氏在此观点下未列"与"字"煞读"之例句,卷九论助字亦未讲"与"字可以"煞读",因此"与"为非引用之字,应当把"与"字的引号去掉。吕叔湘、王海棻《马氏文通读本》此处不误。

以上所引"矣""焉""耳""与""乎""哉""邪"诸助字所煞之读,皆位先乎句,是非诸助字所殿者之必为读也,乃其所位者之先乎句,而辞气又惟读之是称也,此不可不辨也。("文库"本第413—414页,"校注"本第526页)

[按]马氏未列"与"字"煞读"之例句,而且卷九论助字亦未讲"与"字可以"煞读",因此"与"字为非引用之字,应当把"与"字的引号去掉。吕叔湘、王海棻《马氏文通读本》此处不误。

夫外慕徙业者,读起词皆不造其堂,不唷其蔵者读,表词也。句,两读集成("文库"本第428页,"校注"本第544页)

[按]"夫外慕徙业者"后面注为"读起词"也是不对的,容易使人误解为"读之起词",因此应该在"读"字后加一个逗号,注为"读,起词",即是说"夫外慕徙业者"是"读",在句中作"起词"。吕叔湘、王海棻《马氏文通读本》此处不误。

为旭有道。句提起("文库"本第429页)

[按]"为旭有道"后面注"句提起",其中差一个逗号,应为

"句,提起"。查商务印书馆1912年版《马氏文通》,此处不误。章锡琛《马氏文通校注》、吕叔湘、王海棻《马氏文通读本》此处亦不误。

安期生食巨枣。句大如瓜。读("文库"本第438页,"校注"本第557页)

[按]"安期生食巨枣,大如瓜"是一句,非二句,因此,应当把"安期生食巨枣"后面的句号改为逗号。

于是禹以为总读,坐动河所从来者静读高,读,言故水湍悍,状读虽以行平地,读,亦言故数为败;总读,止词乃厮二渠,句以引其河。("文库"本第439页,《读本》第719页,"校注"本第557页)

[按]"于是禹以为"后面所注"总读,坐动",以及"河所从来者高,水湍悍,虽以行平地,数为败"后面所注"总读,止词"都是不对的。前者使人觉得"于是禹以为"既是"总读",又是"坐动",后者使人觉得"河所从来者高,水湍悍,虽以行平地,数为败"既是"总读",又是"止词",这种误解的产生是由于标注语中各多出了一个逗号造成的。如果把逗号去掉,成为"总读坐动"、"总读止词",人们就会像理解"读之坐动"、"读之止词"那样,把它们理解为"总读之坐动"、"总读之止词",就没有问题了。

于楚顿,指地西方,顿,指向则通渠汉水云梦之野,句东方则通鸿沟江淮之间;同上于吴,则通渠三江五湖;于齐,则通菑济之间;又二句,同上于蜀,顿蜀守冰凿离……("文库"本第439页,"校注"本第558页)

[按]"于楚"后面应该有逗号,"西方"后面则不应该有逗号,这样才与下文一致、好读。下文与"于楚"相对的"于吴"、

"于齐"、"于蜀"后面皆有逗号,而与"西方"相对的"东方"后面则没有逗号。查《马氏文通》商务印书馆1912年版,"于楚"和"西方"后面皆有旧式读号,又显得多余一个。

自博望侯开外国道以尊贵,读,言故其后从吏卒顿,起词皆争上书。句言外国奇怪利害,读,为止词求使。顿,即以"求使"也。至此句止("文库"本第439页,《读本》第719页,"校注"本第558页)

[按]"言外国奇怪利害"后注"读,为止词"不妥,易使人误以为"言外国奇怪利害"是"读",且"为止词"。其实,根据《马氏文通》的分析方法,"言外国奇怪利害"是"句",是"读为止词"之句。因此,应当去掉"读,为止词"中间的逗号。另外,"求使"后面注为"顿,即以'求使'也","以"字在引号外,也不妥,马氏的意思是说"求使"即"以求使"也,"以"字应放在引号之内。

《马氏文通刊误》推敲

《马氏文通刊误》，杨树达著。作者于1919年开始写作，并于1921年、1922年、1923年在《学艺》上发表了其大部分，1929年最后完成，并写《自序》，1931年商务印书馆出版。1962年中华书局又出版新的第一版，1983年5月中华书局再次印刷。

80多年过去了，汉语语法的研究已发展到了一个崭新的时代。但用现在的眼光来看《马氏文通刊误》，其大多数观点还是正确的。这使我们不能不佩服作者的学识。当然，也有一些问题，后来学术界有了新看法，也有一些问题，作者有一些小的失误，为了今人更方便地阅读是书，特写此文，提出一些不同的看法。不敢说是"刊误之刊误"，仅为推敲再推敲而已。

《文通》云：今以诸有解者为实字，无解者为虚字。……其别，则实字有五，虚字有四。

《刊误》云：马氏……以无解者为虚字，则彼所分析，实未尽然。盖若介字之"以"字当"拿"字"因"字解，"为"字当"助"字"代"字解，"自"、"由"、"从"、"与"诸字及"之"字皆各有解。又连字中"与"、"及"、"且"、"然"等字亦有解。计马氏虚字四种中，绝对无解者，仅助字及叹字耳。则马氏此二语固未核也。（第1页）

[今按]《文通》认为虚字无解,《刊误》认为介字连字有解,只有助字和叹字"绝对无解"。其实,助字和叹字也是有解的。无论虚词还是实词,它们都是有解的。从语言理论的角度来说,词是最小的能够独立运用的语言单位,词都是有词义的。如果没有一个固定的"义",它就不是一个词。许慎《说文解字》就收录了许多虚字,并作了解释,到目前为止的所有字典、词典都一一收录虚词并加以解释。《马氏文通》也说过:"字各有义"。又说:"字有一字一义者,亦有一字数义者。"(商务印书馆2000年"商务印书馆文库"本《马氏文通》第23页,以下简称"文库"本)马氏也知道区分词类时必须考虑到词义,马氏说:"欲知其类,当先知上下之文义何如耳。"("文库"本第24页)

　　又,《刊误》驳《文通》说:"连字中'与'、'及'、'且'、'然'等字亦有解",而《马氏文通》连字中却没有"与"和"及"。《刊误》后来也说:"马氏只认'与'字为介字,即不复认为连字。"(《马氏文通刊误》第2页)

《文通》云:《孟·离上》:"三代之得天下也以仁,其失天下也以不仁。"——"三代",起词,"得天下也",语词,合之为一读,而为"以仁"之起词;"以",动字,"仁",止词,合之为语词,共为一句。

《刊误》云:"以"字是介字,"仁"字乃"以"字之司词。此以足词作表词之用耳。不得谓"以"为动字,"仁"为止词也。盖此语在常法当云"三代以仁得天下"。然孟子之语气欲侧重"以仁",故与常法之组织先后不同,而词性则无异也。(第5页)

　　[今按]《文通》认为,"以"是动字,"仁"是止词,《刊误》认为"以"是介字,"仁"是司词。两相比较,还是马氏的分析较为

妥当。

马氏把"三代之得天下也"和"其失天下也"分析为起词，把"以仁"、"以不仁"分析为语词（表词）比较合适，因为孟子的话是在探讨"三代得天下"和"失天下"的原因，是表词之句（判断句），不是动作之句。

杨氏认为"以"是介字，"仁"是司词，把"三代之得天下也以仁"视为"三代以仁得天下也"，其实，"三代之得天下也以仁"与"三代以仁得天下也"在语用上是不等值的。"三代之得天下也以仁"是判断句，是探讨"三代得天下"的原因，"三代以仁得天下也"是陈述句，是陈述"三代得天下"的事实。

杨伯峻《白话四书》把"三代之得天下也以仁，其失天下也以不仁"翻译为："夏、商、周三代获得天下是由于行仁政，他们的丧失天下是由于不仁。"也是认为这两句是判断句。

《马氏文通刊误》也知道这两句是表词之句（判断句），他说："此以足词作表词之用耳。"但如果像他那样解释成"三代以仁得天下也"，就不是表词之句了。

因此，还是马氏的分析较为妥当。

《文通》云：间有介字与其司词系乎内动字而为加词者，则先后无常。

《刊误》云："加词"当改作"足词"。（第7页）

[**今按**]"足词"是《刊误》自定义术语，《文通》中无此术语，不当要求《文通》把"加词"改为"足词"。下文杨氏又说"诸生以时习礼其家"的"以时"加词当改为"足词"，又说"孔子布衣，传十馀世"的"十馀世"加词当改为"足词"，皆非必要。

《文通》云:《史·赵世家》:"夫论至德者不和于俗,成大功者不谋于众。"——"论至德者"与"成大功者"两读也。各为起词,视同名字。《论·子罕》:"吾未见好德如好色者也。"——"好德如好色者也",一读也,而为"见"之止词,用如名字。

《刊误》云:"论至德"、"成大功"、"好德如好色"皆以散动词用同静字以形容"者"字。"论至德者"、"成大功者"、"好德如好色者"皆名词顿,非读也。(第12页)

[今按]《文通》认为,"者"为接读代字,并且说:"'者'为起词,字必后置。"("文库"本第31页)因此马氏把"××者"分析为"读"。而"读"是"有起词语词而辞气未全者",这就意味着"××者"是主谓倒置的"主谓结构"。

杨氏认为"论至德者"、"成大功者"、"好德如好色者"是"名词顿",是"论至德"、"成大功"、"好德如好色"以散动词用同静字以形容"者"字,这就意味着"论至德者"、"成大功者"、"好德如好色者"是以"者"字为中心语的"偏正结构"。

这两种分析似乎都不是很好的。在今人看来,"论至德者"、"成大功者"、"好德如好色者"是以结构助词"者"为标志的"'者'字结构"词组,它们既不是"主谓结构",也不是"偏正结构"。

《文通》云:《史·滑稽列传》:"臣见其所持者狭而所欲者奢,故笑之。"——"之"指道旁为此之人。"其"、"所"两字亦各有所指。

《刊误》云:"'所'字为被动助动字甚明,何必以为代字而云各有所指乎?(第13页)

[今按]《文通》认为,上例中两"所"字为接读代字;《刊误》

认为上例中两"所"字为"被动助动字"，都不很妥当。今人把"所"字分析为结构助词，较好。

"其所持者"就是"其所持之物"，"所欲者"就是"其所期望之事"，"所"字分别与动字"持"、"欲"组成名字性质的"所"字短语，再与"者"字组成"者"字短语。《刊误》把"所"分析为"被动助动字"，把"所持者"释为"被持之物"，把"所欲者"释为"被期望之事"，实际上就是把"持"和"欲"分析为受动字，不妥，尤其是心理动词"欲"，不宜分析为受动字。

《文通》云：《礼·大学》："道盛德至善，民之不能忘也。"——即"民之所不能忘也"。

《刊误》云："之不能忘"即"不能忘之"。"之"字乃否定句宾次代字之先置者，犹《孟子》"北方之学者未能或之先也"第二"之"字之例耳。(第13页)

[今按]杨氏解释不妥。马氏所释近是。"……民之不能忘也"为判断句，意为：此乃民之所不能忘之事也。

杨氏认为"民之不能忘也"之"之"，犹《孟子》"北方之学者未能或之先也"中第二个"之"字（"未能或之先"的"之"）。我们倒觉得，这个"之"字更像这句中的第一"之"字（"北方之学者"的"之"），亦即《马氏文通》认为是介字，而今人认为是结构助词的"之"。

《文通》云：《左·成二》："余，而所嫁妇人之父也。"——"而"在主次。

《刊误》云：此"而"字似在主次，其实不然。文实当云："为而所嫁妇人之父"（为，介字，去读。）口语当云："被你嫁去的妇人的父亲"。古人于介字往往省去,此介字"为"字被省去,"而"字遂竟似主语矣。苟细加剖析,实不尔也。此种理论,世人固不知之,而似亦不肯轻信也。(第14页)

[今按]对于动字"嫁"而言,"而"是主次,"妇人"是宾次。马氏认为"而"在主次,不误。

杨氏认为"而所嫁妇人之父"即"为而所嫁妇人之父"。但"为而所嫁妇人之父"是"而所嫁妇人之父"的同义结构,不是同一结构,不能以对同义结构的分析代替对原结构的分析。

"为而所嫁"这样的被动结构格式,与一般的"介词短语+动词"的偏正短语不同,在"为而所嫁"中,"而"仍是"嫁"的施事,是"主次"。《马氏文通》在分析"卫太子为江充所败"时说,"'江充所败'实为一读。"("文库"本第160页)对于动字"败"而言,"江充"是施事,是"主次"。

如果是一般的"介词短语+动词"的偏正短语,如"为您服务",因为"您"不是"服务"的施事,自然也就不是"主次"了。

"为而所嫁"这样的被动式作定语的时候,"为"字可以省略,而一般的"介词短语+动词"的偏正短语作定语,介词"为"不可省略,这是它们不同的地方。如果把"而所嫁"视同为"为而所嫁",再视同为一般的"介词短语+动词"的偏正短语,进而认为"而"非主次,肯定是不妥的。

"之"在偏次,有指示之意,与"此"、"是"诸字同义,则为指示代字。《庄·逍遥游》:"之二虫,又何如?"——"此二虫"也。又《庄·知北游》:"知以之言也问乎狂屈。"——"知以此言"也。又《庄·逍遥游》:"之人也,之德也,将磅礴万物以为一世蕲乎乱。"——"之人"、"之德",犹云"此人"、"此德"。

《刊误》云:此类用法之"之"字及"此"、"是"诸字,当定为指示静字,不当以为偏次代字。(第16页)

[今按]马氏认为,"之"字是指示之意的代字,杨氏认为"之"、"此"、"是"是指示静字。今天看来,还是马氏的观点对,现在一般都认为"之"、"此"、"是"是指示代词,不是形容词。

《文通》云:《庄·列御寇》:"故其就义若渴者,其去义若热。"——"其就义"、"其去义"两读,"其"字主之。

《刊误》云:"其去义"乃一句,又不止是一读也。(第19页)

[今按]马氏说"其去义"为读,不误。"其去义"是起词,"若热"是其表词。"其去义"加上"若热"可视为一句。

杨氏说"其去义"为一句,欠妥。"其去义"三字不为"句"。

马氏释"故其就义若渴者,其去义若热"为:"犹云'故有勇于为义急若渴而不可待之人,即他日弃义速若热之不可向迩'也。"("文库"本第136页)

杨氏释"故其就义若渴者,其去义若热"为:"那就义若渴之人,他去义若热。"(《马氏文通刊误》第19页)

从两人的解释来看,"其去义"三字都不为一句。

《文通》云:"其"字用为指示者:《史·项羽本纪》:"今欲举大事,将非其人不可。"——犹云"非有如此之人"也。《左·昭五》:"苟有其备,何故不可。"——即云"苟有如是之备"也。《史·文帝本纪》:"其岁,新垣平事觉。"——"其岁"者,是岁也。《后汉·礼仪志》:"其日,乘舆先到辟雍礼殿。"——"其日"者,是日也。

《刊误》云:"将非其人不可",犹云"非那个人不可",或云"非那种人那样的人不可"。意有所指者,则为那人;广漠无所指者,则为"那种人""那样的人"。如《太史公自序》云:"藏之名山,传之其人",则泛泛无所指,犹英文云 the very man 也。"其岁"谓"那年","其日"谓"那一天",总之是指示静字,当别列。(第21—22页)

[今按]马氏认为,"其"字是指示代字,杨氏认为"其"字是指示静字,在今天看来,还是马氏的观点对,"其"是指示代词。

《文通》云:"其"字用诸宾次,罕见。《齐策》:"孟尝君使人给其食用,无使乏。"——"给其食用",犹云"给之食用"也。

《刊误》云:"其"在偏次。马氏谓"其"在宾次,误。(第23页)

[今按]"给其食用"可以分析为"给之食用",即双宾语结构。马氏说"其"在宾次,不误。

杨氏说"其"在偏次,是另一种解释。学术界有一种观点是:"其"字等于"名词+之"。

我们觉得,"给其食用"属"给与义"双宾语结构。

《文通》云:"是"字用于偏次者,凡书皆有。《孟·梁上》:"是心足以王矣。"又《孟·公下》:"予岂若是小丈夫然哉。"《汉·高帝纪》:"是日,车驾西都长安。"——"是"附于名,皆有指示之意。

《刊误》云:此类"是"字当归入静字,前文已详言之。(第23页)

[今按]"是"是指示代字,马氏观点正确。杨氏将"是"字归入静字,不妥。今人把"是"字分析为指示代词,而不分析为"形容词"。

《文通》云:《孟·尽下》:"然则非自杀之也,一间耳。"又《孟·滕上》:"自织之与?"又《公上》:"是自求祸也。"又《汉·黄霸传》:"侍中乐陵侯高,帷幄近臣,朕之所自亲,君何越职而举之。"——以上"自"字四用,皆先乎动字而在主次。韩《孔公墓志铭》:"为州者皆惮之。不自奉事,常称疾,命从事自代。"——"自"字两用,其一在主次,其二"代"之止词,居宾次而位先焉。

《刊误》云:马氏所举《孟子》《黄霸传》四例,及韩文"不自奉事"一例,皆以代字作状字用。既是状字,则无所谓次也。如以为起词,则诸文固皆别有起词在上文矣。(第27页)

[今按]马氏认为五"自"字在主次,一"自"字在宾次,不误。"自杀之"、"自织之"、"自求祸"、"自亲"、"自奉事"中之"自"字对其中动字、宾次而言,在主次无疑。上述主次是"读"之主次,非"句"之主次,当然也不是"句"之起词。从杨氏"如以为起词,则诸文固皆别有起词在上文矣"一句来看,杨氏是误以为此处所说主次即为"句"之起词了。(参见孙玄常《马氏文通札记》)

《文通》云:《孟·公下》:"使己为政不用,则亦已矣。"《左·昭三十一》:"己所能见夫人者,有如河。"——两"己"字皆在主次。

《刊误》云:"使己为政"之"己"字,固可视为"为"之起词;然在全句言之,实"使"字之止词也。马氏舍其重而举其轻,不合。(第28页)

[今按]马氏并没有"舍其重而举其轻"。马氏认为,"使"为假设连字,"己为政不用"为先于后句之读,"则"为连字,"亦已矣"为读后之句。这是一个"使+读;则+句"的读先乎句,在今天看来,就是一个"使……,则……"格式的"假设复句"。今天我们叫作"假设分句"者,马氏称为"假设之读"。"己为政不用"正是一个"假设之读","己"为读之起词,亦为主次,顺理

成章。

《马氏文通》卷八说:"'若'、'苟'、'使'……诸字,皆事之未然而假设之辞,亦为推拓连字,惟以连读而已。"("文库"本第318页)下面举了《信陵君列传》"使秦破大梁而夷先王之宗庙,公子当何面目见天下乎"等四个以"使"字为假设连字的例句,接着又举了以"乡使"、"向使"、"诚使"等为假设连字的一些例句,可知《马氏文通》认为"使己为政不用"中"使"字是"假使连字"。

杨氏说马氏"舍其重而举其轻",意思是说"使己为政"之"己"字,既为"为"之起词,又为"使"字之止词,这实际上是说"己"字为兼语。杨氏认为,"己"为止词是"重","己"为起词(主次)是"轻"。马氏说"己"为主次而不说"己"为止词,是"舍其重而举其轻",不知马氏并不认为"己"为止词。因此批评马氏"舍其重而举其轻",是没有道理的。

《文通》云:《汉·高帝纪》:"三者皆人杰,吾能用之,此吾所以取天下者也。——"所"指"此"字,而隶于"以"字。

《刊误》云:"此吾所以取天下也。"此被动式文也。何以知之?以可以换为主动文故。试换为主动文,则为"吾以此取天下也"。又试取两文比较之:

甲:吾以此取天下也

乙:此吾所以取天下也

乙句主语之"此",在甲句里为介字"以"之宾语。两句相较,乙句仅仅多一"所"字,则"所"为表被动之词明矣。(第31页)

[今按]《文通》认为,在"此吾所以取天下者也"句中,"所"

是接读代字而隶于"以"字,实际上就是说,"所"为"以"字之司词而前置,"所以"就是"以所","此吾所以取天下者也"即为"此吾以所取天下者也",亦即"此吾以(之)取天下者也"。解说虽与今人不同,但还是比较接近。

《刊误》先暗换论题,把"此吾所以取天下者也"句中的"者"字去掉,削弱这个句子的判断句语气,再把"此吾所以取天下也"变换为"吾以此取天下也",把一个判断句变成陈述句,再根据所变换出的句子中"此"为介字之宾语,说原句是"被动式文",与今人的理解相去甚远。

首先,"此吾所以取天下者也"与"吾以此取天下也"是不等值的,前者是判断句,后者是陈述句,前者是判断"吾所以取天下"的原因,后者叙述"吾以此取天下"的事实。

其次,"吾以此取天下也"是"主动文"不错,但"此吾所以取天下者也"不是"被动式文",与"吾以此取天下也"相对的"被动式文"是:"天下为我以此而取"。

第三,由于"此吾所以取天下者也"不是"被动式文",所以"所"也不是"表被动之词"。

今人认为,在"此吾所以取天下者也"句中,"所"是结构助词,与"以取天下"组合,"以取天下"是动词性短语,介词"以"的宾语承前而省略,"以取天下"实际上就是"以(之)取天下","此吾所以取天下者也"即"此吾所以(之)取天下者也",这是个判断句,而不是被动句。这样的看法,与《马氏文通》之说有某些地方接近。

《文通》云:韩《蓝田丞厅壁记》:"丞之职,所以贰令。"——"丞之职","所"之前词也,"所"乃"以"之司词而先焉。

《刊误》云:"丞之职所以贰令。"此亦被动文也。何以知之？以可换译为主动文"以丞之职贰令"故。试取两句比较之:

甲:以丞之职贰令

乙:丞之职所以贰令

"丞之职"在甲句为介字"以"之宾语,而在乙句则为主语。两相相较,乙句又仅仅多一"所"字,则"所"为表被动之词又明矣。(甲句无主语,可补"人"字为主语。以其述一般事故也。)(第31—32页)

[今按]本例与前例基本相同。《文通》认为,在"丞之职,所以贰令"句中,"所"是接读代字而为"以"字之司词且前置,"所以"就是"以所","丞之职,所以贰令"即为"丞之职,以所贰令",亦即"丞之职,以(之)贰令"。此解说与今人之解说较接近。

《刊误》先把"丞之职,所以贰令"变换为"以丞之职贰令",把一个判断句变成陈述句,再根据所变换出的句子中"丞之职"为介字之宾语,说原句是"被动文",与今人的理解相去甚远。

今人认为,"所"是结构助词,与"以贰令"组合,"以贰令"是动词性短语,介词"以"的宾语承前而省略,"以贰令"实际上就是"以(之)贰令","丞之职,所以贰令"即"丞之职,所以(之)贰令"。这与《马氏文通》之说有某些地方接近。

《文通》云:《汉·霍光传》:"卫太子为江充所败。"——"败",外动也,"江充"其起词,"所"字指卫太子,而为"败"之止词。故"江充所败"实为一读,今蒙"为"字以为断,犹云"卫太子为江充所败之人",意与"卫太子败于江充"无异。如此,"江充所败"乃为之表词耳。

《刊误》云:马氏乃云:"卫太子为江充所败。""败",外动也;"江充"其起词;"所"字指卫太子,而为"败"之止词。故"江充所败"实为一读,今蒙"为"字以为断,犹云"卫太子为江充所败之人",意与"卫太子败于江充"无异。如此,"江充所败"乃"为"之表词。(第33页)

今按:《刊误》此段末句"'江充所败'乃'为'之表词耳"引号有误。《马氏文通》原著并无引号,引号等标点符号都是后人加上去的。

按照《马氏文通刊误》这样的标点,末句就是说"'江充所败'乃'为'之表词耳",但"江充所败"怎么会是"为"字的表词呢?按照马氏所说,"为"字只是"断词",而"表词"是相对于"起词"而言的。《马氏文通》说过:"凡决断口气,概以'是'、'非'、'为'、'即'、'乃'诸字参于起词表词之间,而谓之断词。"因此,"江充所败"绝不会是"为"字的表词。

马氏说"'江充所败'实为一读,今蒙'为'字以为断",就是说"为"字是句中断词。本句起词为"卫太子",断词是"为",表词是"江充所败",是一个完整的"起词+断词+表词"的句式。马氏说"'江充所败'乃为之表词耳",是说"江充所败"乃为他("卫太子")的表词,而不是说"江充所败"乃"为"字的表词,因此"为"字上不应该有引号。

另外,章锡琛(1954)《马氏文通校注》、商务印书馆1983

年本《马氏文通》、吕叔湘、王海棻(1986)《马氏文通读本》也在这个"为"字上标有引号,错误完全相同。

《文通》云:《毛颖传》:"颖为人强记而便敏,自结绳之代以及秦事,无不纂录,阴阳、卜筮、占相、医方、族氏、山经、地志、字书、图画、九流、百家、天人之书,及至浮屠老子外国之说,皆所详悉。——"所"统指以上诸学。

《刊误》云:"阴阳卜筮占相医方族氏山经地志字书图画九流百家天人之书乃至浮屠老子外国之说,皆所详悉。"此亦被动文也。何以知之?以可换译为主动文"毛颖详悉阴阳卜筮占相医方族氏山经地志字书图画九流百家天人之书乃至浮屠老子外国之说"故。(主语"毛颖"据文意增)(第34—35页)

[今按]"阴阳卜筮占相医方族氏山经地志字书图画九流百家天人之书乃至浮屠老子外国之说,皆所详悉",这句是判断句,用《马氏文通》的话来说,就是"表词之句","所详悉"为表词。

《文通》认为,"'所'合动字,直可视同名字也。"("文库"本第64页)《马氏文通刊误》也说:"盖'所'下加动词,与名词同,此马氏之说也。"(第35页)"所详悉"正是"所"下加动词,同于名字而为表词。

《刊误》把判断句"阴阳卜筮占相医方族氏山经地志字书图画九流百家天人之书乃至浮屠老子外国之说,皆所详悉",换译为陈述句"毛颖详悉阴阳卜筮占相医方族氏山经地志字书图画九流百家天人之书乃至浮屠老子外国之说"后,与原句意义有不同。

《文通》云:《汉·食货志》:"爵者上之所擅,出于口而亡穷。粟者民之所种,生于地而不乏。"——两"所"字一指"爵",一指"粟",而"爵"、"粟"皆先"所"字,"所"字又为"擅"、"种"之止词,位宾而先焉。

《刊误》云:"爵者上之所擅。"此"所擅"乃谓"被擅的物事"。(第35页)

[今按]"所擅"不宜解释为"被擅的物事","所擅"就是"所擅为之事"。"所"字是结构助词。"所"不表被动,"擅"字亦不是受动字。

《文通》云:《孟·公上》:"以力假仁者霸,霸必有大国。以德行仁者王,王不待大。"——两"者"读皆各为其句之起词也。

《刊误》云:余则谓"以力假仁"、"以德行仁"乃二散动字带足词修饰"者"字者,而"以力假仁者"、"以德行仁者"不过二名词性之顿 Noun Phrase 而已。以中国语言文字之固有组织衡量之,余此说似不可易。天下后世有明眼人,必能辨之。(第36页)

[今按]今天看来,"以力假仁者"、"以德行仁者"是"者"字短语,以结构助词"者"为标志。《文通》认为"者"是接读代字,与"以力假仁"、"以德行仁"组成"读"。《刊误》认为是"散动字带足词修饰'者'字"的偏正短语。在今天看来,这些意见都不很妥当。

《文通》云:《史·平准书》:"诸买武功爵官首者,试补吏先除。"——"诸",代字也,"者"以指之,读加于后,以言其何若也。

《刊误》云:"诸"为表不定之多数之静字,非代字。(第38页)

[今按]"诸"字是代字,用于名词性词语之前,今曰"代

词"。马氏称之为"代字",不误。杨氏称之为"静字",未被后人继承。

《文通》云:《史·信陵君列传》:"于是公子立自责,似若无所容者。"——此一读,记公子之容也。

《刊误》云:"似若无所容者"是一句,非加语。(第39页)

[今按]《文通》认为,"似若无所容者"是"比读"。《马氏文通》指出:"比读皆后置,不若他读概置于前。"("文库"本第30页)例如《孟·梁上》:"民望之,若大旱之望云霓也。"《马氏文通》分析说:"'若'至'也',为读,'望云霓',以状'民望'之式。"又《滕下》:"士之失位也,犹诸侯之失国家也。"《马氏文通》分析说:"'犹'至'也',为读,此以'诸侯之失国'比'士之失位',皆谓'比读',乃'状读'中之一也。比读皆后置,不若他读概置于前。"

《文通》中的"读"有时候是指"分句",如"读先乎句"、"读后乎句"中的"读",指的便是偏正复句的偏句。《文通》把"似若无所容者"分析为"一读",是说前面的"公子立自责"为"句",这是一种前正后偏的"读后乎句"句式。

《刊误》说"似若无所容者"是一句,实际上也是说"似若无所容者"为一个分句,两书的语法分析体系不同,说法不同,其实质还是一样的。

《文通》云:《孟·离下》引《诗》:"谁能执热,逝不以濯?"——"谁"在主次,诘何人也。《史·萧相国世家》:"谁可代君者?"《汉·赵充国传》:"使御史大夫丙吉问:谁可将者?"《齐策》:"后孟尝君出记问门下诸客:'谁习计会能为文收责于薛者乎?'"——三"谁"字皆在主次,所诘者皆人也。《论·微子》:"子为谁?"《孟·离下》:"追我者谁也?"《史·淮阴侯列传》:"若所追者谁?"韩《与孟东野书》:"吾言之而听者谁与?"《史·日者列传》:"今夫子所贤者何也?所高者谁也?"——五"谁"字皆为表词,所诘者亦皆人也。

《刊误》云:马氏以主次与表词对立,根本不合。以为表词之词亦在主次故也。马氏此处之主次,盖指起词为言。观其引《孟子》引《诗》之文,以"谁"字为主次,可证也。然《萧相国世家》《赵充国传》《齐策》三例,"谁"字实皆表词。盖"谁可代君者"犹云"可代君者为谁"也。"谁可将者"犹云"可将者为谁"也。"谁习计会能为文收责者"犹云"习计会能为文收责者为谁"也。表词"谁"字先置者,以其为疑问代字故耳。马氏第见诸例"谁"字在句首,故但认《论语》以下诸例"谁"字为表词,而此诸例则以与《诗》文为类,误矣。此马氏眩于外形不肯精察内容之过也。(第41页)

[今按]杨氏之批评不确。所谓马氏"以主次与表词对立"、"马氏此处之主次,盖指起词为言",其实马氏并没有把"主次"与"表词"对立,他连"起词"二字也未讲。

按照马氏的意思,以上各句中的"谁"字,都是表词,都是主次。马氏根本没有讲哪个"谁"字不是表词,不是主次。马氏没有把"主次与表词对立"的意思。马氏常说某字"用如表词而居主次",表词所居之次即为"主次"。

《马氏文通》论疑问代字"谁"字时说:"'谁'字惟以询人,主次、宾次、偏次皆用焉。"("文库"本第71页)然后分"在主次"、"在宾次"、"在偏次"三个层次展开论述,论"'谁'字在主次"即上述9例,接着论"'谁'字在宾次"举6例,论"'谁'字在偏次"

举2例。层次分明,叙述清楚,似无可批评。

杨氏说:"马氏此处之主次,盖指起词为言。"其实是无中生有。比如"谁可代君者"一句,马氏此处称"谁"是主次,可以并没有说"谁"是起词,马氏心中"可代君者"才是句之起词。前此,马氏在论"接读代字"时早讲过:"'谁可代君者?'犹云'可代君之人是谁',问词,故倒文也,详后。'可代君者'句之起词也。"("文库"本第66页)

马氏认为,句之起词为主次,句之表词亦为主次,读之起词、表词亦为主次。杨氏对此多有误解,以为马氏言主次即为句之起词,《马氏文通刊误》中多处不确批评由此而来。

《文通》云:《史·曹相国世家》:"陛下自察,圣武孰与高帝?"——"孰与"二字,有谓有"何如"之意,犹云"何如高帝"也,实则其意当云"陛下自察,与高帝相较,孰为圣武"也。则"孰"字当作表词。

《刊误》云:如马氏所说,"孰"字乃起词,何云表词乎?(第42页)

[今按]马氏所说不误,"孰"字是疑问代字作表词,先置。

杨氏也知道"疑问代字作表词,先置"的道理。他在前面批评马氏时曾说:"盖'谁可代君者'犹云'可代君者为谁'也。'谁可将者'犹云'可将者为谁'也。'谁习计会能为文收责者'犹云'习计会能为文收责者为谁'也。表词'谁'字先置者,以其为疑问代字故耳。"(《马氏文通刊误》第39页)既然"谁"字作表词皆先置,那么"孰"字作表词为什么不能先置呢?

马氏说"孰为圣武",即认为"孰"为表词,"圣武"为起词,

"孰"为表词先置,是马氏的一种分析方法。

总之,马氏没有讲"孰"为"起词"。

《文通》云:《史·淮阴侯列传》:"今大王诚能反其道,任天下武勇,何所不诛?以天下城邑封功臣,何所不服"?——犹云"诚如此,所不诛者尚何人也?所不伏者尚何人也?""何"字一字成句,而为表词,与上同一句法。

《刊误》云:"何"为起词甚明,何乃云表词乎?(第43页)

[今按]此句同于前面所说的"谁可代君者"一句,疑问代字"何"为表词先置,杨氏既知道这一点,为什么还要说"'何'为起词甚明,何乃云表词乎"呢?杨氏不是也知道"'谁可将者'犹云'可将者为谁'也,'谁习计会能为文收责者'犹云'习计会能为文收责者为谁'也,表词'谁'字先置"(《刊误》第39页)吗?则马氏释"何所不诛?……何所不服"为"所不诛者尚何人也?所不服者尚何人也?""何"字为表词先置,有什么不可呢?为什么会有"'何'为起词甚明,何乃云表词乎"的疑问呢?

《文通》云:逐指代字惟"每"、"各"二字,其用不同。"每"字概置于名先,"各"字概置于其后,间或无名而单用。

《刊误》云:若马氏所谓概置于名字之先者,如所举"每事问"、"每人而悦之"诸例,则已为指示静字,非复代字矣。(第49页)

[今按]"每事问"、"每人而悦之"诸例中的"每",用于名字"事"、"人"之前,是指示代字,非静字。(参见孙玄常《马氏文通札记》)

《文通》云:《论·公冶》:"盍各言尔志?"——"各言"者,"每人言"也。"各"字单用而在主次。《史·五帝本纪》:"至长老皆各往往称黄帝尧舜之处。"——"各"字用如上。《汉·霍光传》:"各自有时。"——同上。《史·游侠列传》:"不可者各厌其意。"——"各"在宾次,而位先动字。

《刊误》云:"各"字虽有代字之性质,其用法实皆状字用法也。(第49页)

[今按]"各"字,马氏解释为"每人",相当于一个名词性短语。认为其为代字,是有一定道理的。

《文通》云:"夫"字或合本名,或合公名,或前乎一读皆可。

《刊误》云:此种用法,便是静字用法矣。(第49页)

[今按]"夫"字用于本名之前限制本名,或用于公名之前限制公名,或前乎一读,都是指示代字用法,而非静字用法。

《文通》云:"等"字用于平列诸名之后,以概夫同类而未列者,"诸"字则先于同类诸名,且可先乎一读者,凡皆用为统括之辞耳。

《刊误》云:"等"字本是名字,《日本文法》认为接尾语,说亦可通。"诸"为表不定之多数之静字,何故亦认为代字耶?(第55页)

[今按]"等"字用法特殊,定为代字未为不可。"诸"字用于同类诸名之先,是指示代字无疑。

《文通》云:《诗·小雅·常棣》:"凡今之人,莫如兄弟。"《孟告上》:"故凡同类者,举相似也。"《史·陆贾传》:"陆生乃粗述存亡之征,凡著十二篇。"——"凡"字三,句法各异,而如《说文》所云"为最括之词"者一也。又《高帝本纪》:"凡吾所从来,为父老除害,非有所侵暴,毋恐!"——此"凡"字亦总括之意,先置。《汉·万石君传》:"于是景帝曰:'石君及四子皆二千石,人臣尊宠,乃举集其门。'凡号奋为万石君。"——此"凡"字乃合计之也。犹云"五各二千石,合计为万石"也。韩《上于相公书》:"自幕府至邓之北境,凡五百余里,自庚子至甲辰,凡五日。"——两"凡"字亦合计之意。……"凡"者,皆也,举也,谓祸福皆在于言也。

《刊误》云:《诗》之"凡"字修饰名字顿"今之人",《孟子》"凡"字修饰名字顿"同类者",皆静字也。《高纪》:"凡吾所从来"犹云"凡吾所以来之故","凡"字亦修饰名字顿,亦静字也。《万石君传》"凡"字修饰动字"号"字,韩《上书》两"凡"字修饰静字"五百"与"五"……马氏皆以为代字,失之。(第56页)

[今按]"凡"字修饰名字或名字性质的顿,还是定为代字("指示代字")较为合适。

《文通》云:互指代字,即"自"与"相""交"诸字,先于动字,即以表施者受者之为一也。

《刊误》云:互指代字,即"自""与""相""交"诸字,先于动字,即以表施者受者之为一也。(第56页)

[今按]"与"字上不应有"引号","与"字不是互指代字。章锡琛《马氏文通校注》、商务印书馆1983年本《马氏文通》也在这个"与"字上标有引号,错误完全相同。

《文通》云:《汉·东方朔传》:"昔伯姬燔而诸侯惮,奈何乎,陛下!"——"陛下",公名也。《史·平原君列传》:"公,相与歃此血于堂下!"——"公",公名也。《庄·逍遥游》:"归休乎,君!"——"君"亦公名。

《刊误》云:"陛下"、"公"、"君"皆代字用法,不当以为公名。(第57页)

[今按]"陛下"、"公"、"君"非代字,乃名字,公名也。

《文通》云:《汉·王尊传》:"一尊之身,三期之间,乍贤乍佞,岂不甚哉!"——"三期之间",亦言其时之久也。

《刊误》云:"三期之间",但述"乍贤乍佞"变迁经过之时间而已。以原文意思推论,宁可谓为时间暂而变迁速。马氏云"言其时之久",乃适得其反矣。(第62页)

[今按]"言其时之久"可理解为"言其时之多久(多少)",不一定就是"言其时很久"。如说"某人之身高",并不一定是说某人就很高。杨氏理解不妥。

《文通》云:《汉·王尊传》:"一尊之身,三期之间,乍贤乍佞,岂不甚哉!"——"三期之间",亦言其时之久也。《庄·庚桑楚》:"千世之后,其必有人与人相食者也。"——"千世之后",指将来之时也。韩《新修滕王阁记》:"令修于庭户数日之间,而人自得于湖山千里之外。"——"数日之间"同上。《左·成九》:"莒恃其陋而不修城郭,浃辰之间,而楚克其三都,无备也夫!"——"浃辰之间",亦同上。

《刊误》云:"千世之后"固指将来之时,韩文与《左传》皆叙述已然之事实,何乃云"同上"耶?(第62页)

[今按]"'数日之间'同上","'浃辰之间'亦同上",自然是同于上面的"三期之间",怎么会同于"千世之后"呢?不过,"三期之间"、"千世之后"、"数日之间"、"浃辰之间",从语法意义来讲,都是"记时之语"("文库"本第99页),说它们"同"也不为过。

《文通》云:《庄·秋水》:"庄子与惠子游于濠梁之上。"——"濠梁之上",记地,而先以"于"字为介。又《庄·庚桑楚》:"吾语女,大乱之本,必生于尧舜之间。"——"尧舜之间",记时。《汉·汲郑列传》:"黯质责汤于上前。"——"上前",记其处。《史·平原君列传》:"公相与歃此血于堂下。"——"堂下"者,指其所。以上引用"上"、"下"、"间"等字,皆记地记时,更以介字先之者。

《刊误》云:此当以有介字者为正例,省介字者为变例。马氏但据文例之多少为标准,故先变例而后正例,非通文法理论者也。(第63页)

　　[今按]《文通》论"上"、"下"、"间"等字用法,先论无介字者,后论有介字者,没有过错。马氏亦没有讲孰为"正例",孰为"变例",杨氏之批评不妥。杨氏认为正例者未必是正例,杨氏认为变例者未必是变例,批评马氏"先变例而后正例"没有根据。

《文通》云:凡记价值、度量、里数之文,皆无介字为先,故以列于宾次。……《史·陆贾传》:"赐陆生橐中装,直千金。"——"千金"言橐金所值之价也。……《史·魏其列传》:"生平毁程不识不直一钱"。——"一钱"者,言所值也。

《刊误》云:"直"训当,今言"抵当",是外动字。然则"千金"、"一钱"乃止词,本不当有介词。马氏列入无介字为先例中,不合。(第63页)

　　[今按]"千金"、"一钱"言所值,前无介字为介。马氏将它们列入"无介字为先"之例中,不误。试问,如不这样,难道要列入"有介字为先例中"才合吗?

《文通》云:更有名字不为起词,而置先动字,或言所事之缘由,或言所用之官,或状形似者,皆可视同宾次。《史·陆贾传》:"乃病免家居。"——"病"者,因病而免,言"免"之缘由也。"家"者,言所居之处,状其居也。"病""家"二字,名也,而各在"免""居"两动字之先,既非起词,故视同宾次。(第101页)

《刊误》云:《陆贾传》文本当云:"以病免,于家居,"原文省去"以""于"二字耳。(第64页)

[今按]不宜认为"病免家居"是"以病免,于家居"的省略。王力《中国语言学史》指出:"从原则出发,而不是从材料出发,这是杨氏在研究方法上的缺点。例如《马氏文通》分析《汉书·陆贾传》'乃病免家居'一句,以为'病'、'家'二字在动字的前面而又不是主语,应视同宾次。杨氏硬说《陆贾传》本当云:'以病免,于家居。'原文省去'以''于'二字,而以为马说'于理论不合'。……以某种'理论'作为语法的准绳,而不顾语言事实,则这种所谓'理论'是站不住脚的。"

《文通》云:凡静字用为表词者,亦在此例,盖与所表者同也。
《刊误》云:马氏此条下皆举静字作表词之例,绝不举名代做表词之例,非是。(第66页)

[今按]马氏此条下所举大多数是静字作表词之例,但也不是"绝不举名代做表词之例"。吕叔湘、王海棻《马氏文通读本》指出:"此条"下有一例"是名字作表词之例"。这个例句是:

> 韩《盛山十二诗序》:"人谓韦侯美士,考功显曹,盛山僻郡。"——"美士"表"韦侯","显曹"表"考功","僻郡"表"盛山",皆与同次,此则以名字为表词矣。

可见,杨氏未曾细察。

《文通》云:《汉·黄霸传》:"侍中乐陵侯高,帷幄近臣,朕之所自亲,君何越职而举之?"——此句加词有"侍中"官名,"乐陵侯"勋名,"帷幄近臣"职名,"朕之所自亲""所"字加词,在氏族"高"姓之先后。

《刊误》云:马氏以"所"为加词,二误也。(第68页)

[今按]马氏没有"以'所'为加词",杨氏误解。马氏所说"'所'字加词"四字紧接于"朕之所自亲"五字之后,"'所'字加词"四字是解释"朕之所自亲"五字的,是说"朕之所自亲"为"所"字加词,意思是说"朕之所自亲"为"含'所'字之加词",并非"以'所'字为加词"也。犹今日"'所'字短语",并非说"以'所'为短语"也。

《文通》云:凡动字、名字历陈所事,后续代字以为总结者,亦曰加词。《庄·大宗师》:"堕肢体,黜聪明,离形,去知,同于大道,此谓坐忘"。——"堕"、"黜"、"离"、"去"诸动字但言事,"此"代字也,统指以前四项,而为句之起词。《汉·晁错传》:"丈五之沟,渐车之水,山林积石,经川丘阜,草木所在,此步兵之地也。车骑二不当一。"——后言"弓弩"、"长戟"、"矛铤"诸地,句法相同。"此"字总指上文。《汉·刘歆传》:"夫可与乐成,难与虑始,此乃众庶之所为耳。"——"此"字重指上文。《汉·贾谊传》:"礼义廉耻,是谓四维。"——"是"字总指四名。

《刊误》云:此类例本文重而代字轻,以此种代字虽省去,而于文义无害故也。马氏以代字为起词,而以本文为加词,则轻其所重而重其所轻矣。(第70页)

[今按]《马氏文通》"前次"和"同次"的界说是:"凡名代诸

字,所指同而先后并置者,则先者曰前次,后者曰同次。……同次云者,犹言同乎前次者,同乎前次者,即所指者与前次所指为一也。"("文库"本第102页)此处历陈所事的动字、名字为前次,后续代字为同次。

马氏说同次的"后续之代字"为"句之起词",但并没有说前次的"动字、名字"为加词。因此,批评马氏"以本文(即前面的'动字、名字')为加词",并无根据。批评马氏"轻其所重而重其所轻"也不见得妥当。

《马氏文通》卷五论"散动诸式"时,认为《史记·贾谊列传》"夫立君臣,等上下,使父子有礼,六亲有纪,此非天之所为,人之所设也"一句为"散动用如起词者",实际上即认为"夫立君臣,等上下,使父子有礼,六亲有纪"为起词。

把这两例结合起来看,马氏可能是说这里的"前次"和"同次"都是起词。这也许就是后来人把这样的前次和同次看成"同位词组"和"复指短语"整个儿作主语的原因。

《马氏文通》说:"凡主、宾、偏三次皆可为同次,则皆得为前次。"("文库"本第102页)马氏曾举出前次与同次同为主次、同为宾次、同为偏次的不少例句。如《庄子·达生》:"臣,工人,何术之有?"《庄子·骈拇》:"臧与谷二人,相与牧羊而俱亡其羊。"马氏说:以上所引前次与同次"皆主次"。

在前次与同次相连且"皆主次"的情况下,能否说前次与同次"皆起词"呢?马氏虽然没有明说,但我们觉得应该是这样。如果这样,马氏说"后续之代字"为起词,并不否认前面的"动字、名字"同时也为起词,则马氏所说就什么错误也没有了。

《文通》云:《庄·骈拇》:"故此数子,事业不同,名声异号,其于伤性以身为殉,一也。"——"此数子"者,空置句首,不属下文,"其"字在主次重指之。

《刊误》云:"此数子"乃"不同"、"异号"之起词,不得谓为空置句首,不属下文。(第71页)

[今按]"此数子"乃"事业"、"名声"之偏次,可说成:"此数子,其事业不同,其名声异号,其于伤性以身为殉,一也",因而"此数子"非"不同""异号"之起词。

《文通》云:《史·叔孙通传》:"专言诸故群盗壮士进之。"——"诸"、"故"、"群"三静字,其类不同。"诸"者,代字而用如静字者,"故"、"群"者,象静字也。

《刊误》云:"诸"乃马氏所谓滋静字,即数词,非代字也。"群"是羊群之义,本是名字。"群盗"犹言"成群之盗",此以名为静,非象静字也。(第72页)

[今按]马氏讲过"诸"是代字,而不认为它是"滋静字"。杨氏说"群"是"成群……"之意,则此"静"实为"象静",不会是滋静字,即数词。

《文通》云:静字单用如名者,前文必有名以先焉。……无先焉而静字单用者,则所指人、物,必其显然易知者也。

《刊误》云:以静为名,本中国文字所恒有,不必前皆有名先之也。马氏此二条,强生分别,无谓之极。又马氏似以有名先之者为正例,无名先之者为变例,尤非事实。(第72页)

[今按]《文通》把"静字单用如名者"分为"有名以先焉"和

"无名先焉"两类来讲,没有错误。其观察细致入微,应予肯定。不能说是"强生分别,无谓之极"。

马氏有没有"以有名先之者为正例,无名先之者为变例",我们还找不出证据,杨氏也以一"似"字为断,但接着却说这"尤非事实",似不妥。

《文通》云:凡以表决断口气,概以"是"、"非"、"为"、"即"、"乃"诸字,参于起表两词之间,故诸字名断辞。或无断辞,则以助字煞之,或两者兼用焉亦可。

《刊误》云:诸字马氏于此名为断辞,于卷四动字篇中则绝未道及。然则此种断辞究属于何类字乎?抑皆不属而别为一种字乎?马氏于此含混不言,殊为可怪。(第80页)

[按]"断辞"又写作"断词",不是一种字类,而是一种句子成分。说它"参于起表两词之间",就是说它参与组成"起词+断词+表词"句式。既是一种句子成分,为何一定要在"卷四动字篇中"道及呢?"断词"与"表词"有关,当然应在"卷三之表词节"论说了。

《文通》云:有"若"、"如"、"犹"诸字以等两端,而无象静以比者,则所比之情,必隐寓于两端矣。如下端为豆(读),则比事理者,助以"也"字,比人者,助以"者"字,比容者,助以"然"字,此大较也。《庄·逍遥游》:"肌肤若冰雪,淖约若处子。"——"肌肤""冰雪","淖约""处子",各为两端,等以"若"字,犹云"肌肤之白若冰雪,淖约之态若处子"也。不言"白"与"态"者,盖"肌肤"尚"白",而"冰雪"为最;"淖约"言"态",而"处子"独多,故"白"与"态"隐寓于所比之端,不待显言而自明矣。

《刊误》云:"肌肤"与"冰雪",两皆名字,谓中隐静字"白"字,是也。若"淖约"本是静字,与上句不类矣。马氏强谓藏一"态"字,然"态"是名字,非静字也。凡欲强为之说者,不能处处弥缝,有如此矣。(第82页)

[今按]马氏此处讲"无象静以比者",所以不应强求要有"象静字"。"淖约之态若处子"之"态"字,虽为名字,但不影响其为比也。按马氏所说,这只是一种"所比之情"。本段下面马氏还举出了《孟·公下》"天时不如地利,地利不如人和"句,并分析说:"'不如'者,'不等'也,犹云'天时不如地利之为可恃'也。其'可恃'之情,不言自明。"说的也是"无象静以比者",也不要求有"象静字",只是一种"所比之情"。

《文通》云:《史·滑稽列传》:"封之寝邱四百户。"——言"封之于寝邱"也。

《刊误》云:此谓"封之以寝邱四百户",省去"以"字,较省去"于"字说为妥。(第87页)

[今按]马氏和杨氏都把"封之寝邱四百户"分析为"动字+止词+转词",我们倒是觉得,似乎分析为"动字+止词+止词",即双宾语,更合适些。既不是省"于"字,也不是省"以"字。

《文通》云:动字之有"于"字以介转词者,间易转词为止词,删"于"字而位于动字之后,又以"以"字介止词,置诸动字之先,不先者,惟司词长者为然。《孟·万上》:"天子不能以天下与人。"——犹云"天子不能与天下于人"也,"人"为转词,今易为止词,位后"与"字。"天下"本为转词(止词),今为"以"字司词,置诸"与"字之先。

《刊误》云：文言"与人"，不言"与于人"，故马氏遂谓易转词为止词。然以文义言之，"与"之止词仍当是"天下"，"人"字上本当是介字"于"字，今被省去耳。如此解释，"人"字仍是转词，虽有止词之形式而实非止词也。盖"天下"本止词，而以司词之形式居动字"与"之上；"人"本转词，而以止词之形式直居动字之下，要于文为变例。如马氏所说，既与文义不合，文法又动摇不定矣。（第88页）

[今按]在对"以天下与人"的分析中，马氏和杨氏都认为"与"是动字，不同的是马氏认为"天下"是转词，"人"是止词，而杨氏认为"天下"是止词，"人"是转词，两相比较，还是马氏所说妥当些，因为"天下"在介字后，"人"在动字后。而杨氏所说"'人'字仍是转词，虽有止词之形式而实非止词也。盖'天下'本止词，而以司词之形式居动字'与'之上"，则叫人难以苟同。因为止词前不应有介字，"天下"既然在介字"以"字后，就应当是"转词"。

《文通》云：《公羊传·定八》："临南騺马而由乎孟氏。"——"由乎孟氏"者，道经孟氏家也。所经之处介以"乎"字者，非常例也。记所至之处，后乎内动，无介字者常也，然有介以"于"字者。

《刊误》云：内动字下之转词，应以有介字者为正例，省介字者为变例。《公羊传》之例，正例也。然古书中省去者多，不省者少。马氏见此，遂以无介者为常，有介者为变，则其不通理论之失也。（第92页）

[今按]马氏说"所经之处介以'乎'字者，非常例也"，不错，因为"所经之处介以'乎'字者"，确实不多见。说"记所至

之处,后乎内动,无介字者常也",也不错,因为确实是"无介字者"常见而"有介字者"少见。这个事实,杨氏也明白,这就是他所说的"古书中省去者多,不省者少"。杨氏既然明白"古书中省去者多,不省者少",则"多"者为"常例","少"者为"非常例",马氏所说就无误可刊。杨氏批评马氏"不通理论",而杨氏提出的"内动字下之转词,应以有介字者为正例,省介字者为变例",是根本无法证明的理论。无法证明的理论,不能说是正确的理论。

《文通》云:"在"字必有起词,而后系者为止词、为转词无常。……"在"字言人物所处之境,同动也。其止词则名字、动字皆可。然有介以"于"字者,有不介者,意无少异也。……《孟·离上》:"天下之本在国,国之本在家,家之本在身。"——三引"在"字后皆以名字为止词。又《孟·告上》:"所敬在此,所长在彼。"——两"在"字后以代字为止词。

《刊误》云:无论有介无介,"在"字下之词,皆转词也。马氏不明省去介词之故,故以有介者为转词,无介者为止词,致解释分歧不定,非也。(第93页)

[今按]马氏认为"在"字后系者有"转词"、"止词"之分;杨氏认为"无论有介无介,'在'字下之词,皆转词也",两相比较,还是马氏所说容易接受一些,马氏之说既考虑意义,又考虑形式标志,易于掌握。杨氏之说只顾意义,不顾形式标志,难于掌握。

马氏认为"在"字后系者为"止词"的例子,除了上面所引的两例外,还有:

(1) 今吾每饭,意未尝不在钜鹿也。(《史记·冯唐列传》)

(2) 楚国之举,恒在少者。(《左传·文元》)

(3) 参之肉将在晋军。(《左传·宣十二》)

(4) 群臣敢在下风。(《左传·僖十五》)

(5) 其故在下之人负其能不肯诒其上,上之人负其位不肯顾其下。(韩愈《上于襄阳书》)

(6) 其要在详择而固交之。(韩愈《送孟秀才序》)

这些画曲线的成分,在今天看来,也是分析为"宾语"较为妥当。若按照杨氏所说,分析为"转词",我们今天就要把这些画曲线的成分分析为"补语"了。那肯定是不妥当的。

《文通》云:《史·酷吏列传》:"一岁至千余章。"又《史·淮阴侯列传》:"不至十日,而两将之头可致于戏下。"

《刊误》云:两例"至"字皆介字,既非动字,亦非连字也。马氏说误。(第94页)

[今按]两例中"至"字具有动字特点,是动字,而非介字。今人认为"至"、"到"等字有时是介词,有时是动词,具体的区分要根据所在的上下文而定。如"不到十天",其"到"字就以分析为动词较好。

马氏把这两个"至"字列于"无属动字"之下,无误。

《文通》云:"夫颛臾","夫",特指代字。

《刊误》云:"夫"与"彼"字义同,是指示静字,非代字。(第95页)

[今按]"夫"既与"彼"字义同,则是指示代字,非静字。

《文通》云：盖闻王者莫高于周文。("王者"，偏次，犹云"王者之中"；"莫"，代字，起词，犹云"王者之中无人"）

《刊误》云：此文"王者"，上当作省去"于"字论。"王者"乃在宾次，非偏次也。（第96页）

[今按]《文通》的"约指代字"理论认为，"王者"为分母，居偏次，犹云"王者之中"；"莫"为分子，居正次，代字，犹云"王者之中无人"。这一理论是自成体系的，不能谓之误。杨氏《词诠》中也是承认有"无指代名词"的，而且"莫"字亦有"无指代名词"之解，例句中亦有"盖闻王者莫高于周文，伯者莫高于齐桓。"杨氏之"无指代名词"同于马氏"约指代字"的第二类，因此，马氏把"王者"分析为偏次，不应该受到批评。

把"王者"分析为"宾次"，今人不能接受。

《文通》云：《孟·梁下》"文王之治岐也，耕者九一，仕者世禄。"——"耕""仕"两散动字，殿以"者"字，即指耕田之人与出仕之人也。其实"耕者"、"仕者"各为一读，而以"者"为起词，其"者"字即接读代字耳。

《刊误》云："耕者"、"仕者"但各为一名词顿，非读。（第98页）

[今按]《马氏文通》的"句""读""顿"理论是自成体系的，承认这种"句""读""顿"理论，就得承认"耕者"、"仕者"确为一读，非顿。

杨氏的意思是说"耕者"、"仕者"为散动字用如静字修饰"者"字，是偏正性质的短语，此说不为今人所接受。

今人认为，"耕者"、"仕者"为"者"字短语。

《刊误》云：马氏但举假名动静三种字为状字之例，而不及假代

字为状字之例。(第 101 页)

[今按]《文通》是讲到过代字用为状字的,如《状字别义》节,马氏说:"疑难状字,有与询问代字同字而不同用者,如'何'、'焉'、'胡'、'乌'、'曷'、'安'诸字。至如'岂'、'讵'、'庸'等字,惟用为状字耳。'其'、'或'两代字用为状字,则不同义。《论·先进》:'夫子何哂由也?'——犹云'夫子为何哂由也'。'为'字不言,单用'何'字合于动字,故为状字。若'何'字为动字之止词,则又为代字矣。"("文库"本第 241 页)这里讲到了"何"、"焉"、"胡"、"乌"、"曷"、"安"、"其"、"或"8 个代字假为状字的问题,此下还有数十个例句,杨氏没有注意。

《文通》云:《汉·贾谊传》云:"若夫庆赏以劝善,刑罚以惩恶,先王执此之政,坚如金石,行此之令,信如四时,据此之公,无私如天地耳,岂顾不用哉!"——"此"指示代字也,后加"之"字,不为义,犹曰"此政"、"此令"云尔。然且加"之"者,所以四之耳。此种句法罕见。

《刊误》云:马氏以"此之政"、"此之令"连读,非也。此当以"据此"、"行此"连读。(第 104 页)

[今按]"执此之政"、"行此之令"的结构应分析为"执|此之政"、"行|此之令",而不能分析为"执此|之政""行此|之令"。马氏分析无误。至于马氏是否以"此之政"、"此之令"连读,我们不得而知。杨氏之批评无据。

《刊误》云:马氏述介字太略。除"之"字外,仅"於""以""与""为""由""用""微""自"八字。再取其论及而未标出者计之,为"非""舍""从""极""当"五字。合计十三字耳。(第 108 页)

[今按]马氏所引介字,不止是 13 字。其论及者还有"是""乎""于""及""繇"5 字,共 18 字。

介字"是"是在论介字"之"时论及的,《文通》说:"凡止词先乎动字者,倒文也。如动字或有弗辞,或为疑辞者,率间'之'字,辞气确切者,间参'是'字。"("文库"本第 251 页)如《左传·僖十五》"君亡不恤而群臣是忧,惠之至也"句中的"是"。据《马氏文通读本》,含介字"是"的例句有 27 句(例 110—136)。

介字"乎"和"于"是在论介字"於"时论及的,《文通》说:"'乎''於'两字同一用法,而有时不能相易者,此则系乎上下文之语气耳。"("文库"本第 261 页)又说:"'于'字亦同'於'字,见于经籍者居多,后人未之习用也。"("文库"本第 261 页)据《马氏文通读本》,含介字"乎"的例句有 15 句(例 242—256),含介字"于"的例句有 5 句(例 257—261)。

介字"及"是在论介字"与"时论及的,《文通》说:"凡历数诸名诸代字与顿、读之用如名者,可参用'及'字。'与''及'两字互文也。"("文库"本第 269 页)据《马氏文通读本》,含介字"及"的例句有 5 句(例 392—396)。

介字"繇"是在论介字"由"时论及的,例句是《汉书·刑法志》:"今人有过,教未施而刑已加焉,或欲改行为善而道亡繇至。"《文通》分析说:"犹云'上无所从闻过失'也,'道无所从至'也。'繇',通'由',并训'从'。"("文库"本第 274 页)

《文通》云:又有"第"、"但"、"独"、"特"、"惟"五字,皆转语辞。五字意虽各别,而前文不论,惟举一事一理轻轻掉转者则皆同。……《汉·司马相如传》:"弟俱如临卬,从昆弟假贷,犹足以为生,何至自苦如此!"……《史·陈涉世家》:"召令徒属曰:'公等遇雨,皆已失期,失期当斩。藉第令毋斩,而戍死者固十六七。'"……《汉·赵充国传》:"诚令兵出,虽不能灭先零,但能令虏绝不为小寇,则出兵可也。"韩《与柳中丞书》:"……但日令走马来求赏给,助寇为声势而已。"……统观五字,皆承上文,不相批驳,只从言下单抽一端轻轻掉转。犹云别无可说,只有一件如此云云。而所引五字,皆冒句首,此所以为连字也。

《刊误》云:马氏所引五字之例,皆状字,非连字。(第116页)

[今按]马氏所引五字,并非都是状字,应区别对待。笔者所引上4例,两"第"字、两"但"字,都是连字。《马氏文通》讲此5字,共有例句15个,杨氏一个也没有引出,笔者补选4例以做例证。

又,杨氏《词诠》中亦认为"第"、"但"可为连字。"第"字例句中亦有"公等遇雨,皆已失期,失期当斩。藉第令毋斩,而戍死者固十六七"一句。可知杨氏此处说"马氏所引5字之例,皆状字,非连字"有误。

《文通》云:然《史·王翦列传》云:"今空秦国甲士而专委于我,我不多请田宅为子孙业以自坚,顾令秦王坐而疑我耶?"《后汉·马援传》云:"卿非刺客,顾说客耳。"《齐策》云:"夫韩魏之兵未弊而我救之,是我代韩受魏之兵,顾反听命于韩也。"《史·萧相国世家》云:"今萧何未尝有汗马之劳,徒持文墨议论,不战,顾反居臣等上。"——诸"顾"字,经生家皆以与"反"同义,且以"顾"、"反"两字连文证之。不知"顾"、"反"两字虽同义,而"反"为状字,诸"顾"字为连字,应以"乃"字解之。

《刊误》云:《王翦传》之"顾"字,明是"反"字之义,乃状字,非连字。马氏欲以"乃"字释"顾"字,意仍漠然不明白,愚意当以今语之"却"字释之。(第116页)

[今按]章锡琛《马氏文通校注》指出:"《助字辨略》卷四引《王翦传》《马援传》两例,云'「顾」与「故」通,犹云「乃」也。'"吕叔湘、王海棻《马氏文通读本》亦引用上述章氏校记。看来,以"乃"字释"顾"字,也是可以的。

《文通》云:读先乎句而有起词为联者。……如《左·隐公三年》云:"宋穆公疾,召大司马孔父而属殇公焉。"……《论语·学而》云:"君子食无求饱,居无求安。"

《刊误》云:《论语》例乃二句平列之句,略无轻重,何得以为读先乎句之例,与《左传》等例并列乎?(第123页)

[今按]马氏举例不误。"君子食无求饱"是一个"读先乎句","君子食"为读,"无求饱"为句,"居"亦为读,"无求安"为句。"君子食无求饱,居无求安"可理解为"君子食则无求饱,居则无求安",是两个"读先乎句"句式,杨氏误以为是一个"读先乎句",故误。

马氏曾分析与"君子食无求饱"结构相似的"吾少也贱"是"读先乎句"句式。《文通》分析说:"'吾'代字,既为'少也'一读之起词,又为'贱'字一句之起词,而'吾'字已蒙乎读,则下句不复提矣"("文库"本第388页)。

马氏曾分析与"居无求安"结构相似的"当时则荣"、"没则已矣"("文库"本第32页)、"引之则俯"、"舍之则仰"("文库"本第390页)、"视思明"、"听思聪"、"出因其资"、"入用其宠"、"饥食其粟"("文库"本第415页)是"读先乎句"句式。如"引之则俯""舍之则仰",《马氏文通》分析说:"'引之''舍之'两'读'","'则俯''则仰'两'句'"("文库"本第390页)。

《文通》云:两商之句。《公羊·隐公三年》云:"宣公谓缪公曰:'以吾爱与夷,则不若爱女,以为社稷宗庙主,则与夷不若女,盍终为君矣?'"——此两商之句也。一见于八卷之终,又见于卷九传疑助字,大致皆先之以读,以为两设者也。

《刊误》云:马氏此节所引两商之句,皆一反一正;独《公羊传》此例不然。似当细分之为是。(第125页)

　　[今按]《公羊传》此例与马氏此节所引两商之句相同,都是"皆先之以读,以为两设者也"。以此例而言,"以吾爱与夷"、"以为社稷宗庙主"是先之的两"读"(先之以读,以为两设者),"则不若爱女"、"则与夷不若女"分别是后于两"读"的"句",马氏之此例句不误。

　　杨氏说"马氏此节所引两商之句,皆一反一正",恐有不妥。果真是"一反一正",则不叫"两商之句"而叫"反正之句"了。《马氏文通》之"反正之句",是与"两商之句"并列的另一大类型,是"两商之句"后面的一个类型。杨氏说"马氏此节所引两商之句,皆一反一正",非。

《马氏文通订误》校注

《马氏文通订误》,徐昂著,见于《徐氏全书》第十一册(1949年南通翰墨林书局出版)。

徐昂,近代著名学者,江苏南通人,生于1877年。初字亦轩,易字益修,号逸休。清光绪末年以第一名秀才入庠,后入江阴南菁书院学习,与丁福葆等同窗。1908年年起,先后在通州师范、南通中学、南通女子师范等校任教,1935年任杭州之江大学教授,1939年兼任无锡国专教授。1941年太平洋战争爆发,徐昂返回故里,曾在解放区苏中四分区的南通县立中学任教。抗日战争胜利后,徐昂退休在家,整理毕生著述,汇编《徐氏全书》,共收入著作37种,102卷,印为13册,约120万字。中华人民共和国成立后,徐昂曾任南通市第一届人民代表大会特邀代表,并受聘为江苏省文史馆馆员。1953年病逝,终年76岁。

《徐氏全书》只印300册,流布不广,所以,徐昂《马氏文通订误》虽出版多年,一直鲜为人知。

《徐氏全书》中的《马氏文通订误》,没有使用我们现在使用的新式标点符号,仅用一种圈号标点全文,书名篇名与例句混在一起,徐氏的话、马氏的话,与所引书句不易分清,而且断句也不很准确,不便于今人阅读。例如:"平准书乃募民能入奴婢得以终身复为郎增秩及入羊为郎。始于此。复上宰相书向上书及所著文后。待命凡十有九日。又云。且今节度观察使及防御营田诸小使等。尚得自举判官。无间于已仕未仕者。""孟子诚齐人也。诚状齐人。田子方吾所学者真土梗耳。真状土梗。"这两句中,"平准书"、"复上宰相书"、"孟"、"田子方"为书名篇名,"又云"、"诚状齐人"、"真状土梗"是马氏的话,其余是所引书句,但"平准书乃募民能入奴婢得以终身复为郎增秩及入羊为郎"句子太长,没有断开,不便阅读。

在历时55年之后,《南大语言学》第一编(2004)重新发表了《马氏文通订误》,但版式上不怎么好,《马氏文通》原文和徐昂的论说原本各自为段,如同杨树达《马氏文通刊误》一般,甚有条理。现在把它们合为一段,以致眉目不清,不便阅读。又有多处脱字、错字,特别是标点有很多错误,例如把术语"象静司词"点成句子"象,静司词。"把《孟》:'子诚齐人也。'"点成:"《孟子》:诚齐人也。"还有因标点错误而误二例句为一例句者,误书名之字为例句之字者,误例句之字为书名之字者,因标点错误而读破双音词者,因标点不当而使原文不能理解者,甚为遗憾。(详见本书《新版〈马氏文通订误〉校记》)

《马氏文通订误》文中多处不引用《马氏文通》原文,而仅注某卷某页某字,由于他所据《马氏文通》原书乃清光绪三十二年商务印书馆五版,今人一般已很难见到该书,所以难知端详,使人迷惑。

为利学人研读是著,特作此《校注》。所为之事有五:一是重新标点。使用现行标点符号,重新点断文句,特别注意增加标号,以利读者阅读和理解。二是校正讹夺。徐昂治学严谨,著作中错误不多,但偶尔也有疏忽。有时为了简洁,又省写一些文字,不免带来某种不便。三是增加注解。比如徐昂说"某卷某页某字"者,因今人查不到该版本《马氏文通》,以致无法理解。今则加注原句,以利研习。四是调整段式。给"自序"分段,给《马氏文通》原文与徐昂论说安排合适的段落形式。五是仿章锡琛《马氏文通校注》,给例句所在书名篇名过于简略者适当补充,以利今人阅读和查对。

由于本人学识有限,校注之不妥之处,祈方家不吝指正。

予壮年读《马氏文通》三遍,其中颇有与鄙见不合者。既讲授诸生,随记于册。顷见杨君树达《马氏文通刊误》一书,同于鄙见者约有数则,如一卷、二卷、三卷、六卷重言之静字,马氏皆误以为状字[1];四卷"似"、"类"二字,有属状字者,马氏误以为同动字[2];又《礼书》"至于高祖",《汉·儒林传》"至于威宣之际","至于"介字,马氏误以为连字[3];六卷"犹"、"如"、"若"等同动字,马氏又误以为状字[4];七卷"以"、"与"二字,有属连字者,马氏误以为介字[5],杨著所见,与予吻合。

【笺注】

[1] 见杨树达《马氏文通刊误》(中华书局1962年版,下同)卷一第2页、卷二第10页、卷三第74页、卷六第101页。

[2] 见杨树达《马氏文通刊误》第93页。

[3] 见杨树达《马氏文通刊误》第94页。

[4] 见杨树达《马氏文通刊误》第99页、第100页、第102页。

[5] 见杨树达《马氏文通刊误》第106页。

惟五卷引《庄子·马蹄》、《庄子·在宥》诸篇、《史记·平原君列传》(五页)、九卷引《史记·万石君传》(六页)，马氏皆误以重言之静字为状字[1]，杨氏均未正。五卷引《孟子》"以"字(五十一页)，七卷引《孟子》、《吴语》、《史记·日者列传》、韩文《蓝田丞壁记》"以"字(二十六页)，皆系于前后两动字之间，又引《论语》、《左传》、《孟子》、《史记》诸书"以"字(三十一页)，用为推及之词，皆与"而"字同义，马氏均误以连字为介字[2]；又引《孟子》、《史记》、韩文"以"字(三十一页)，八卷引《周语》、《庄子·庚桑楚》"以"字(十七页)，皆系于句主之前，性质属连字，马氏亦误以为介字[3]；又七卷引《论语》、《左传》、《齐语》、《史记·贾谊传》、韩文"与"字(三十三页、三十四页)，连贯两名字或两读之间，皆属连字，马氏亦误为介字[4]，杨氏均未订正。又引《秦策》、《史记·李斯列传》、《史记·淮阴侯列传》诸句"与"字(三十四页)，联贯两读之间，又引《大学》、《论语》、《孟子》、《左传》、《庄子》、《吕氏春秋》诸句"与"字(页同上)，用以假设，马氏皆误以连字为介字[5]，杨氏除《吕氏春秋》、《史记·李斯列传》、《史记·淮阴侯列传》两传订正外[6]，亦未见及。

【笺注】

[1] "五卷引《庄子·马蹄》、《在宥》诸篇、《史记·平原君列传》"是指：《马氏文通》该版本卷五第5页《庄子·马蹄》："故至德之世，其行填填，其视颠颠。"《在宥》："至道之精，窈窈冥冥，至道之极，昏昏默默。"《史记·平原列传》："公等录录，所谓因人成事者也。"《马氏文通》认为这是"假

狀字为动字"。"九卷引《万石君传》"是指《马氏文通》该版本卷九第 6 页《汉书·万石君传》:"子孙胜冠者在侧,虽燕居必冠,申申如也,僮仆欣欣如也,唯谨",《马氏文通》认为这是"以狀字为表词"。

[2]《马氏文通》该版本卷五第 51 页所引《孟子·梁上》例句有二:一是"可使制梃以挞秦楚之坚甲利兵矣"。一是"吾力足以举百钧,而不足以举一羽"。《马氏文通》认为这里"以"字是介字。《马氏文通》该版本卷七第 26 页相关例句是:《孟子·万上》:"晋人以垂棘之璧与屈产之乘,假道于虞以伐虢。"《吴语》:"请王励士以奋其朋势,劝之以高位重畜,备刑戮以辱其不励者。"《史记·日者列传》:"夫卜者多言夸严以得人情,虚高人禄命以说人志,擅言祸灾以伤人心,矫言鬼神以尽人财,厚求拜谢以私于己。"韩《蓝田丞壁记》:"例以嫌不可否事。"《马氏文通》认为这里"以"字是介字。《马氏文通》该版本卷七第 31 页相关例句是:《论语·雍也》:"中人以上,可以语上也;中人以下,不可以语上也。"《左传·僖二十八》:"自今日以往,既盟之后,行者无保其力,居者无惧其罪。"《孟子·公上》:"自有生民以来。"《史记·平准书》:"于是商贾中家以上大率破。"《马氏文通》认为这里"以"字是介字,司"上"、"下"、"往"、"来"与方向等字。

[3]《马氏文通》该版本卷七第 31 页相关例句有 8 个,下面列举 3 例:《孟子·公上》:"且以文王之德,百年而后崩,犹未洽于天下。"《史记·张陈列传》:"夫以一赵尚易燕,况以两贤王左提右挚而责杀王之罪,灭燕易矣。"韩《答杨子

书》："夫以平昌之贤,其言一人固足信矣。况又崔与李继至而交说邪？"《马氏文通》认为这是介字"以"字司顿,冠于句首。《马氏文通》该版本卷八第17页所引《周语》、《庄子·庚桑楚》例句是：《周语》："以歜之家而主犹绩,惧干季孙之怨也。"《庄子·庚桑楚》："今以畏垒之细民,而窃窃欲俎豆予于贤人之间,我其杓之人耶！"《马氏文通》认为这是介字"以"含有动字之意。

[4]《马氏文通》该版本卷七第33页相关例句较多,例如：《论语·公冶》："夫子之言性与天道,不可得而闻也。"《论语·子罕》："子罕言利与命与仁。"《左传·庄二十八》："赂外嬖梁五与东关嬖五。"《齐语》："伍之人,祭祀同福,死丧同恤,祸灾共之,人与人相畴,家与家相畴。世同居,少同游。"《马氏文通》认为这些"与"字是介字,"凡以联名代诸字之平列者"或"与乎动字之功用者"。《马氏文通》该版本卷七第34页有《汉书·贾谊传》"太子之善,在于早谕教与选左右"等例句,说是"历数诸名诸代字与顿、读之用如名者"。

[5]《马氏文通》该版本卷七第34页所引《秦策》、《史记·李斯列传》、《史记·李斯列传》例句是：《秦策》："夫取三晋之肠胃,与出兵而惧其不反也,孰利？"《史记·李斯列传》："且夫臣人与见臣于人,制人与见制于人,岂可同日道哉！"《史记·淮阴侯列传》："非愚于虞而智于秦也,用与不用,听与不听也"等例句,说是"历数诸名诸代字与顿、读之用如名者"。《马氏文通》卷七第34页所引《大学》、《论语》、《孟子》、《庄子》、《吕氏春秋》例句是：《礼·大学》："与其有聚敛之臣,宁有盗臣？"

《论语·微子》:"且尔与其从辟人之士也,岂若从辟世之士哉!"《孟子·万章上》:"与我处畎亩之中,由是以乐尧舜之道,……吾岂若于吾身亲见之哉!"《庄子·大宗师》:"与其誉尧而非桀也,不如两忘而化其道。"《吕氏春秋·贵直篇》:"与吾得革车千乘也,不如闻行人烛过之一言。"《马氏文通》认为这里"与"字是介字,"皆以联相比也"。

[6] 见杨树达《马氏文通刊误》第 106 页。杨氏说《史记·李斯列传》"且夫臣人与见臣于人,制人与见制于人,岂可同日道哉",与《史记·淮阴侯列传》"非愚于虞而智于秦也,用与不用,听与不听也"句中的"与"字"系连字,非介字"。又说《吕氏春秋·贵直篇》"与吾得革车千乘也,不如闻行人烛过之一言"句中"与"字"亦当连字,非介字"。

凡杨氏订正处,界说未详,学者辨析维艰。凡重言之状字,多直接静字或动字,其直接名字而无其他之动静参之者,重言即属静字。凡"似"、"类"二字之后,直接名字者为同动字,直接动字者为状字。凡"至于"二字连用,为更端推及之词,与"至如"、"若夫"等词同义,方可谓之连字,否则"至"为内动字,"于"为介字。凡句中"以"字可易为"而"字者,即属连字,不仅联缀两静字,如杨君所指也。[1] 其不能易为"而"字者,即属介字。凡"与"字系于两名字之间者为连字,系于一个名字之前者为介字,予所见如此。又第三卷引《史记·封禅书》"高祖之微时杀大蛇"[2],马氏误以"微时"为正次,不知"杀大蛇"者,起词为"高祖","微时"乃状字耳。第七卷引《孟子》"民望之,若大旱之望云霓也",马氏误以"大旱"为起词,不知

"望云霓"者非"大旱",起词蒙上文"民"字,"大旱"乃状字耳,杨著只正"大旱"[3]而"微时"未及正也。

【笺注】

[1]《马氏文通》卷七论介字"以"字时说:"两静字义可分者,参以'以'字联之。"杨树达《马氏文通刊误》第106页指出:"此种用法之'以',已成连字矣。"

[2]《马氏文通》卷三偏次节有《史记·封禅书》"高祖之微时,尝杀大蛇"例句,说是"正偏两次皆偶者"。徐昂所引与《马氏文通》原文有不同。

[3]杨树达《马氏文通刊误》第104页说:"以'大旱'为起词,荒谬。"

杨氏《自序》谓马氏"不明音韵故训",诚然,惟杨氏所释,亦未阐明声韵之本原。《自序》:"《论语》云:'君而知礼,孰不知礼?'又云:'富而可求也,虽执鞭之士,吾亦为之。'古'而'字与'如'同,假设连字也,马氏不知,遂定为承接连字。《齐策》云:'子孰而与我赴诸侯乎?'古'而''能'通用,故《国策》以'而'为'能'者至夥,马氏不之知,亦以为承接连字"云云。昂按,"而"字解作"如"字,"而""如"二字发声同半齿音,半齿音与祴摄二等韵接合为"而",三等韵接合为"如"。"能"字古音"泥",与"而"字同韵,以"而"为"能",发声由日纽归泥纽。第五卷对待两字连用者,关于双声或叠韵之字颇多,而马氏未列入声韵之中。双声叠韵所举之字,如"甄陶"、"周旋"、"支离"("离"古音"罗")、"勉励"等字,皆无关于声韵。第六卷双声状字例中,"展转"二字,双声兼叠韵,"率真"二字不双声。又叠韵状字例中,"支离"二字,"崱屴"二字,古音皆不叠韵("离"、"屴"二字本收歌摄),"淹滞"二字亦非叠韵。又第六卷云:"三引'鼎'字,解如'方'字"。昂按:马氏所引《汉书·贾谊传》、《汉书·贾捐之传》、《汉书·匡衡传》等传[1]"鼎"字,皆宜作"正"解,"鼎""正"二字收韵同庚摄,发声舌齿音相通。第七卷云:"'以'、'与'二字互文"。昂按:"以"、"与"二字发声同喉音声纽,喉音缀合祴摄二等韵为"以",缀合四等韵为"与"。第九卷云:"盖'邪'系牙音,声出则口开而不能合"。昂按:"邪"字古韵合口。又云:"'乎',喉音,音之始;'与',唇音,音之终"。昂按:"乎"、"与"二字发声同喉音类,"乎"字收三等韵,"与"字收四等韵,同属祴摄。

凡代字直接名字前者,皆转为静字;名字或代字直接动字前而非主词者,皆转为状字;静字直接动字前者,亦转为状字,马氏分析未清。又外动直接宾词,内动系介字前,不直接副宾词[2]。至于外动后省宾词,接介字与副宾之前,与内动形式同,而性属外动;内动后省介字,直接副宾之前,与外动形式同,而性属内动,马氏未分析及此。而副宾亦统称宾次,似嫌含混。散动有承动、转动[3]两种,承动承接坐动之动作,由一主词[4]发动,转动则坐动之宾词即转动之主词,马氏概称之散动,似失精密。

以上所举,杨氏未及订正者,固不仅此而已也。

民国三十五年 徐 昂 识

【笺注】

[1] 此三传皆出自《汉书》。马氏所引三句为:《贾谊传》:

"天子春秋鼎盛。"《贾捐之传》:"显鼎贵,上信用之。"《匡衡传》:"无说诗,匡鼎来。"《马氏文通》分析说:"三引'鼎'字,解如'方'字,'当'字,亦状字也。"

　　[2] "宾词"、"副宾词"是徐昂自己的术语,"宾词"相当于马氏之止词,副宾词相当于马氏之转词。

　　[3] "承动"、"转动"是徐昂自己的术语,"承动"指"主＋动$_1$＋动$_2$"中的"动$_2$","转动"相当于兼语式中兼语的谓语。

　　[4] "主词"即主语。刘复《中国文法通论》、孙孟起《句和词》等书中亦用之称呼主语。

原书(据清光绪三十二年商务印书馆五版)卷一

《史记·孔子世家赞》:"学动字者宗之。"(中略)"可动字谓同上至状字圣静字矣。"(二十页)

　　昂按:"学"转为静字,"可"助动字,"谓"外动字,"至圣","谓"字之止词,"至"转为静字,"圣"转为名字,马氏所释似可商。

卷　二

　　名有一字不成词,间加"有"字以配之者,《诗》、《书》习用之。(十三页)

　　昂按:所引《易》、《诗》、《书》、《春秋》"有"字冠于名字前者,为发语词。"有"字古音"以",与"伊"、"繄"、"维"等发语词声韵皆同。

《孟·公上》:"人之有是四端也,犹其有四体也。"——"犹"亦连字。(二十九页)

昂按:"犹"本同动字。

卷 三

韩《原毁》:"古之君子,其责己也重以周,其待人也轻以约。"——"重以周"以言古君子之责己,"轻以约"以言其待人,皆为表词,而各与起词同次。(二十二页)

昂按:"重以周"状"责"字,"轻以约"状"待"字,皆非静字。

"此之谓大丈夫。"(《孟子·滕下》)——犹云"此谓之大丈夫"也。(二十四页)

昂按:"此谓之大丈夫","谓"动字,直接"此"字后,再加"之"字,"之"是代字。"此之谓大丈夫","谓"动字,间接"此"字后,中间系以"之"字,"之"是介字,犹云"谓此为大丈夫","此"字乃"谓"字之宾词,宾词倒置动字前,中间介"之"字,此乃常例。马氏误以"之"字属代字,谓为同次,第四卷(十六页)"谓""言"诸动字例中亦引《孟子》此句,以"之谓"二字由"谓之"二字止词转为起词,皆非也。第七卷"子曰:'吾斯之未能信'"(十页),马氏谓此句可易云"吾未之能信",两"之"字亦误混为一。

《左·僖十五》"岁云秋矣。"……《左·成十二》:"日云暮矣"。(二十四页)

昂按:两"云"字皆语间词,与《诗经》中用"言"字为语词同例,马氏以为动字[1],似非。

《史·太史公自序》："儒者博而寡要，劳而少功，……墨者俭而难遵，……法家严而少恩。"（四十二页）

昂按："寡"、"少"两字皆动字，"难"状字，皆非静字。

象静司词[2]（四十三页）

昂按：此条可全删，引证《论语》、《孟子》、《庄子》、《国策》、《史记》诸句，大半状字或动字，皆非静字。

表词[3]（五十三页）

昂按：所引《孟子》、《春秋》、《史记》诸句，大半状字，非静字。有属宾次者，亦非表词。

凡以表决断口气，概以"是"、"非"、"为"、"即"、"乃"诸字，参于起表两词之间，故诸字名断辞。（五十六页）

昂按：用"非"、"即"、"乃"等字决断者，属表词形容式；用"是"字或"为"字决断者，属语词动作式，马氏概混为表词，殊非。

《孟·公上》："子诚齐人也。"——"诚"状"齐人"。（六十一页）
《庄·田子方》："吾所学者真土梗耳。"——"真"状"土梗"[4]。

昂按："诚""真"二字皆状省去"是"字之动作，状字不状名字，马氏未明此例。

论比（六十五页、六十六页、六十九页、七十页）[5]

昂按：平比例中所引"不如""未若"句式，皆差比；"无如"、"莫如"句式，皆极比，均非平比。差比例中所引"莫近"、"莫强"、"莫大"，皆极比。凡静字上状以"莫"字或"无"字者，皆极比之负说式，均非差比。九卷引"莫大"、"莫近"、"莫厚"、"莫威"、"莫甚"（四十五页），马氏亦误以为差比。

《后汉·班固传》:"二班怀文,裁成帝坟。比良迁董,兼丽卿云。"——犹云"比良于迁董,兼丽于卿云"。夫然,则不句矣,故删"于"字。(七十页)

昂按:二句皆属平比,犹云"与司马迁、董仲舒相比,与司马长卿、扬子云相丽"。"丽"即"俪"字。马氏误以为差比。

韩《送温处士序》:"夫冀北马多天下。"——即"多于天下"也。(七十页)

昂按:"多"字极比,天下之马以冀北为最多,马氏列之差比,可商。

【笺注】

[1]《马氏文通》卷三同次节在"凡'谓''言'诸动字,训'是为''解为'之意者,则先后两语,所次必同,盖其后语犹表词也"题下引《左传·僖十五》"岁云秋矣",和《左传·成十二》"日云莫矣"两例句,马氏意思是说"云"是"'谓''言'类动字","岁"与"秋"同次,"日"与"莫"同次。

[2] 象静司词是《马氏文通》中特有的术语,指象静后的一种连带成分。《马氏文通》卷三静字节说:"象静后之司词,犹动字后之止词,所以足其意也。"象静司词有直接者,如《论语·为政》"言寡尤,行寡悔,禄在其中矣"句中之"尤"和"悔"。象静司词有以"于"字为介者,如《孟子·滕上》"人伦明于上,小民亲于下"句中之"于上""于下",马氏说,"'于上''于下'皆静字之司词"。

[3]《马氏文通》该版本卷三第53页论表词所引例句皆

出自《孟子》，无《春秋》《史记》例句。第53页最后还说："以上所引，皆出《孟子》。"徐昂认为属状字的例句是：《尽上》："独孤臣孽子，其操心也危，其虑患也深，故达。"《尽上》："其进锐者其退速。"《滕上》："然而夷子葬其亲厚，则是以所贱事亲也。"马氏认为"危""深""锐""速""厚"为表词，其起词为豆（读）；徐昂认为"危""深""锐""速""厚"为状字，状前面"读"中的动字（可参看本卷首徐昂对于"古之君子，其责己也重以周，其待人也轻以约"的分析）。所引《春秋》《史记》例句当在第54页。

[4]"吾所学者真土梗耳。……'真'状'土梗'"，这是《马氏文通》原版本上的话。后来，章锡琛《马氏文通校注》将其校正为："吾所学者直土梗耳。……'直'状'土梗'"，商务印书馆1983年版从之，《读本》亦从之。

[5]《马氏文通》该版本卷三第65页有《史记·魏其列传》"上察宗室诸窦，毋如窦婴贤"例句，马氏说是"平比"；《马氏文通》该版本卷三第66页有《孟子·公下》："天时不如地利，地利不如人和。"《汉书·高帝纪》："相人多矣，无如季相。"韩《许国公神道碑》："今见在人莫如韩辨"例句，马氏说是"平比"；《马氏文通》该版本卷三第69页有《孟子·尽上》："反身而诚，乐莫大焉，强恕而行，求仁莫近焉。"《梁上》："晋国，天下莫强焉。"《离上》："离则不祥莫大焉"例句，马氏说是"差比"；《马氏文通》该版本卷九第45页复引《孟子·尽上》"反身而诚，乐莫大焉。强恕而行，求仁莫近焉"一例，又引《左传·僖十五》"贰而执之，服而舍之，德莫厚焉，刑莫威焉"，《昭三》："主以不贿闻于诸侯，若受梗阳人，贿莫甚焉"例句，马氏说是

"差比之句"。

卷　四

《汉·王吉传》:"夏则为大暑之所暴炙,冬则为风寒之所匽薄。"(二十三页)

　　昂按:传文二句"为"字是动字,介以"之"字,"大暑之所暴炙"、"风寒之所匽薄",皆"为"字之宾次,与"为……所"句式不介以"之"字者有别,马氏混入受动例中,误矣。

外动字之行有施有受。[1](二十三页)

　　昂按:主动句式动作及物为外动字,受动句式由主动变化,宾次变为主次,则外动转为受动,马氏以受动字仍为外动,似未精当。

《论·先进》:"子畏于匡。"——犹云"子见畏于匡"也。"畏"者,受动字也,"于匡"者,记"见畏"之地也。(三十五页)

　　昂按:"子畏于匡",虽介"于"字,即"子畏匡人","畏"字是主动,如解作受动式,则将谓"子为匡所畏"矣,马氏似误。

《汉·文翁传》:"至武帝时,乃令天下郡国皆立学校官,自文翁为之始"云。(四十页)

　　昂按:"自文翁为之始","为"外动字,"之"字代"学校官","始"名字,犹谓"自文翁为学校官之始"云,与《孟子》"夫仁政必自经界始"一句有别。"自经界始","始"内动字,马氏以《文翁传》"始"字亦解作内动字,分析欠当。

《史·越世家》云:"今王知晋之失计,而不自知越之过,是目论也。"《主父偃列传》云:"天下之患,在于土崩,不在于瓦解。"又韩文《送区册序》云:"小吏十余家,皆鸟面夷言。"(四十二页)[3]

昂按:"目论"、"土崩"、"瓦解"、"鸟面"、"夷言",各在句中,皆合成名字,前一字属静字,后一字属名字,或转为名字。马氏以前一字为由名字转状字,后一字为动字,似误。

《论·子张》:"无以为也。"[2]——犹云"无事以为也"。(四十六页)

昂按:"无"字是状字,与"毋"字同为禁止之词,与前引"无以异也"[4]之"无"字有别。马氏误以为同动字。

《礼·中庸》:"唯天下至圣,为能聪明睿知足以有临也"云云。——"为能"二字相连,与上"唯"字相应,《中庸》习用之,盖"为"字断辞也。《孟子》有"唯士为能"一句,与此正同。(五十五页)

昂按:"唯士为能"一句,"为"字是外动,"能"字转为静字,与《中庸》"为能"二字之"能"字性质有别,马氏误混为一。

《庄·秋水》:"虽然,夫折大木蜚大屋者,惟我能也,故以众小不胜为大胜也。为大胜者,惟圣人能之。"(五十五页)

昂按:右句"能"字是外动,马氏混为助动字。

【笺注】

[1]《马氏文通》原文是:"外动字之行,有施有受。受者居宾次,常也。如受者居主次,则为受动字,明其以受者为主也。"马氏的意思是说,外动字之行,有"施者"和"受者"(即今之所谓"施事"和"受事")之分。

[2]《马氏文通》此处例句全句是:"《论·子张》:"无以为

也,仲尼不可毁也。"徐昂只引了前句。

[3] 韩文《送区册序》"小吏十余家,皆鸟面夷言"一例在该版本卷四第43页,不在第42页。徐昂误记。又,"鸟面夷言"应为"鸟言夷面",马氏误记,徐氏承之。

[4] 所谓"前引'无以异也'"是指《马氏文通》同页的下列例句:《孟子·梁上》:"'杀人以梃与刃,有以异乎?'曰:'无以异也。''以刃与政,有以异乎?'曰:'无以异也。'"《马氏文通》认为,"异"动字也,"无"字之止词隐而未书。"无以异也"者,犹云"实无何以相异"也。

卷 五

《左·昭十三》:"大福不再。"[1]（四页）《穀·僖二十二》:"过而不改,又之,是谓之过。"《公·昭二十六》:"其御曰:'又之。'"（五页）

昂按:"再"字由状字转为静字,"又"字由连字转为动字,马氏以"再""又"二字假静字为动字,似非。

且尔言过（坐动）矣。（三十三页）远人不服而不能（坐动,其起词为"由""求",已先置）来也。（三十四页引《论语·季氏篇》）

昂按:"过"字为静字表词,"能"字助动,马氏皆误释为"坐动"。

"使"字后有承读,以记所使为之事,常语也。然"使"、"令"诸字用以明事势之使然者,则当视为连字而非动字也。至禁令无然者,则用"无得"、"无令"、"无使"、"使无"诸字,皆当作连字观。（四

十一页——四十二页）

　　昂按：马氏所引《孟子》"使不得耕耨以养其父母"，以及《左传》、《史记》、《国语》、《国策》、《荀子》诸句"使"字[2]，皆释为连字，非也。"使"字之动作，有有形无形之别。《孟子》"是使民养生丧死无憾也"，马氏释"使"为动字，而于"使不得耕耨"句，则以为连字，此两处"使"字皆属"事势使然"，何以自相抵牾？"使"字作连字用者，只有假设式。

《史·李斯列传》："乃从荀卿学帝王之术。"——"从荀卿学"四字亦同例。（四十五页）

　　昂按："从"为介字，马氏释为动字，误。

《史·货殖列传》："故善者因之，其次利道之，其次教诲之，其次整齐之，最下者与之争。"——"因之"、"利道之"等散动字，皆表词也。（五十一页）

　　昂按："因之"、"利道之"等句，皆动作句式，非表词式。

《礼·大学》："於止知其所止。"[3]（五十二页）

　　昂按："於"字读如"乌"，是叹字，马氏误以为介字。

【笺注】

　　[1]《马氏文通》此例句原文是："《左·昭十三》：大福不再，只取辱焉。"徐昂只引了前句。

　　[2] 所谓"《左传》、《史记》、《国语》、《国策》、《荀子》诸句'使'字"，是指《马氏文通》该版本卷五第42页和43页上的13个例句，比如：《左传·隐元》："姜氏何厌之有，不如早为之所，无使滋蔓。"《史记·张释之列传》："于是释之追止太子梁王，无

得入殿门。"《齐策》:"孟尝君使人给其食用,无使乏。"马氏认为其中"无使""无得"为连字。马氏此处论"使"为连字例句中没有《荀子》例句,徐昂误加"荀子"二字。第43页例句中有《荀子》例句一个,但马氏认为该句中的"使"是动字而不是连字。

[3]《马氏文通》此例句原文是:《礼·大学》:"於止,知其所止,可以人而不如鸟乎?"《马氏文通》该版本卷五第52页在"於止"二字下点有读号,但后来的"校注本"、"文库本"、"读本"在此都不点断。

卷 六

《孟·离上》:"既不能令,又不能受命。"[1]——"既"、"又"、"不"三字,皆状字也,两句"不"字,一以"既"字状之,一以"又"字状之,而皆先焉。(二页)

昂按:"既"、"又"两连字呼应,马氏以为状字,误。又所引《孟子》"既得人爵而弃其天爵","弃"字前省"又"字,"既"字亦是连字。

"犁明"者,比明也。(十一页)

昂按:"犁明"之"犁"字,即"黎"字,与"黧"通,"犁明"犹"昧爽",谓半明半暗之时,马氏以《吕后纪》"犁明"之"犁",与《晋世家》"犁二十五年"、《酷吏列传》"梨来"之"梨"字[2],同作"比"解,似非。

诸句内皆以决辞合于助字而为表词也。即如"信也"、"固也",虽皆为答语之辞,而其起词即为所答之事,故以"信也"、"固也"答

之,即以决言其为如此者。(十八页)

昂按:所引《左传》"信也",《史记》"固也"[3],既为表词,则"信""固"二字皆属静字,不宜混入状字例内。

又《孟子·梁上》云:"直不百步耳。"韩愈《送杨支使序》云:"虽有享之以季氏之富,不一日留也。"——两句"不"字皆先名字,似含一动字。第一句犹云"直不走百步耳",第二句犹云"不愿一日留也"。(十九页)

昂按:"不一日留"与"不百步"形式有别,"留"字为动字,"一日"两字是时间状字而非名字。

《汉·东方朔传》云:"受赐不待诏,何无礼也!"(中略)——"无礼"二字合用,与静字无异。(二十三页)

昂按:"无"字是同动字,"何"状"无"字,句属动作式,与静字有别。

至《汉·卜式传》云:"家岂有冤,欲言事耶?"[4]《汉·西南夷传》云:"追观太宗,填抚尉佗,岂古所谓招携以礼、怀远以德者哉!"——两"岂"字皆未定之辞。(二十五页)

昂按:"岂"字有未定意味者,即作"其"字解,与下文所引《吴语》、《庄子》[5]所谓"两'岂'字作'其'字解"者相同,马氏截然为二,欠当。

【笺注】

[1]《马氏文通》此例句原文是:《孟·离上》:"既不能令,又不受命,是绝物也。"徐昂在引用时删去末句,又在第二句中衍出"能"字。

[2]《马氏文通》此处原文是:《史·晋世家》:"犂二十五年,吾冢上柏大矣。"——"犂"者,"比"也。又《吕后纪》:"犂明,孝惠还。"——"犂明"者,"比明"也。《酷吏列传》:"犁来会春,温舒顿足叹。"——"犁"通"犂"。

[3] 所谓"所引《左传》'信也',《史记》'固也'"是指《马氏文通》下列文字:《左传·桓公十八年》云:"人曰:'祭仲以知免。'仲曰:'信也。'"《史记·鲁仲连列传》云:"新垣衍怏然不悦曰:'噫嘻,亦太甚矣,先生之言也,先生又恶能使秦王烹醢梁王?'鲁仲连曰:'固也,吾将言之。'"又《李斯列传》云:"高闻李斯以为言,乃见丞相曰:'关东群盗多,今上急发繇治阿房宫,聚狗马无用之物,臣欲谏,为位贱。此真君侯之事,君何不谏?'李斯曰:'固也,吾欲言之久矣。'"其中,"今上急发繇治阿房宫",《马氏文通读本》作"今上急益发繇治阿房宫","君何不谏"商务印书馆1983年版作"君何不见"。

[4]《马氏文通》此处引《卜式传》"家岂有冤,欲言事耶"一句,其中"耶"字,章锡琛《马氏文通校注》校正为"乎"。商务本、《读本》从之。

[5] 下文所引《吴语》、《庄子》指:《吴语》:"天王岂辱裁之?"《庄·外物篇》曰:"君岂有升斗之水而活我哉!"《马氏文通》解释说:"两'岂'字作'其'字解。"

卷 七

至其篇末有云"此之不为"者,"之"为代字,非此例[1]也。(四

页引《汉·贾谊传》）

> **昂按**："此之不为"者，"之"字是介字，犹云"不为此"者，马氏解释欠当。

《汉·赵后传》：（中略）"盖孝子善述父之志，善成人之事。"[2]（四页）

> **昂按**："父之志""人之事"各为"述"字"成"字动作之止词。"善"字是状字，"之"字皆介于名字之间，马氏误混入动字用于偏次之例。

《左·僖公四年》云："齐侯曰：'岂不穀是为？'"《左·昭公九年》云："亦其废坠是为！"[3]（十四页）

> **昂按**：右两引"为"字皆是介字，马氏混入动字，误矣。

用附静字，则以系所司之词。（十五页）

> **昂按**：所引《论语》与《东方朔传》诸句，[4]"於"字前所系之字皆属动字，马氏误以为静字。

《平准书》[5]："乃募民能入奴婢，得以终身复，为郎增秩，及入羊为郎，始于此。"韩《复上宰相书》："向上书及所著文后，待命凡十有九日。"又云："且今节度观察使及防御营田诸小使等，尚得自举判官，无间于已任未任者。"（三十四页）

> **昂按**："及"字联贯两名字或两读之间，性质亦属连字，马氏亦误为介字。

引《史·货殖传》云"智不足与权变，勇不足以决断，仁不能以取予"，与《汉书·扬雄传》云"建道德以为师，友仁义与为朋"诸句，以"与"、"以"两字互文为证。（三十七页）

> **昂按**：《礼器篇》："礼之大伦，以地广狭，礼之薄厚，与年之

上下。"史公"以"、"与"两字互文,盖本诸此。《释词》引《史记》,未探其源,马氏亦未见及。

"微",非也,介字,惟司名字,置句前则为假设之辞。(四十一页)

昂按: 所引《左传》、《庄子》、《史记》韩文诸句[6],"微"字皆冠于前半句,为假设之否定词,性质属连字,马氏误为介字,宜移入八卷连字例中。又引《书经》《左传》"非"字[7],皆用于前半句,与八卷连字所引"非"字同例,马氏何以于已明者而复昧之也。

至韩《答刘正夫书》云:"若有司马相如、太史公、刘向、扬雄之徒出,必自於此,不自於循常之徒也。"[8]——"自於"二字连用,亦训"从"也,"由"也。(四十二页)

昂按:"自"字系"於"字之前,是内动字,与直接名字或代字之"自"字有别。

【笺注】

[1]《马氏文通》之"此例"是指介字"之"字"以介于代字名字之间者",如"先王执此之政……行此之令……据此之公……"中的"之"。

[2]《马氏文通》此例全文是:《赵后传》:"不然,空使谤议,上及山陵,下流后世,远闻百蛮,近布海内,甚非先帝托后之意也。盖孝子善述父之志,善成人之事,惟陛下省察!"吕叔湘、王海棻《马氏文通读本》亦指出:"述父之志"与"成人之事",非散动字用于偏次之例。

[3]《左·昭公九年》"亦其废坠是为"之"坠"字,章锡琛《马氏文通校注》校正为"对"。后来商务"汉语语法丛书"本、吕叔湘、王海棻《马氏文通读本》皆从之。

[4]《马氏文通》该版本第 15 页例句有:《论语》:"据於德,依於仁,游於艺","兴於诗,立於礼,成於乐"。《汉书·东方朔传》:"夫谈有悖於目,拂於耳,谬於心而便於身者,或有说於目,顺於耳,快於心而毁於行者,非有明王圣主,孰能听之。"马氏说是"皆以联缀司词以附静字也"。吕叔湘、王海棻《马氏文通读本》亦指出:"据於德,依於仁,游於艺","兴於诗,立於礼,成於乐"的"据"、"依"、"游"、"兴"、"立"、"成"非静字。

[5]"乃募民能入奴婢,得以终身复,为郎增秩,及入羊为郎,始于此"一句不出于《史记·平准书》,而出于《汉书·食货志》。章锡琛《马氏文通校注》始为之校正,商务印书馆 1983 年版从之,《读本》亦从之。

[6]"所引《左传》、《庄子》、《史记》韩文诸句"是指:《左传·哀十六》:"微二子者,楚不国矣。"《庄子·田子方》:"丘之于道也,其犹醯鸡与!微夫子之发吾覆也,吾不知天地之大全也。"《史记·李斯列传》:"微赵君,几为丞相所卖。"韩《答崔立之书》:"微足下,无以发吾之狂言。"又《伯夷颂》:"微二子,乱臣贼子,接迹于后世矣。"

[7]"《书经》、《左传》'非'字"是指:《书·大禹谟》:"众非元后何戴,后非众罔与守邦。"《左传·僖公四年》:"君非姬氏,居不安。"

[8]章锡琛《马氏文通校注》在此例句句首加一"要"字。

此后的商务本、《读本》从之。

卷 八

"今"字后助以"也"字，则辞较为急切。（三页）

昂按："今"字后助"也"字，辞较舒缓。不助"也"字者，词气急切。

《汉·郊祀志》："黄帝且战且学仙。"又《汉·晁错传》："险道倾仄，且驰且射。"又《汉·李陵传》："且战且引南。"《水经注》："且田且漕。"——诸"且"字，"又且"也。凡两"且"字，皆两务之词，言方且如此，又复如彼。（四页）

昂按：两"且"字连用，是连字，马氏混入"附志"状字之例。

"盖"字，《史记》习用以传疑，如《史·大宛列传》云："临大泽无涯[1]，盖乃北海云。"《史·货殖列传》云："盖天下言治生祖白圭，白圭其有所试矣。"《史·老庄列传》云："盖老子百有六十余[2]，或言二百余岁，以其修道而养寿也。"《史·封禅书》云："上有所幸王夫人。夫人卒，少翁以方，盖夜致王夫人及灶鬼之貌云。"《史·外戚世家》云："卫皇后，字子夫，生微矣。盖其家号曰卫氏。"——此盖上文所言诸事不可根究，故每云"盖"以疑之。此即辜较之意也。"盖"字有用于句中者，如《史·周本纪》云："西伯盖即位五十年。"《史·伯夷列传》："余登箕山，其上盖有许由冢云。"《史·平原君列传》云："宾客盖至者数千人。"——诸"盖"字虽在句中，义与前同，仍不外辜较、梗概、不定之意。（六页）

昂按：《史记》除《货殖》《老庄》两传"盖"字冠于前句之首

外，所用"盖"字，皆系于后半句，均属状字，与六卷状字内所引韩文《应科目时与人书》"盖"字同例。马氏明而忽昧，往往如是。

《论·公冶》："久而敬之。"《孟子·梁上》："不远千里而来。"韩《原道》："呜呼！其亦幸而出于三代之后，不见黜于禹汤文武周公孔子也。其亦不幸而不出于三代之前，不见正于禹汤文武周公孔子也。"又："由周公而上，上而为君，故其事行。由周公而下，下而为臣，故其说长。"——上引诸句，皆一静一动，而以"而"字为转折者。可知动静两类字，古人于遣词造句，视同一律，并无偏重也。至《论语·为政》云："吾十有五而志于学，三十而立，四十而不惑，五十而知天命，六十而耳顺，七十而从心所欲，不逾矩。"又《论语·子罕》云："四十五十而无闻焉。"《史记·自序》云："年十岁则诵古文，二十而南游江淮。"——诸句内如"十有五"、"三十"、"四十"、"五十"、"六十"、"七十"，又"以十"[3]，皆滋静也。下连"而"字者，则以未经言明所数之岁耳，不在此例。（十四页）

昂按："久"字状"敬"字动作之时间，"上""下"两字状"为"字动作之地位，"幸""不幸"亦状字，"不远千里"之"远"字，由静字转为动字，马氏皆误以为静字。《论语》与《自序》数目字，皆状时之状字，马氏于后段谓"前引'吾十有五而志于学'等句，惟言数而不言年岁，其实皆此例也"云云（十六页），所见甚是，而《论语》诸句混入前段，何也？

《左·成九》："南冠而絷者谁也。"——"南冠"者，"冠南方之冠"也，用如动字。《左·僖十五》："臣而不臣，行将焉入？"——两"臣"字皆[4]为静字。《汉·枚乘传》："夫铢铢而称之，至石必差。

寸寸而度之,至丈必过。"——"铢""寸"两字重言者,每之也。每之者,则假用如动字矣。然则,凡名字之用为动静字者,亦动静字也,"而"字参之。《孟·公上》:"人役而耻为役,犹[5]弓人而耻为弓,矢人而耻为矢也。"——"人役""弓人""矢人",三名也,而自为上截者,盖上截当重读,犹云"既为人役而耻为人役"云云,故"人役""弓人""矢人"虽自为上截,而其意含有动字者也。《孟·梁上》:"贤者而后乐此,不贤者虽有此不乐也。"——"贤者",静字而成名字也。犹云"惟贤者也而后能乐此"也。(十八页)

昂按:"南冠"静字转状字,"臣而不臣",第一"臣"字是名字,"铢铢"、"寸寸"皆状字,"人役"、"弓人"、"矢人"、"贤者"皆句主。凡"而"字前直接名字者,皆不含有动静之字。(十九页[6]、二十五页[7]可类推)

【笺注】

[1]《马氏文通》之"涯"字,章锡琛《马氏文通校注》校正为"崖"。商务本、《读本》从之。

[2] 章锡琛《马氏文通校注》在《马氏文通》之"百有六十"后加一"岁"字。商务本、《读本》皆从之。

[3]《马氏文通》之"以"字,章锡琛《马氏文通校注》校正为"二"。商务本、《读本》皆从之。

[4] 章锡琛《马氏文通校注》改《马氏文通》之"皆"字为"假"字。商务本、《读本》皆从之。

[5] 章锡琛《马氏文通校注》改《马氏文通》之"犹"字为"由"字。商务本、《读本》从之。

[6] 所谓"十九页"可类推者是指:《礼·大学》:"可以人而不如鸟乎!"《中庸》:"君子之中庸也,君子而时中,小人之中庸也,小人而无忌惮也。"《论·为政》:"人而无信,不知其可也。"《论·述而》:"君而知礼,孰不知礼!"《庄子·德充符》:"子而说子之执政而后人者也。"《史记·大宛列传》:"宛小国而不能下,则大夏之属轻汉,而宛马善绝不来,乌孙仑头易苦汉使矣,为外国笑。"《史记·李斯列传》:"父而赐子死,安用复请?"徐昂认为以上诸句中的"人"、"君子"、"小人"、"君"、"子"、"小国"、"父"等字可类推。

[7] 所谓"二十五页"可类推者是指:《论语》云:"人而不仁,如礼何!"《汉书·贾谊传》云:"使管子愚人也则可,管子而少知治体,则是岂可不为寒心哉?"等。徐昂认为上述句中的"人"、"管子"等可类推。

《左·隐三》[1]:"于是乎不务令德而欲以乱成,必不免矣。"《左·昭七》:"其用物也弘矣,其取精也多矣,其族又大,所凭厚矣,而强死,能为鬼,不亦宜乎!"《史·淮阴侯列传》:"百里奚居虞而虞亡,在秦而秦霸。"(馀略)——诸引上下截皆两相背戾,所连"而"字,不出"然""乃"两字之意。(二十页)韩《改葬服议》:"又安可取未葬不变服之例,而反为之重服欤?"《汉·董仲舒传》:"今废先王德教之官,而独任执法之吏治民,毋乃任刑之意与!"(馀略)——诸引上下截意有所背,故以"而竟"、"而反"、"而独"等字各为转捩,既有证矣。然有时下截之于上截,虽非事理之所必有,而转以"而"字设一或有之境者,亦此例也。故"而或"两字并用者有焉。《左·襄九》:"自今日既盟之后,郑国而不惟晋命是听而或有异志者,有如此盟。"……《左·昭三》:"民人痛疾而或燠休之,其爱之如父母,而归之如流水,欲无获民,将焉辟之?"(馀略)——三引皆以"而或"为转,是特设一或有之境以与上截相反者。(二十五页)

  昂按:右所引《左传》、《史记》、韩文诸句"而"字,细绎其意义,下截与上截词气顺承,不相背戾,《淮阴侯传》两句是前后句相背,非"而"字之上下截相背。

《孟·离上》:"我不意子学古之道而以不餔啜也。"(二十七页)

  昂按:"而"字捩转,马氏误以为承接。

事之所谓异同者有三:一,其事或本相同也,或本相异也,"则"字承之,所以决其为是为非,故"则"字之后即为表词。(三十三页)

  昂按:所引《论语》、《公羊》、《穀梁》、《吴语》、《史记》、《汉·儒林传》、韩愈《争臣论》诸句[2],"则"字后系以动字者,皆属动作句式,马氏误以为表词。

《易·系辞》:"君子之道,或出或处,或默或语。"《礼·学记》:"学者有四失,教者必知之。人之学也,或失则多,或失则寡,或失则易,或失则止。此四者,心之莫同也。"(四十页)

  昂按:"或"字连用,其动作发自句主,"或"字为连字。句主如是复数分母,而"或"字属分子者,则为代字。"出""处""默""语"诸动作,由句主"君子之道"发出,"或"字为连字,是也。"多""寡""易""止"四失,是从上文句主"人之学也"复数分母化生,此"或"字是代字,马氏混视为连字,似非。其余所引《贾谊传》"或"字[3]是连字,《中庸》及《与崔群书》"或"字[4]皆代字,例可类推,马氏概以为连字,可商。六卷引《系辞》"君子之道"数句（二十七页），马氏又以为状字，前后矛盾。十卷引《昭公四年传》两"或"字（八十二页）[5]，马氏亦误以代字为连字。

《史·外戚世家》："是时，项羽方与汉王相距荥阳。"庾子山《哀江南赋》："天子方删诗书，定礼乐。"《易·系辞》："易之兴也，其当殷之末世、周之盛德耶？当文王与纣之时邪！"[6]（馀略）——"方""当"两字，皆正值之辞。（馀略）《蜀志·秦宓传》："甫欲凿石索玉，剖蚌求珠，今乃随和炳然，有如皎日。"——"甫欲"者，方欲如何而尚未如何也。"甫"字记时，不见于周秦诸书，至后世始用。然必衬以"欲"字，曰"甫欲"；衬以"乃"字，曰"甫乃"。单言"甫"字，则惟状字。《汉·成许后传》云"今吏甫受诏读记"是也。（四十四页）[7]

　　昂按："方"字系于句主之后，性质是状字；"当"字是内动字；"甫"字无论单用与否亦为状字，马氏概以为连字，非。

"然"字一顿，其无衬者，则乘势掉转；其有衬者，曰"然而"，曰"然则"，曰"然后"，曰"然且"等，则各视其所乘之势以定。（四十八页）

　　昂按："然"字训"如此"，本状字。"然而"两字连用，"然"字顿住上文，"而"字转入下文，转捩之力量本在"而"字，不在"然"字，惟省去"而"字，单用"然"字，则"然"字有转捩之势，"然则"、"然后"、"然且"皆承接而非转捩。

"乃"字用作"然后"、"而后"之解者，则为继事之辞；用作"于是"之解者，则为言故之辞，而皆位于句首。不此之解，则非连字。（五十页）

　　昂按："乃"字上下文相背戾者，方为转捩连字，用作"然后"、"而后"、"于是"等解，或为更端之词者，皆承接而非转捩，与"而"字具逆转、顺承两性同例。

又有"第"、"但"、"独"、"特"、"惟"五字,皆转语辞。五字意虽各别,而前文不论,惟举一事一理轻轻掉转者则皆同。虽然,经史中以为状字者居多。(五十二页)

昂按:"第"、"但"、"独"、"特"、"惟"五字,上下文相背戾者,为连字,否则为状字。马氏所引,惟《赵充国传》"诚令兵出,虽不能灭先零,但能令虏绝不为小寇,则出兵可也。"《王翦列传》"将军虽病,独忍弃寡人乎?"两传上句皆有"虽"字推宕,下句一用"但"字,一用"独"字,皆有转捩之意味,可称连字。其余所引,皆为状字。杨氏《刊误》于"第"、"但"、"独"、"特"、"惟"五字,不论其转捩与否,概以为状字,则又无差别矣。

【笺注】

[1]《马氏文通》之"隐三",章锡琛《马氏文通校注》校正为"隐四"。后来商务本、《读本》从之。

[2]《马氏文通》该版本第33页例句甚多,试以徐氏所列书名各举一例:《论语·宪问》:"孟公绰为赵魏老则优。"《公羊·庄十三》:"寡人之生则不若死矣。"《穀梁·隐元》:"若隐者,可谓轻千乘之国,蹈道则未也。"《吴语》:"臣观吴王之色,类有大忧。小则嬖妾嫡子死,不则国有大难,大则越入吴。将毒,不可与战,主其许之先,无以待危。"《史记·自序》:"要曰强本节用,则人给家足之道也。"《汉书·儒林传》:"言《诗》,于鲁则申培公,于齐则辕固生,燕则韩太傅。言《礼》,则鲁高堂生。言《春秋》,于齐曰胡母生,于赵则董仲舒。"韩愈《争臣

论》:"问其官,则曰谏议也,问其禄,则曰下大夫之秩也,问其政,则曰我不知也。"后两例在该版本第34页。

[3] "所引《贾谊传》'或'字"是言指《马氏文通》该版本卷八第40页例句:《汉书·贾谊传》:"故世主欲民之善同,而所以使民善者或异,或道之以德教,或驱之以法令。"

[4] 《中庸》及《与崔群书》'或'字是指《马氏文通》该版本卷八第40页例句:《中庸》:"或生而知之,或学而知之,或困而知之,及其知之一也。或安而行之,或利而行之,或勉强而行之,及其成功一也。"韩愈《与崔群书》:"所与交往相识者千百人,非不多,其相与如骨肉兄弟者,亦且不少。或以事同,或以艺取,或慕其一善,或以其久故,或初不甚知而与之已密,其后无大恶,因不复决舍,或其人虽不皆入于善,而于己已厚,虽欲悔之不可。"

[5] "《昭公四年传》两'或'字"是指《马氏文通》该版本卷十第82页例句:《左传·昭公四年》云:"邻国之难,不可虞也。或多难以固其国,启其疆土;或无难以丧其国,失其守宇,若之何虞难?"

[6] 《马氏文通》之"当文王与纣之时邪",章锡琛《马氏文通校注》校正为"当文王与纣之事耶"。商务本、《读本》从之。

[7] 此段文字在《马氏文通》该版本卷八第46页,徐昂误为第44页。

卷 九

有以顿为表词,煞以"也"字以决其是者。(六页)《孟·告下》:

"无他,疏之也。"又:"无他,戚之也。"——"疏""戚"两外动字,"之"其止词,合之成顿,而为句之表词。有先以"是"字指上文而明所推之理者。《孟·公下》:"无处而馈之,是货之也。"又《梁下》:"今又倍地而不行仁政,是动天下之兵也。"《史·虞卿列传》:"秦以其力攻其所不能取,倦而归,王又以其力之所不能取以送之,是助秦自攻也。"(七页)

昂按:右所引"也"字诸句,皆有动字,是读而非顿。

有以读为表词,煞"也"字以决其是者。(中略)《孟·离下》:"大人者,不失其赤子之心者也。"《左·庄三十二》:"神,聪明正直而壹者也。"《左·闵二》:"夫帅师,专行谋,誓军旅,君与国政之所图也。"(中略)又《孟·梁下》:"此匹夫之勇,敌一人者也。"(七页)《汉·蒯通传》:"然则慈父孝子,将争接刃于公之腹,以复其怨而成其功名,此通之所以吊者也。"(八页)

昂按:右所引"也"字诸句,动字或静字皆化合成为名字,是顿而非"读"。

其一,读之为起词也,有助以"也"字者。(十六页)《论·阳货》:"古之狂也肆,今之狂也荡。"《庄·人间世》:"凡溢之类也妄。"[1](下略,十七页)

昂按:右所引诸句,"也"字皆助顿,马氏误以为"读"。

《论·述而》:"甚矣,吾衰也。"——"吾衰也"者,读之为起词也,"甚矣"者,其表词也。今则起词倒置于表词之后,此叹辞之常例也。(十七页—十八页)

昂按:"甚矣"状"衰"字,犹云"吾甚衰矣",全句为表词,马氏专以"甚矣"为表词,似非也。

所引"与乎"、"张乎"以及"坦乎"、"确乎"[2]皆同上,可视同表词。以为状词,则冠于一读之首,似非其所。(十八页)

昂按: 马氏所引,冠于句首者皆状字,非表词,是动作句式。

《孟子·梁上》云:"如之何其使斯民饥而死也?"——犹云"其使斯民饥而死也如之何也"。"若是乎贤者之无益于国也。""宜乎百姓之谓我爱也。"[3]"恶在其为民父母也?"又《左·成二年》云:"若之何其以病败君之大事也?"韩《原道》云:"奈之何民不穷且盗也?"——诸句皆此类也。(十八页)

昂按: 右引诸句,皆反振之辞,"也"字皆同"耶"字,是传疑助字。马氏不知传信助字中有兼传疑之用者,往往失之。(三页引《吴语》,二十页引《祭十二郎文》助"也"字之句[4]皆用"何"字反振,"也"与"耶"通。)

助字中之助实字者惟"也"字,余只助句、助读而已。(二十二页)

昂按: 助字助实字者,不仅一"也"字。

《孟·公下》:"曰:'若是,则夫子过孟贲远矣。'"(二十五页)《汉·张敞传》:"吾为是公尽力多矣。"(二十六页)

昂按: "远"字状"过"字之动作,"多"字状"尽"字之动作,皆状字,马氏误以为象静字。

《魏志·崔琰传·注》:"后与南郡习授同载,见曹公出。授曰:'父子如此,何其快耳!'"(下略)——"何其快耳"之"耳",有咏叹之意。(三十四页、三十五页)

昂按: "耳"字意味与"耶"字同。

《公羊传》又以"尔"字助询问之句,而带有"若是"之义。《隐公元年》云:"然则何言尔?"——犹云"然则何为言之若是"也。其《二年》云:"何讥尔?"《三年》又云:"何危尔?"至《僖公二年》云:"然则中国曷为独言齐宋至尔?"[5]——诸此句又《公羊传》所独也。(三十五页)

昂按:《公羊》诸句用"何"字或"曷"字反振,"尔"字皆含有传疑助字之神情。《魏志传注》"何其快耳"之"耳"字,与《公羊传》"尔"字同例。

经学家见经史中询问之句,有助以"也"字、"焉"字者,则谓"也"、"焉"两字同"乎"字[6]。不知询问之句助以"也"字者,寓有论断口气。"也"字节下已言之矣。其助以"乎"字者详后。兹助"焉"字者,藉问而陈义耳。此所以与"乎"、"也"两字少有区别也。(四十四页)

昂按:"焉"字助反振之句,义与"耶"同。马氏所引《论语》《孟子》《春秋》《庄子》《张释之列传》诸句[7],"焉"字前多状"何"字反振,此传信助字之兼有传疑意味者。助字传神,疑信相兼者,"也"、"矣"、"焉"三字同例,马氏专属之"传信",似未通澈。

《燕策》:"寡人虽不肖乎,未如殷纣之乱也。君虽不得意乎,未知商齐容箕子之累也。"[8](六十页)《孟·滕下》:"是故孔子曰:'知我者其惟《春秋》乎!罪我者其惟《春秋》乎!'"(六十一页)

昂按:《燕策》两"乎"字兼咏叹,而马氏只以为拟议。《孟子》两"乎"字兼拟议,而马氏只以为咏叹。"乎"、"哉"、"邪"('耶'同)"、"与"('欤'同)"、"诸"五助字均兼拟议、咏叹两种意味,马氏云,"有平叠数句皆助'哉'字者,则有拟议情状,又兼有咏叹之意矣。"(六十五页)又云"'邪'字助咏叹之句,亦时带有拟议之意。"(六十九页)又云"诸引'与'字助句,或有'其'字在先,或有'非'、'不'等字反说,似有咏叹之神,而实有拟议之意。"(七十一页)"诸"字引《论语》、《左传》、《礼记》,马氏云"亦皆咏叹之辞,而带有感叹之情尔。"(七十五页)独"乎"字之拟议咏叹而不言兼,何也?

【笺注】

[1]《马氏文通》所引"凡溢之类也妄",章锡琛《马氏文通校注》校正为"凡溢之类妄",去掉一个"也"字。马氏所据《庄子》可能确有"也"字,因为《文通》在卷三引此句时亦有"也"字。徐昂只引前句,《文通》例句为《庄·人间世》:"凡溢之类也妄,妄则其信之也莫。"徐昂批评说前句中"也"字不助"读",而后句中"也"字则的确是助"读"的。马氏是否会认为前句中"也"字也助"读",现在则无法肯定。

[2]"所引'与乎'、'张乎'以及'坦乎'、'确乎'"是指《马氏文通》该版本第18页上两例句,它们是:《庄子·大宗师》云:"古之真人,其状义而不朋,若不足而不承。与乎其觚而不坚也,张乎其虚而不华也,邴邴乎其似喜乎,崔乎其不得已乎,滀乎进我色也,与乎止我德也,厉乎其似世乎,謷乎其未可制也,连乎其似好闭也,悗乎其似言也。"韩愈《送齐暤下第序》云:"故上之人行志择谊,坦乎其无忧于下也。下之人刻已慎行,确乎其无惑于上也。"

[3]"宜乎百姓之谓我爱也",《马氏文通》原文为"宜乎百姓之以我为爱也",徐昂引之有误。

[4]"三页引《吴语》,二十页引《祭十二郎文》助'也'字之句"是指《马氏文通》该版本第3页例句:《吴语》:"夫差将死,使人说于子胥曰:'使死者无知则已矣,若其有知,吾何面目以见员也。'"第20页例句:《祭十二郎文》:"信也,吾兄之盛德而夭其嗣乎?汝之纯明而不克蒙其泽乎?少者强者而夭殁,长者衰者而存全乎?未可以为信也。梦也,传之非其真也,东野之书,耿兰之报,何为而在吾侧也?"

[5] 章锡琛《马氏文通校注》指出:"然"字为衍文。又,原文为"宋齐",徐昂误为"齐宋"。

[6]"同'乎'字",原文为"同乎'乎'字",徐昂引之有误。

[7]《马氏文通》该版本第44页引自上述之书的例句有八,现各举一例:《论语·阳货》:"子如不言,则小子何述焉?"《孟子·梁上》:"王若隐其无罪而就死地,则牛羊何择焉?"《左传·成十六》:"晋楚唯天所授,何患焉?"《庄子·大宗师》:"我则悍矣,彼何罪焉?"《汉书·张释之列传》:"使其中亡可欲,虽无石椁,又何戚焉?"

[8] 章锡琛《马氏文通校注》把《马氏文通》此句校正为"未知商容箕子之累也"。其后商务本、《读本》从之。

卷 十

《孟子·滕下》云:(中略)"是故孔子曰:'知我者其惟《春秋》

乎！罪我者其惟《春秋》乎！'"（三页）

　　昂按："知我者"、"罪我者"两顿，马氏皆以为读。凡起词殿"者"字皆然（二十五页[1]、四十六页[2]、四十七页[3]、四十八页[4]、五十九页[5]、六十四页[6]）。句中有"所"字作顿者，亦以为读（四十六页[7]、六十四页[8]）。

又《史记·货殖列传》云："是以无财作力，少有斗智，既饶争时。"——三平句，起词为"无财"、"少有"、"既饶"三顿。（三页）

　　昂按："无财"、"少有"、"既饶"三读，其后皆省"则"字，马氏又误以为顿。凡句中有动字而未化合为他种字者，马氏往往以读为顿（二十六页[9]、三十四页[10]、三十七页[11]、三十九页[12]、四十三页[13]、四十四页[14]、四十五页[15]）。动作已变化而合成为全句之起词者，字数虽多，亦是一顿，动字未变化而有待于后半句之完成者，字数虽少，亦是一读，马氏于顿读混合不清。引《汉·儒林传》句，至云"谓之为顿也可，谓之为句也亦可"（见三十七页），顿不得谓之读，读不得谓之顿，更何况谓之为句乎？马氏引《史记》、韩文，注明"顿"、"读"、"句"（七十三页至七十八页、九十四页至九十八页），亦多有可商者。马氏云："历引诸书，分注'读'、'句'，区别或有未当，知所难免"（七十七页），此自知之明也。

《汉·赵充国传》云："释致虏之术，而从为虏所致之道。"（八十七页）至如《史·大宛传》云："终不得入中城，乃罢而引归。"（八十八页）韩《禘祫议》云："今辄先举众议之非，然后申明其说。"（九十页）

　　昂按：右引"而"字、"乃"字、"然后"二字，皆顺承前读，马氏以为反正、掩转,非也。

【笺注】

[1]《马氏文通》该版本第25页此类例句有:《礼·中庸》:"故栽者培之。倾者覆之。"《论·子张》:"可者与之,其不可者拒之。"《论·公冶长》:"老者安之,朋友信之,少者怀之。"马氏认为"栽者"、"倾者"、"可者"、"不可者"、"老者"、"少者"为读,徐氏认为它们为顿。

[2]《马氏文通》该版本第46页此类例句有:《公羊·庄公十二年》:"天下诸侯,宜为君者,唯鲁侯尔。"《庄子·秋水》:"无形者,数之所不能分也;不可围者,数之所不能穷也。"马氏认为"宜为君者"为"一读","无形者"、"不可围者"为"起词之读"。

[3]《马氏文通》该版本第47页此类例句有:《史·萧相国世家》:"王暴衣露盖,数使使劳苦君者,有疑君心也。"《史·项羽本纪》云:"天下匈匈数岁者,徒以吾两人耳。"马氏认为此二句中"者"字惟为煞读之用。

[4]《马氏文通》该版本第48页此类例句有:《齐策》:"孟尝君为相数十年,无纤介之祸者,冯谖之计也。"《三国志·诸葛亮传》云:"士大夫随大王久勤苦者,亦欲望尺寸之功,如纯言耳。"等等。马氏认为此类句中"者"字惟为煞读之用。

[5]《马氏文通》该版本第59页此类例句有:《孟·尽心上》:"为机变之巧者,无所用耻焉。"《孟·滕文公下》:"鸟兽之害人者消。"《穀梁·庄公二十九年》:"古之君人者,必时视民

之所勤。"等等。马氏认为这是读"用为起词"。

[6]《马氏文通》该版本第64页此类例句有:《宣公十二年》云:"晋之从政者新,未能行令。其佐先縠,刚愎不仁,不肯用命。"马氏认为"晋之从政者"是起词。

[7]《马氏文通》该版本第46页与"所"字有关的例句只有:《左传·成公二年》:"不可,则听客之所为。"《庄子·秋水》:"无形者,数之所不能分也;不可围者,数之所不能穷也。"又《庄子·人间世》:"存于己者未定,何暇暴人之所行?"这3个例句,除中间一例外,都明显地是"读"。

[8]《马氏文通》该版本第64页与"所"字有关的例句只有:《孟·万上》:"天之所废,必若桀纣者。"《史·苏秦列传》:"龙贾之战,岸门之战,封陵之战,高商之战,赵庄之战,秦之所杀三晋之民数百万,今其生者,皆死秦之孤也。"马氏认为"天之所废"、"秦之所杀……"为读。

[9]徐昂所说《马氏文通》该版本第26页例句有:《燕策》去:"夫不忧百里之患而重千里之外,计无过于此者。"《马氏文通》认为"于此"重指前顿。还有:《论语·泰伯》云:"曾子曰:'以能问于不能,以多问于寡,有若无,实若虚,犯而不校,昔者吾友尝从事于斯矣。"《马氏文通》认为"于斯"指前五顿。

[10]《马氏文通》该版本第34页无此类例句,该页所说的"顿"皆为"偏次之顿"。但下一页有:《左传·宣公十二年》:"伐叛,刑也;柔服,德也。"马氏认为"伐叛"、"柔服"为两顿。《公羊·桓公十一年》:"杀人以自生,亡人以自存,君子不为也。"马氏认为"杀人以自生"、"亡人以自存"为两顿。

[11]《马氏文通》该版本第 37 页例句有：《汉书·儒林传》云："今陛下昭至德，开大明，配天地，本人伦，勤学兴礼，崇化厉贤，以风四方，太平之原也。"马氏认为，"陛下"后，三字者四，四字者二，要皆为语词，谓之为顿也可，谓之为句也亦可。还有《汉书·匡衡传》："宜遂减宫室之度，省靡丽之饰，考制度，修外内，近忠正，远巧佞，放郑卫，进《雅颂》，举异材，开直言，任温良之人，退刻薄之吏，显絜白之士，昭无欲之路，览六艺之意，察上世之务，明自然之道，博和睦之化，以崇至仁，匡失俗，易民视，令海内昭然咸见本朝之所贵。"马氏说"排行语词共计十八顿"。

[12]《马氏文通》该版本第 39 页例句有：韩愈《潮州刺史谢表》："至于论述陛下功德，与《诗》《书》相表里，作为歌诗，荐之郊庙，纪泰山之封，镂白玉之牒，铺张对天之闳休，扬厉无前之伟迹，编之乎《诗》《书》之策而无愧，措之乎天地之间而无亏，虽使古人复生，臣亦未肯多让。"马氏说："'至于'后诸排，皆顿也。"

[13]《马氏文通》该版本第 43 页例句有：《孟子·滕文公上》云："孔子曰：'君薨，听于冢宰，歠粥，面深墨，即位而哭。'"马氏认为"歠粥"、"面深墨"为顿。又，《秦策》云："说秦王书十上而说不行，黑貂之裘弊，黄金百斤尽，资用乏绝，去秦而归，羸縢，履蹻，负书，担橐，形容枯槁，面目犁黑，状有愧色。"马氏认为"羸縢"、"履蹻"、"负书"、"担橐"、"形容枯槁"、"面目犁黑"为顿。

[14]《马氏文通》该版本第 44 页此类例句较多，此举二

例:《史记·管晏列传》云:"其夫为相御,拥大盖,策驷马,意气扬扬,甚自得也。"又《史记·廉颇列传》:"相如因持璧却立,倚住,怒发上冲冠,谓秦王曰。"马氏认为"拥大盖"、"策驷马"、"意气扬扬"、"倚住"、"怒发上冲冠"等为顿。

[15]《马氏文通》该版本第45页此类例句有:韩愈《少监马君墓志》云:"姆抱幼子立侧,眉眼如画,发漆黑,肌肉玉雪可念,殿中君也。当是时,见王于北亭,犹高山深林钜谷,龙虎变化不测,杰魁人也。退见少傅,翠竹碧梧,鸾鹄停峙,能守其业者也。幼子娟好静琤,瑶环瑜珥,兰茁其牙,称其家儿也。"马氏说:"诸引内,所有自二字以至五字之顿,凡以肖面貌、体态、服制、情性、材质等者,皆状语也。"马氏认为这些状语为顿。

新版《马氏文通订误》校记

《南大语言学》第一编(2004)重新发表了徐昂的《马氏文通订误》,这是一件很有意义的事。《南大语言学》同时还发表了徐昂的《论文法》一文,发表了介绍徐昂生平、介绍《徐氏全书》、介绍徐昂的汉语语法研究的文章,这对于继承和发扬汉语语言学研究传统,推动汉语语言学研究,有很重要的作用。

但是整理标点古籍并非易事,要做到十全十美很难。把在《南大语言学》上新发表的《马氏文通订误》(以下简称"新版")与《徐氏全书》上的《马氏文通订误》(以下简称"原书")相对勘,"新版"还存在不少问题,马建忠、徐昂的一些观点被扭曲。现作校记如下。

惟五卷引《庄子·马蹄·在宥》诸篇、《史记·平原君列传》(五页)、九卷引《万石君传》(六页),马氏皆误以重言之静字为状字,杨氏均未正。(《南大语言学》第一编第8页,以下只注页码)

[按]《庄子·马蹄·在宥》这样的标点方式,似乎《在宥》是《庄子·马蹄》中的一篇,其实不然。《马蹄》是《庄子》中的一篇,《在宥》是《庄子》中的另一篇,徐昂写成"庄子马蹄在宥诸篇",如加现代标点,只能写成"《庄子·马蹄》《在宥》诸篇",或"《庄子》'马蹄''在宥'诸篇"。

又引《秦策》、《史记·李斯列传》、《史记·淮阴侯列传》诸句"与"字(三十四页),联贯两读之间,又引《大学》、《论语》、《孟子》、《左传》、《庄子》、《吕氏春秋》诸句"以"字,页同上,用以假设,马氏皆误以连字为介字,杨氏除《吕氏春秋》、李斯、淮阴两传订正外,亦未见及。(第9页)

[按]其中"《大学》、《论语》、《孟子》、《左传》、《庄子》、《吕氏春秋》诸句'以'字"一句中,"以"字误,原书为"与"。对于"以"字,马氏认为它既是连字,又是"介字"。徐昂也不会批评马建忠把"以"字误为介字。只有"与"字,马氏只认为它是介字,应该为连字的"与"也被认为是介字,所以徐昂批评他"误以连字为介字"是对的。

凡至于二字连用,为更端推及之词,与"至、如、若、夫"等词同义,方可谓之连字;否则,"至"为内动字,"於"为介字。(第9页)

[按]这句标点有两误,文字有一误。

其标点两误,一是"凡至于二字连用"的"至于"二字应该加引号,因为这句是讲"至于"这个词何时为"连字"、何时为"内动字 ＋介字"的。二是"至如、若夫"本为两个双音词,被误标为四个单音词。《马氏文通》卷八论"连字"时专门有一节讲"至于"、"至如"、"若夫"等连字,吕叔湘、王海棻《马氏文通读本》为之立一小标题为:"[8.2.4.3]至于、至如、若夫、及至、及其、如其。"(第510页)

其文字错误是,前句写"至于",后句写"至……於","于"和"於"应写法统一。

第七卷引《孟子》:"民望之若大旱之望云霓也",马氏误以"大旱"为起词，不知"望云霓"者非"大旱"，起词蒙上文"民"字，"大旱"乃状字耳，杨氏只正"大旱"，而"微时"未及正也。（第9页）

　　[按]其中"杨氏只正'大旱'"有误字，徐昂原文为"杨著只正'大旱'"。"杨著"指"杨树达所著之《马氏文通刊误》"。

　　又，例句"民望之若大旱之望云霓也"，之间宜加逗号，即："民望之，若大旱之望云霓也。"

《自序》："《论语》云：'君而知礼，孰不知礼？'又云：'富而可求也，虽执鞭之士，吾亦为之。'古'而'字与'如'同，假设连字也，马氏不知，遂定为承接连字。《齐策》云：'子孰而与我赴诸侯乎？'古'而'、'能'通用，故《国策》以'而'为'能'者至多，马氏不知，亦以为承接连字"云云。（第9页）

　　[按]本句本为徐昂引用杨树达《马氏文通刊误·自序》文字，其中"多"字误，原书为"夥"，"夥"与"多"同义，但不是同一个字，不能随便改。

　　又，末句"马氏不知，亦以为承接连字"，徐昂原文为"马氏不之知，亦以为承接连字"，"新版"脱一"之"字。

第九卷云："盖'邪'系牙音，声出则口开而不能合。"昂按："邪"字古音合口。（第10页）

　　[按]"'邪'字古音合口"之中"音"字误，原书为"韵"。

《史记·孔子世家》："学（动字）者宗之（中略），可（动字）谓（同上）至（状字）圣（静字）矣。"（第10页）

　　[按]"史记·孔子世家"后脱一"赞"字，原书为"史记孔子世家赞"。

《太史公自序》："儒者博而寡要，劳而少功；墨者俭而难遵；法

家严而少恩。"(第11页)

[按]《史记·太史公自序》原文是:"儒者博而寡要,劳而少功,是以其事难尽从;然其序君臣父子之礼,列夫妇长幼之别,不可易也。墨者俭而难遵,专以其事不可遍循;然其强本节用,不可废也。法家严而少恩;然其正名实,不可不察也。"《马氏文通》引为例句时有省略,所以要将省略处加上引号,成为:"儒者博而寡要,劳而少功,……墨者俭而难遵,……法家严而少恩。"

象,静司词。(第12页)

[按]"象静司词"是《马氏文通》中的专门术语,把术语"象静司词"加上逗号、句号,标点成句子:"象,静司词。"其实是一个笑话。《马氏文通》卷三有一专门的段落论"象静司词",马氏说:"象静司词。象静后之司词,犹动字后之止词,所以足其意也。司词有直接者,则无介字,否则概以'于'字为介;介以'以'字者,不习见也。"(商务印书馆1983年版第120页)"象静司词"就是后人所说的"形容词宾语"和一部分"形容词补语"。有人认为《马氏文通》的"象静司词"是模仿自西方语法学说,而王力《中国语言学史》则认为它不是模仿,而是独创,是"照顾了汉语的特点"。

《孟子》:"诚齐人也。"(第12页)

[按]其中"子"字乃例句"子诚齐人也"中的字,"新版"把它误作书名《孟》中的字,其实马氏引《孟子》一般只标"孟"一字,很少标成"孟子"两字的。《马氏文通》早期版本写作:"孟、子诚齐人也",徐昂引作:"孟子诚齐人也。"商务印书馆1983

年版《马氏文通》和吕叔湘、王海棻《马氏文通读本》标为:"孟公上:'子诚齐人也。'"马氏对这句的分析是:"犹云'子真是齐人也已'。"可知"子诚齐人也"本为一句。

《王吉传》:"夏则为大暑之所暴炙,冬则为风寒之所匽薄。"(二十三页)昂按:传文二句,"为"是动字,介以"之"字,"大暑之所暴炙、风寒之所匽薄",皆"为"字之宾次,与"为所"句式不介以"之"字者有别。(第12—13页)

[按]"传文二句,'为'是动字"句中,"为"字后少了一个"字"字。徐昂原句为:"'为'字是动字"。

"大暑之所暴炙"与"风寒之所匽薄"在《汉书·王吉传》中非相连之语,所以不宜用一个引号引在一起。

"为所"句式宜标为"'为……所'句式"。

《庸》:"唯天下至圣,为能聪明睿知,足以有临也"云云。"为能"二字相连,与上"唯"字相应,《中庸》习用之,盖"唯"字断辞也。(第13页)

[按]末句"盖'唯'字断辞也"中"唯"字系"为"字之误,《马氏文通》认为,"为"字是断辞,"唯"字不是断辞。《马氏文通》从来没有认为"唯"字是断辞,徐昂也不会认为"唯"字是断辞。

"学於止,知其所止。"(第15页)

[按]句中第一字"学"字本为书名,即《大学》。《马氏文通》引《大学》一般只标"学"一字。《马氏文通》原引《大学》两句,其早期版本排为:"学、於止、知其所止、可以人而不如鸟乎",徐昂只引书名和前句,写作:"学於止知其所止。"加上现代标点,应是:"《学》:於止知其所止","新版"标点为"学於止,

知其所止",是把表示书名的"学"字也放到例句中去了。

《孟》："既不能令，又不能受命。""既、不、又"三字状字也。(第15页)

［按］此句有三误，两误为"新版"责任，一是"状字也"三字前脱一"皆"字，二是"既、不、又"原为"既、又、不"，后二字顺序不对。还有一处是"又不能受命"之"能"字衍，此为徐昂引《马氏文通》时误加。

《送杨支使序》云："虽有享之以季氏之富，不以日留也。"(第15页)

［按］"不以日留也"中"以"字误，原书为"一"，即"不一日留也"。此系韩愈《送杨支使序》原文，又为《马氏文通》引文。马建忠没有引错，徐昂原书也没有引错。

至其篇末有云："此之不为者"。"之"为代字，非此例也。(四页引《汉·贾谊传》)昂按："此之不为者"，"之"字是介字，犹云"不为此者"。马氏解释欠当。(第16页)

［按］《汉书·贾谊传》篇末有"此之不为"，而无"此之不为者"。是马氏只引4字而非5字，因此徐昂也只能是引4字而非5字。今人为徐昂《马氏文通订误》上段加标点，其中3个"者"字皆不能放在引号之内。

《僖公四年》云："齐侯曰：'岂不穀是为。'"(第16页)

［按］"岂不穀是为"为疑问句，其后应为问号。

所引《论语》与《东方朔传》诸句，"於"字前所系之字皆动字，马氏误以为静字。(第16页)

［按］"'於'字前所系之字皆动字"一句中，"动字"前脱一

"属"字,依徐昂原书应为:"'於'字前所系之字皆属动字"。

《平准书》:"乃募民能入奴婢得以终身复为郎增秩及入羊为郎,始于此。复上宰相书向上书及所著文后,待命凡十有九日。"(第16页)

[按]此为徐昂引《马氏文通》原文两个例句:

《平准书》:"乃募民能入奴婢,得以终身复,为郎增秩,及入羊为郎,始于此。"

《复上宰相书》:"向上书及所著文后,待命凡十有九日。"

在《马氏文通》中,这两个例句之间还隔着5个例句。"新版"以为上引两例为一个例句,把韩愈的文章题目《复上宰相书》及其两个句子皆误为《平准书》例句中字,实误。

又,马建忠所写《平准书》篇名有误,章锡琛(1954)《马氏文通校注》把《平准书》校正为《汉·食货志》,商务印书馆1983年版《马氏文通》、吕叔湘、王海棻(1986)《马氏文通读本》承之。

"微",非也。介字惟司名字,置句前则为假设之辞。(第16页)

[按]"介字惟司名字"说法有误。其实是两个分句被捏在一起。依原义本为:"[　　]介字,[　　]惟司名字",其主语乃前面的"微"字。因此"介字"二字后应有逗号。

又,"非也"二字后句号应改为逗号。因句号会隔断后句与前句之联系。

"今"字后助"也"字,辞较舒缓,不助"也"字者,辞气急切。(第17页)

[按]其中"辞气"字误,原书为"词气"。在《马氏文通订误》中,"词气"共使用2次,"辞气"未见。在《马氏文通》中,"词气"共使用13次,"辞气"共使用74次。二者虽同义,但为尊重原著,不宜随便改。

《原道》:"呜呼!其亦幸而出于三代之后,不见黜于禹、汤、文、武、周公、孔子也,其亦不幸而不出于三代之前,不见正于禹、汤、文、武、周公、孔子也。又由周公而上,上而为君,故其事行;由周公而下,下而为臣,故其说长。"(第18页)

按,这是徐昂引《马氏文通》原文。但《马氏文通》原文引韩愈《原道》共两句,吕叔湘、王海棻《马氏文通读本》标点为:

韩《原道》:呜呼!其亦幸而出于三代之后,不见黜于禹汤文武周公孔子也。其亦不幸而不出于三代之前,不见正于禹汤文武周公孔子也。

又:由周公而上,上而为君,故其事行。由周公而下,下而为臣,故其说长。

把这两例误为一例的不妥在于:一、这两句在韩愈《原道》中并不前后相连,前后相隔数百字;二、马氏表示"又一例"的"又"字不是韩愈《原道》原话。

至《论语》云:"吾十有五而志于学,三十而立,四十而不惑,五十而知天命,六十而耳顺,七十耳从心所欲,不逾距。"又云:"四十五十而无闻焉。"《自序》云:"年十岁则诵古文,二十而南游江淮"诸句,内如十有五、三十、四十、五十、六十、七十,又以十皆滋静也。(第18页)

[按]其中"七十耳从心所欲"之"耳"字误,原书为"而"。

"不逾距"应为"不逾矩"。

"又以十"为徐昂自误,《马氏文通》原文是"又'二十'"。

"又以(二)十"之后应该有逗号,不能说"又以(二)十皆静字也","又以(二)十"与前面的"十有五、三十、四十、五十、六十、七十"并列而为"皆静字也"之主语。

又,所引用的"十有五、三十、四十、五十、六十、七十,又二十"7个"静字",应分别加上引号,成为:

"十有五"、"三十"、"四十"、"五十"、"六十"、"七十",又"二十"

《昭七》:"其用物也宏矣,其取精也多矣,其族又大,所凭厚矣,而强死能为鬼,不亦宜乎?"(第19页)

[按]其中"其用物也宏矣"系"其用物也弘矣"之误。此系《左传》原文,又为《马氏文通》引文。马建忠、徐昂没有引错。

《改葬服议》"又安可取未葬不变服之例而反为之重服与?"(第19页)

[按]其中句末助字"与"字误,原书为"欤"。此系韩愈《改葬服议》原文,又为《马氏文通》引文。马建忠、徐昂引用无误。

诸引上下截意有所背,故以"而、竟而、反而、独"等字,各为转捩。既有证矣,然有时下截之于上截,虽非事理之所必有,而转以"而"字。设一或有之境者,亦此例也。故'而、或'两字并用者有焉。(第19页)

[按]本句中3个句号,前两个皆误。前一个句号把"以……等字各为转捩"与"既有证矣"割断,后一个句号把"以'而'字设一或有之境者"一语从中割断,有碍读者对原句的理

解。

"新版"又把这句中4个双音词"而竟"、"而反"、"而独"、"而或"统统被点破,"而竟"、"而反"、"而独"3词被点成"而、竟而、反而、独"4词,"而或"一词被点成"而、或"两词,不妥。

其实,这段话是《马氏文通》原话,商务印书馆1983年版《马氏文通》标点为:

> 诸引上下截意有所背,故以"而竟""而反""而独"等字各为转捩,既有证矣。然有时下截之于上截,虽非事理之所必有,而转以"而"字设一或有之境者,亦此例也。故"而或"两字并用者有焉。(第294页)

吕叔湘、王海棻《马氏文通读本》标点同,但把"然有时下截之于上截……"另起一段(第489—490页)。由此可知,"既有证矣"应该属于前句,其前不应当用句号点断。"新版"在"既有证矣"前用句号点断,反而让它属于下句,是错误的。

"或"字连用,其动作发自句主,"或"字为连字。句主如是复句分母,而"或"字属分子者,则为代字。(第20页)

[按]其中"复句分母"误,原书为"复数分母"。《马氏文通订误》中"复数分母"术语共两见,"新版"后文不误。

"乃"字上下文相背戾者,方为转捩连字。用作"然后、而后、于是"等解,或为更端之词,皆承接而非转捩,与"而"字具逆转、顺承两性同例。(第20—21页)

[按]"或为更端之词"后脱一"者"字。

有以顿为表词、煞以"也"字以决其是者。《孟》:"无他,疏之也;又无他,戚之也。""疏、戚"两外动字。"之、其"止词,合之成顿,

而为句之表词。(第21页)

　　[按]此为徐昂引《马氏文通》原文。"新版"有三个错误。

　　一是《马氏文通》引《孟子》为两例,"新版"误为一例。所引两例皆出于《孟子·告子下》,原文是:"有人于此,越人关弓而射之,则己谈笑而道之,无他,疏之也。其兄关弓而射之,则己垂涕泣而道之,无他,戚之也。"《马氏文通》所引"无他,疏之也"、"无他,戚之也"为不相连的两句,徐昂所据的《马氏文通》早期版本写作:"孟、无他、疏之也、又、无他、戚之也",徐昂引作:"孟无他。疏之也。又无他。戚之也。"吕叔湘、王海棻《马氏文通读本》标点为:

　　　《孟》:"无他,疏之也。"

　　　又:"无他,戚之也。"

　　"新版"以为《马氏文通》引《孟子》一例,把马氏表示"又引一例"的"又"也作为《孟子》原话,实误。

　　二是"之、其"止词不通。本来,马氏的意思是说,在"无他,疏之也"和"无他,戚之也"两句中,"疏""戚"是两个外动字,"之"是其止词。所以商务印书馆1983年版《马氏文通》和吕叔湘、王海棻《马氏文通读本》都标点为:"'之'其止词"。如果像"新版"那样,错误地标点成"'之''其'止词",这就是说"其"字也是"止词"了,可是,在"无他,疏之也"和"无他,戚之也"两句中,哪有"其"字呢?

　　三是"'疏、戚'两外动字"之后的句号错误。《马氏文通》的意思本来是说"疏、戚"是两外动字,"之"字是其止词,"疏"和"戚"分别与"之"字合之成顿,而为句之表词的,现在在

"'疏'、'戚'两外动字"后面用句号点断,变成了"'之、其'止词,合之成顿,而为句之表词"了,试问,"之其"是一个"顿",是句之表词吗?

读之为起词也,有助以"也"字者。(十六页)《论》:"古之狂者肆,今之狂也荡。"(第21页)

[按]其中"古之狂者肆"为"古之狂也肆"之误。此系《论语》原文,又为《马氏文通》引文。马建忠、徐昂引用无误。

"父子如此,何其怏耳。"……"何其怏耳"之"耳"有咏叹之意。……《魏志传注》"何其怏耳"之"耳"字与《公羊传》"尔"字同例。(第22—23页)

[按]其中三个"何其怏耳"的三个"怏"字都是"快"字之误。

经学家见经史中询问之句,有助以"也"字、"焉"字者,则谓"也、焉"两字同"乎"字,不知询问之句助以"也"字者,寓有论断口气。"也"字即下已言之矣。其助以'乎'字详后。(第23页)

[按]末句"'也'字即下已言之矣"中"即"字为"节"字之误,此系《马氏文通》原文。徐昂原书无误。

又,末句"其助以'乎'字详后"之"'乎'字"后脱一"者"字,此句为《马氏文通》原文。徐昂原书没有引错。

又云:"'邪'字助咏叹之句,亦时带又拟议之意。"(第23页)

[按]末句"亦时带又拟议之意"中"又"字系"有"字之误,此为《马氏文通》原文。徐昂原书无误。

马氏云:"亦皆咏叹之辞,而带又感叹之情尔。"(第23页)

[按]末句"而带又感叹之情尔"中"又"字系"有"字之误,

此为《马氏文通》原文。徐昂原书无误。

"知我者"、"罪我者"两顿,马氏皆以为读,凡起词殿者皆然。(第23—24页)

　　[按]末句"凡起词殿者皆然"为"凡起词殿'者'字皆然"之误,"者"字后脱一"字"字。又,"者"字为引用的字,应当加引号,否则不可理解。

马氏引《史记》、韩文,注明顿、读句。(七十三页至七十八页、九十四页至九十八页)亦多有可商者。(第24页)

　　[按]"注明顿、读句"之后不应该是句号,因为这前面只是个主语,后面的"亦多有可商者"为其谓语。又,"注明顿、读句"应点为"注明顿、读、句",《马氏文通》注明的是"读"和"句",而不是"读句"。

"新版"的标点与我的标点尚有多处不同,但笔者认为,它们只是增加了理解上的困难,并不致造成如上述所言的理解错误,在此就不详述了。

笔者以上所述,似有求全责备之嫌,但目的只在忠于科学,忠于原文。《南大语言学》发表徐昂《马氏文通订误》是有利于学术发展的,非常了不起。整理标点徐昂《马氏文通订误》的同志也花费了很大很多的精力,我们应当向他们表示感谢。希望今后有更多的人关心学术、关心语言学,希望《南大语言学》越办越好。

《马氏文通札记》辨惑

孙玄常先生的《马氏文通札记》写于1966—1972年,出版于1984年,是新中国成立后出版的第一本关于《马氏文通》的专著。在该书写作前,作者孙玄常先生就向著名语言学家吕叔湘先生请教治《马氏文通》之法,得到了吕先生的教诲。吕先生说:"马氏之书,有理论先后自相矛盾者,有理论不误而例证说明与之相抵牾者;有例证轶出理论之范围者;有马氏误而宜从他人之刊正者;亦有马氏自成体系,不能谓之误,而刊正者未悟其旨者。凡此诸类,所在皆是,读者宜一一究心,然后乃能有得。"1972年书稿写成后,又寄给吕叔湘先生校阅和修订,吕先生为之"细心校阅,逐篇修订,刊误正谬,并加批语"。吕先生的批语共28条,500字以上的有3条,最长的一条有800字左右。由于该书出版较早,且有吕叔湘先生批语,所以,该书在学术界有较大的影响。

但也正由于其出版较早,而且主要是在"文革"期间写成,没有良好的学术氛围,没有足够多的研究资料,其失误也就不可避免。李葆嘉先生1984年9月曾据《中华文史论丛·语言文字研究专辑》上发表的《马氏文通札记》的部分内容,写成《〈马氏文通札记〉辨证》一文,对其中几个问题加以辨证分析,澄清了《马氏文通札记》对《马氏文通》的一些误解。近来,笔者在阅读《马氏文通札记》

时,亦发现其中不少误解《马氏文通》的地方,亦即吕叔湘先生所谓"马氏自成体系,不能谓之误,而刊正者未悟其旨者"。惜《马氏文通》作者逝世已经100多年,虽被孙氏误解而不能申辩,甚为遗憾。今作《〈马氏文通札记〉辨惑》,续李葆嘉《〈马氏文通札记〉辩证》之貂,亦为《马氏文通》作一些辩护,其不妥之处,请方家指正。

"何"字合于静字,如"何肥也","又何廉也"等的"何"字作为状字,当然也可以说,但是把"何"字单用而有"为何、何故"之意者也作状字,却又不免自相矛盾。(《马氏文通札记》第36页)

[今按]《马氏文通》认为,"何"字是"询问代字",又是"疑难状字"。

《马氏文通》又认为,作为状字的"何",有两种情况:一是"何"字"合于静字",例如"何晏也!""何肥也!"二是"何"字单用而有"为何""何故"之意者。《马氏文通札记》对于"何肥也"的"何"字为状字,没有什么意见,但对于单用而有"为何""何故"之意的"何"字为状字不理解,说这些论述"表现出自相矛盾的地方"。(第35页)还说"把'何'字单用而有'为何''何故'之意者也作状字,却又不免自相矛盾"。(第36页)

其实,这是孙氏没有细读《马氏文通》状字章所致。

《马氏文通》卷六状字章专门论述了"何"字单用而有"为何""何故"之意者。并说这是"与询问代字同字而不同用者"。("文库"本第241页)有5个例句并作了3次解说。第一个例句是《论语·先进》:"夫子何哂由也?"《马氏文通》分析说:"犹云'夫子为何哂由也'。'为'字不言,单用'何'字合于动字,故为状字。"第二第三例句是:《论语·先进》:"回何敢死。"又:"何必读书。"《马氏文通》分析说:"两'何'字皆状字也。"第四第五例句是:《史记·高帝本纪》:"是何治宫室过度也。"《刺客列传》:"何必残身苦形,欲以求报襄子,不亦难乎!"《马氏文通》分析说:"两'何'字有'为何'或'何故'之解。"然后《马氏文通》总结说:"总之,凡'何'字单用而代转词者,则为状字;若为止词,为表词,与为司词者,则代字矣。"("文库"本第241—242页)

细读《马氏文通》卷六状字章的论述,我们可以看出,这一种作为状字的"何",总是用在主语之后、谓语之前,是"为什么"的意思,也就是马氏所说的"为何""何故"之意。

可以说,马氏把这种用法的"何"分析为状字,还是有他的道理的。但是,《马氏文通札记》却举出下面的例子来否定马氏的分析,倒是不够妥当的:

《马氏文通札记》先引《马氏文通》的一个例句及分析:

《公·隐元》:"元年者何?君之始年也,春者何?岁之始也。"——两"何"字皆为表词,一以诘"元年"为何,一以诘"春"为何也。

《马氏文通札记》接着说:"既然用为表词,只能说'用如静字',不能说'列诸状字'了。"(第37页)

我们知道,《公·隐元》"元年者何?……春者何?"是马氏论"何"字为"代字"的第一个例句,何时说要把它"列诸状字"的呢?

此处《马氏文通札记》主要是看中了此句的分析语中有"为何"二字,可是此"为何"非彼"为何",这里的"为何"是"是什么"的意思,是表词(一种谓语);作状字的"为何"是"为什么"的意思,是状词(一种状语),两者相差太远了。

《马氏文通》是根据"何"的句法功能来区分"何"字是代字还是状字的,是有他的道理的。

"新语"、"湘夫人碑"和"虞帝二妃之碑"都在动字"曰"字的后面,其地位应该是止词,宜乎视同宾次,可是马氏却说它"视同主次"。(《马氏文通札记》第50页)

[今按]《马氏文通》并没有把"新语"、"湘夫人碑"和"虞帝二妃之碑""视同主次"。

《马氏文通》的原文是:

三、凡题书名碑记者。

《史·陆贾传》:"号其书曰《新语》。"——"新语",书名,今在句中,与"其书"同次;若但曰"新语"以额书名,则可视同主次。

韩《黄陵庙碑》:"题曰湘夫人碑,今验其文,乃晋太康九年。又其额曰虞帝二妃之碑。"——总之,书名、碑记以弁于书、碑之首者,皆可视同主次。

《马氏文通》原文说得很清楚,把"新语"、"湘夫人碑"和"虞帝二妃之碑"视同主次,并不是就上面两个句子说的,而是指的另外一种情况。在上面两个句子中,"新语"、"湘夫人碑"和"虞帝二妃之碑"是什么"次",《马氏文通》没有细说,只是说"今在句中,与'其书'同次",也就是说,"其书"是什么次,它就是同于什么次。但是,如果不是在上面两个句子中,而是在作为书名、碑名,放在书和碑的题目的位置上,那就要"视同主次"。《马氏文通》说:"若但曰'新语'以额书名,则可视同主次。"又说:"书名、碑记以弁于书、碑之首者,皆可视同主次。"这里讲得很清楚,是在"但曰'新语'以额书名"时,是在"书名、碑记以弁于书、碑之首"时,它们才"视同主次",而不是在上面两个句子中"视同主次"。

我们承认,《马氏文通》上述这些话不怎么直接,但这并不影响人们对它的理解。何容(1942)《中国文法论》就解释过这段话,他说:"此等名字既无与之相对待者,也就只好视同主次。"何容的理解是对的,作为书名和碑名的名字,放在篇首,因为"无与之相对待者",不"视同主次"又能怎么样呢?可是《马氏文通札记》的作者不但没有看懂《马氏文通》原话,连何容的解释也没有看懂,反而提出疑问说:"按照何氏《中国文法论》所说:'此等名字既无与之相对待者,也就只好视同主次。'此说是否能得马氏之本意,姑存而不论。"这也不妥当。

《文通》中也有把止词作主次的。……把部分止词作为主次,也是可以讲得通的。(《马氏文通札记》第46—49页)

[今按]《马氏文通》会把止词分析为主次吗?我看不会,因为根据《马氏文通》给"宾次"下的定义,止词所处之位只能是"宾次"。

为了证明"《文通》中也有把止词作主次的",《马氏文通札记》讲了四条理由。但据笔者看,这四条理由全都不能成立。

其第一条理由是说"读为一句之止词,而'其'字为主次者",例如《马氏文通》把"王若隐其无罪而就死地"中的"其"字分析为主次。虽然《马氏文通》是把"王若隐其无罪而就死地"

中的"其"字分析为主次了,但这不能成为认定《马氏文通》把止词分析为主次的理由,因为"其"字不是止词。李葆嘉《〈马氏文通札记〉辨证》指出:"1.'其无罪而就死地'这一读是止词。2.'其'在这一读中居于主次。3.'隐'与这一读发生关系,与'其'不发生关系。""因此,认定'其'既是止词又作主次的说法是不能成立的。"

其第二条理由是说《马氏文通》把"使己为政不用,则亦已矣"句中的"己"字分析为主次。其实这句中的"己"字也不是止词,而且它前面的"使"字也不是动字。《马氏文通》认为这种用法的"使"字是连字,"己为政不用"为一"读","己"字居主次是因为它是读的起词,而不是因为它是什么动字的止词。《马氏文通》卷八说:"'若''苟''使'……诸字,皆事之未然而假设之辞,亦为推拓连字,惟以连读而已。"("文库"本第318页)下面举了《信陵君列传》"使秦破大梁而夷先王之宗庙,公子当何面目见天下乎?"等四个以"使"字为假设连字的例句,接着又举了以"乡使""向使""诚使"等为假设连字的一些例句,可知《马氏文通》认为"使己为政不用"中"使"字是"假使"之意,用在假设分句中,在这样的句子中哪有止词为主次之说呢?

其第三条理由是说《马氏文通》认为"生之谓性"、"此之谓大丈夫"等句中有止词转为起词而居主次,第四条理由是说《马氏文通》说"卫太子为江充所败"等受动句式中止词转为起词而居主次,都是讲的"止词转为起词而居主次",但这就更不能作为《马氏文通》把"止词作为主次"的证据了,因为这时的"止词"已经转为起词,已不再是"止词"了。它们之所以被分析为主次,是因为它们这时是"起词",而不是因为它们过去曾经是"止词"。

总之,说《马氏文通》把止词分析为主次是没有根据的。

另一个矛盾是代字和同动字问题。表示否定的"无"字,《文通》列于约指代字。(《马氏文通札记》第38页)

[今按]《马氏文通》代字中有"莫"字、"无"字,《马氏文通札记》的作者很不理解,在书稿中专门写了质疑此二字为代字的内容。吕叔湘先生看了书稿后,觉得不对,写批语指正说:"'莫'字的替代作用不容抹杀。"(第38页)后来,作者在出版前删去了批评"莫"字为代字的内容,而保留了批评《马氏文通》代字中有"无"字的内容。(第38—39页)

《马氏文通》代字中有"无"字错了吗?笔者以为并不错。因为"无"字是一个"无指代字"。

"无指代字",又叫"无指代词"、"无指指示代词"。在杨树达《词诠》、杨伯峻《文言文法》等书中已有论述,上个世纪80、90年代,朱声琦在这方面论述较多。

朱声琦(1998)《〈马氏文通〉的不朽功绩和严重缺憾》指出:无指代词"是代词中的一个重要组成部分。它分为肯定性无指代词(或、多、有)和否定性无指代词(无、亡、莫等)。所有的无指代词都作主语,能作主语的'或、有、多、无、亡、莫'等,就是无指代词"。

《马氏文通》代字章论"无"字为代字有3个例句,这3个例句是:

《高帝纪》:"相人多矣,无如季相。"——"无"者,于所

相多人之中无人如季相者。("文库"本第85页)

《淮阴侯列传》:"项王所过无不残灭者。"——"无"者,项王所过之处,无一处不为所残灭也。("文库"本第85页)

《贾山传》:"雷霆之所击,无不摧折者。"——犹云"雷霆所声之物无一物不为摧折"也。("文库"本第85页)

上面这3例中的"无"都是无指代字,《马氏文通》把它们分别解释为"无人""无一处""无一物"。朱声琦(1998)补正说第一例中的"无"应解释为"无一人"。

《马氏文通札记》引用了前两个例句,认为其中的"无"字"应该作同动字"。(第39页)

《马氏文通札记》还说:"把'无'字作为代字,它后面的成分如'如季相'等算什么呢?"(第39页)我们的回答是:"'无'字作为代字"即是句子的起词(主语),"它后面的成分如'如季相'等"即是句子的语词(谓语)。

《马氏文通》说"无"字是代字没有错。

"界说十九"后有"说明"云:"主宾者,义取对待,亦犹起止之义互相照应耳。故词分起止者,以言句读所集之字;而次分宾主者,以言诸字所序之位。其实起词之于主次,止词之于宾次,一也。故不更引书以明之。"从这段说明来看,好像主次就是起词,宾次就是止词,名异实同。……可是,我们读了卷三'实字'中'主次'和'宾次'两章,才知道并不如此简单。所谓'起词之于主次,止词之于宾次,一也'这句话,竟是不可相信的。"(《马氏文通札记》第44页)

[今按]"起词之于主次,止词之于宾次,一也"这句话,为

什么"不可相信"呢？关键在于《马氏文通札记》的作者误解了这一句话，把这句话错误地理解为"主次就是起词，宾次就是止词"，因而与《马氏文通》中关于主次和宾次的论述发生矛盾。

对于"起词之于主次，止词之于宾次，一也"一句，我们只要联系前后文，是不难理解的。《马氏文通》的意思是说，起词和止词是有联系的一对句成分术语（起止之义互相照应），主次和宾次是有联系的一对"次"的术语（亦犹起止之义互相照应耳），起词和止词是讲句子组织规律的（以言句读所集之字），主次和宾次是讲名代诸字在句中所处之位的（以言诸字所序之位），由于"词"和"次"是两个不同的分析角度，所以句中的同一个词，既可以从一个角度分析为起词，又可以从另一个角度分析为主次，或者既可以从一个角度分析为止词，又可以从另一个角度分析为宾次，作起词之字就是主次，作止词之字就是宾次，起词与主次的关系，和止词与宾次的关系都是一样的（起词之于主次，止词之于宾次，一也）。因此在讲过起词和止词之后，再讲主次和宾次，就不用举例说明了（故不更引书以明之）。

何容（1942）《中国文法论》对此句也做过一番解释，他说："马氏又说'起词之于主次，止词之于宾次，一也'，这似乎正是说，起词与主次的关系与止词与宾次的关系是一样的，主次之字不限于为句读之起词者，宾次之字也不限于为句读之止词者，要是把它解释成'起词与主次，一也；止词与宾次，一也'，那就更是误解。"能说何容的解释不对吗？

只要放弃"主次就是起词,宾次就是止词"的偏见,"起词之于主次,止词之于宾次,一也"一句有什么"不可相信"呢?

同次用如加词的共有七类。……第七类是"更有名、代等字连书而意平列者,概用'与、及、以及'为连及之辞,今附记于此,以平列名、代诸字,所指或异,而所次尽同也"。(《马氏文通札记》第70—73页)

[今按]《马氏文通》说过:同次"用如加词者,式有六"("文库"本第106页)。"式有六"就是共有六类,怎么会变成"共有七类"的呢?原来《马氏文通札记》把"更有名、代等字连书而意平列者,概用'与''及''以及'为连及之辞,今附记于此"者当成了"第七类"了。

谁说这是"第七类"的呢?《马氏文通》讲同次"用如加语者,式有六",并且每一条前都标有数字,即:

一、凡官衔勋戚诸加词先后乎人名者,皆曰加词。

二、凡诸词相加,所称虽同,而先后殊时者,亦曰加词。

三、约指、逐指代字,加于名代诸字之后,以为总括之辞者,曰加词。

四、凡先提一事而后分陈者,亦曰加词。

五、起词止词后,凡系读以为解者,亦曰加词。

六、凡动字、名字历陈所事,后续代字以为总结者,亦曰加词。

显然没有"第七类"。

我们也应该注意读一读《马氏文通》的这段话:"更有名、

代等字连书而意平列者,概用'与''及''以及'为连及之辞,今附记于此,以平列名、代诸字,所指或异,而所次尽同也。"这里说"附记于此",就说明它与前面的同次用如"加词六类"不同,而且还明说"所指或异",与同次的定义("凡名代诸字,所指同而先后并置者,则先者曰前次,后者曰同次")不同,马氏怎么会把它作为"同次用如加词的第七类"呢?(参见李葆嘉《〈马氏文通札记〉辩证》)

可是下面的说明却使人不明白:"非表词而后者,必所数者可不言而喻。故凡物之公名有别称以记数者,如车乘马匹之类,必先之。有有称,有无称,而连记者,则有者称之,无者第数之,然要皆后乎公名。"……有些数字置于名字后面,马氏说是"非表词而后者",那么不作表词而作什么呢?我们看来,"军十余万"的结构跟"礼仪三百,威仪三千"是一样的,似乎没有区别。马氏却说是"非表词",叫人不明白。我们只好把问题提出来质之高明。(《马氏文通札记》第86—87页)

[今按]《马氏文通》之"滋静"相当于今之"数词"。"滋静"之第一式,叫做"数目",相当于今之"基数词"。《马氏文通》认为,"数目字"(即"基数词")"先于名者,常也",如"一气、二体、三类、四物"等等。

《马氏文通》又认为,"数目字"也可以后于名字。这又有两种情况,一种是"数目字"作表词,一种是"数目字"不作表词。《马氏文通札记》对"数目字"后于名字作表词没有不同意见,对"数目字"后于名字不作表词却很不理解。《马氏文通》说:"非表词而后者,以所数者可不言而喻。"("文库"本第122

页)《马氏文通札记》说:这样的"说明却使人不明白"(第86页)。

《马氏文通》中论"非表词而后者"有这样的例句:

[1]《史记·平准书》:"其后四年,而汉遣大将将六将军,军[十余万],击右贤王。"

[2]《蜀志·诸葛亮传·注》:"昔世祖之创迹旧基,奋[羸卒数千],摧[莽强旅四十余万]于昆阳之郊。"

[3]韩《平淮西碑》:"大战十六,得[栅城县二十三],降[人卒四万]。"

[4]《史记·滑稽列传》:"于是齐威王乃益赍[黄金千镒],[白璧十双],[车马百驷]。"

[5]《秦策》:"文侯示之[谤书一箧]。"

在以上几例中,"十余万"、"羸卒数千"、"莽强旅四十余万"、"栅城县二十三"、"人卒四万"、"黄金千镒"、"白璧十双"、"车马百驷"、"谤书一箧"皆非表词,而为"止词"。

《马氏文通札记》在引用了《史记·平准书》"其后四年,而汉遣大将将六将军,军[十余万],击右贤王"等句后认为:"马氏说是'非表词而后者',那么不作表词而作什么呢?我们看来,'军十余万'的结构跟'礼仪三百,威仪三千'是一样的,似乎没有区别。马氏却说是'非表词',叫人不明白。我们只好把问题提出来质之高明。"其实这个问题很简单,不一定要"质之高明",普通人也可回答:"军十余万"的结构是"动字+止词","礼仪三百"和"威仪三千"的结构是"起词+表词"。它们当然是不同的。

值得注意的是马氏总是说"散动",不说"散动字"。(《马氏文通札记》第 88 页)

[今按] 这是吕叔湘先生为《马氏文通札记》第八章论动字所写的批语中的一句。我们觉得这是与《马氏文通》原文不符的。

据我们了解,《马氏文通》中 39 次说"散动",24 次讲"散动字",并不是"总是说'散动',不说'散动字'"。"散动字"说法在卷三、卷五、卷七、卷十等卷中都有,试举几例:

《马氏文通》("文库"本,下同)第 128—129 页:"为君难,为臣不易"两句,其起词为顿,即散动字与止词,并无起词故也。

第 222—223 页:"不教民而用之,谓之殃民。"——"教""用"两皆散动字,"民"与"之"字各为止词也。

第 223 页:《庄·达生》:"忘足,履之适也。忘腰,带之适也。"——"忘足""忘腰"两散动字与其止词,而各为句之起词。

第 224 页:《孟·梁上》:"兽相食,且人恶之。为民父母行政,不免于率兽而食人,恶在其为民父母也?"——"于"介字,"率"散动字,"率兽"乃"于"字之司词也。

第 225 页:"故将大有为之君,必有所不召之臣。"——"大有为"与"不召",皆散动字与其状字,皆在偏次,以附于"君""臣"二字者也。

第 248 页:散动字用于偏次,而名字在正次者,率间"之"字以明之。

第 262 页:"以"介字也,联缀实字也。而用法有二:一司名字者,一司散动字者。

第 263 页：其司散动字者，则必后乎其他动字，凡以言所向也。

第 274—275 页：《史记·诸侯年表序》："故广强庶孽，以镇抚四海，用承卫天子也。"——"用"司散动字，与"以"字同，此避重耳。

第 406 页：《左传·隐公十一年》云："礼，经国家，定社稷，序民人，利后嗣者也。"——三顿皆散动字为表词也。

以上 10 处，仅为举例。

动字之用：一、无属动字。……二、坐动。……三、散动。（《马氏文通札记》第 89—90 页）

[今按]《马氏文通札记》原稿说《马氏文通》的动字分为八类，吕叔湘校批时指出："马氏并未分为八类，……无属动字论述寥寥数语，马氏认为是式还是用，不清楚"（第 88 页）。据此，孙玄常先生修改了原稿，把无属动字定为"动字之用"（第 89 页）。

《马氏文通札记》之"动字之用"共列 3 类，一是"无属动字"，二是"坐动"，三是"散动"。我们觉得，把"坐动"和"散动"属之"动字之用"，甚为合适，因为它们不是动字的"类"，而是句法分析时给动字确定的名称，"坐动"相当于"谓语动词"，"散动"相当于"非谓语动词"，就像"谓语动词"和"非谓语动词"不是动词的小类一样，"坐动"和"散动"也不是动字的小类，也就是说，它们是"动字之用"。

但无属动字却不是"动字之用"。无属动字与其他动字（外动字、内动字、助动字、同动字）一样是"动字之式（类）"。

《马氏文通》说:"动字所以记行,行必有所自,所自者,起词也。然有见其行而莫识其所自者,则谓之无属动字,言其动之无自发也。凡记变,概皆无属动字"("文库"本第189页)。这就是说,"无属动字"作为动字的一个类,与其他类动字的区别是:其他动字其行"必有所自",而无属动字其行"莫识其所自",因而它是与其他动字(外动字、内动字、助动字、同动字)并列的"类",用《马氏文通札记》的话来说,它是"动字之式(类)",孙氏把它归入"动字之用"是不对的。

《文通》把坐动后面的散动分为两类:第一类是两个动字相承,是同一个起词的两个动字,第一个是坐动,第二个是散动,可又说这个散动"与助动无异";第二类是坐动后有个承读,这个承读是坐动的止词,……叫人不明白的是说第一类的散动"与助动无异"。(《马氏文通札记》第110—111页)

[今按]《马氏文通》没有说"散动'与助动无异'"。

《马氏文通》卷五的"动字相承"节说:"夫曰助动,必有所助之动字为之后焉,后之者,所谓散动也。然动字之可承以散动者,不尽助动然也。凡动字之在句读,有散动为承者,概为坐动。使散动之行与坐动之行同为起词所发,则惟置散动后乎坐动而已。夫如是,与助动无异。或不然,而更有起词焉以记其行之所自发,则参之于坐、散两动字之间而更为一读,是曰承读。于是,所谓散动者,又为承读之坐动矣。"

《马氏文通》这段话的意思是说,在助动之后"必有所助之动字",这时助动字是坐动,"所助之动字"就是散动(夫曰助动,必有所助之动字为之后焉,后之者,所谓散动也),这是"动字相承"的第一种形式,我们可以把它记为"坐动(助动)+散动";但是并不是只有助动才可以承以散动,其他动字也可以承以散动,而只要有散动为承,这个动字就是坐动(然动字之可承以散动者,不尽助动然也。凡动字之在句读,有散动为承者,概为坐动),这是"动字相承"的第二种形式,我们可以把它记为"坐动(其他动字)+散动"。在第二种形式中,作为"坐动"的其他动字"与助动无异"。

在《马氏文通札记》出版之前把书稿送给吕叔湘先生看的时候,吕先生已经发现这一问题,指出:"马氏原文含糊,也可以解为'坐动与助动无异'。这样似更合理。"(第111页)这就是《马氏文通札记》第八章中吕先生写的第三条批语。吕先生的理解是对的,但《马氏文通札记》的作者没有按照吕先生的意见进行修改。

"顿"完全是从修辞式诵读上着眼的。……有的人偏偏重视"集数字"而不注意"于句读之义无涉也"这句话,所以把"顿"看作"短语"(词组),把它比作英语的 phrase,那真是失之千里,不善读马氏之书矣。(《马氏文通札记》第178—179页)

[今按]《马氏文通》的"顿",是一个很难说清楚的概念。《马氏文通》说:"凡句读中,字面少长,而辞气应少住者,曰顿。"("文库"本第404页)这话不很清楚。我们觉得,它是"句读中,字面之因其少长而使得辞气少住形成的那一部分",也就是"句读中,因辞气少住而形成的那一部分字面"。说白了,就是因为句中小停顿而形成的一个小的语言片段。

有人说"顿"是词组,或者是"非主谓结构的词组",也有人否认它是一种词组。《马氏文通札记》则是一会儿说它是词组,一会儿又否认它是词组。

《马氏文通札记》在第一节《简述》中说:"顿大多是非主谓结构的词组,读大多是主谓词组。"(第 4 页)可是到了第十三节《顿和读》中却说:"'顿'完全是从修辞式诵读上着眼的。……有的人偏偏重视'集数字'而不注意'于句读之义无涉也'这句话,所以把'顿'看作'短语'(词组),把它比作英语的 phrase,那真是失之千里,不善读马氏之书矣。"前后矛盾。

孙氏自己先说它是词组,后又批评说,把"顿"看作词组者"失之千里,不善读马氏之书",这是不是在说自己"失之千里,不善读马氏之书"呢?

这些例句里,读的语法结构包括单词,如"出"、"入"、"天也";偏正词组,如"纯孝也"、"恶名也";动宾词组,如"居是邦也"、"被苫盖,蒙荆棘",介宾词组,如"于今七年矣","以不早定扶苏"。还有一些复杂的,如"挟天子以令天下"、"降心以相从也"。无论哪一种格式,都没有起词。……这些读没有起词,跟读的定义发生矛盾。(《马氏文通札记》第 189 页)

[今按]《马氏文通》中,"读"的界说(定义)是:"凡有起、语两词而辞意未全者曰读。"("文库"本第 22 页)根据这个定义,"读"需要由起词、语词两部分组成。可是,《马氏文通》书中所说的"读",却很多没有起词。马氏的解释是:起词省略,或本无起词。《马氏文通》卷十象一论"起词",共提出了"起词省略"的四条规律,另外还谈到"本无起词""起词借代"等问题。

《马氏文通札记》在引了《马氏文通》中一些没有起词的

"读"的例子后说:"这些读没有起词,跟读的定义发生矛盾。"(第189页)

现在我们来分析两例:

[1]《封禅书》:"臣尝游海上,见安期生。"……诸引,皆有记处之读先乎其句。

[2]《公羊·隐公二年》:"女,在其国称女,在涂称妇,入其国称夫人。"……诸引,各有记时之读,而又各不相类,故胪举焉以为式。

对于例[1],《马氏文通札记》认为"尝游海上"为读,对于例[2],《马氏文通札记》认为"在其国"、"在涂"、"入其国"为读,然后指责说:"如果把'尝游海上'作读,它就没有起词;如果把'臣'作为起词,'尝游海上'就不能作状起词的读。如果把'在其国'作读,它就没有起词;如果把'女'作起词,'在其国'就不能作状起词的读。"(第190页)

我们的解释是:在例[1]中,"臣尝游海上"是读,它有起词又有语词,不存在"没有起词"的问题。"见安期生"是句,它的起词承前面的读的起词而省略,这种省略,属于起词省略的第三条规律:"读如先句,句之起词已蒙读矣,则不复置"。同类的例子有:《孟子·梁惠王上》:"寡人之于国也,尽心焉耳矣。"《左传·襄公四年》:"昔周辛甲之为大史也,命百官……"《左传·襄公二十一年》:"于是祁奚老矣,闻之……"《史记·叔孙通列传》云:"叔孙通知上益厌之也,说上曰。"《魏其列传》云:"丞相入奏事,坐语移日。"

在例[2]中,"在其国""在涂""入其国"为读,它们的起词也是省略了,可以用"其"字补出,意为"女,[其在其国]称女,[其在涂]称妇,[其入其国]称夫人。"《马氏文通》常用这种方法解释句子。可对比的例句有:《史记·十二诸侯年表序》:"齐晋秦楚,[其在成周]微甚。"《马氏文通》解释说:"'微甚'者,'齐晋秦楚'之表词也……'其在成周'四字一读,参于句中。"("文库"本第58页)同类的例句还有:韩愈《原毁》:"古之君子,[其责己也]重以周,[其待人也]轻以约。"《原道》:"噫,后之人,[其欲闻仁义道德之说],孰从而听之。"韩愈《师说》:"古之圣人,[其出人也远矣],犹且从师而问焉。"

由于《马氏文通》有"读"之起词省略之说,所以,没有起词的"读",跟"读"的定义是没有矛盾的。关键是你要能知道它是怎样略了起词。

《中国文法论》提出了一个说法:"这个矛盾,我们或者可以这样解释:凡'而'字连结两个形式上可以成为句的部分,要是两部分是对等关系(co-ordination),就成为排句,两部分都是句;要是前一部分对后一部分是从属关系(sub-ordination),就不成为排句,因为前一部分是读。"这个原则,当然也可以适用于别的连字来连接的句子。可是碰到一个具体例子,也会有困难。比如"纵不为身,奈宗庙何"是两个排句,"纵爱身,奈辱朝廷何"是读和句。我们很难说"纵爱身"对后面的"奈辱朝廷何"是从属关系,"纵不为身"和"奈宗庙何"是对等关系。看来马氏创立句读论时,至少没有处处考虑周详。(第196—197页)

[今按]《马氏文通》没有说过"纵不为身,奈宗庙何"是"两个排句"。《马氏文通》在讲"排句而意无轩轾者"时并没有

把这一句作为例句。

《马氏文通》倒是在讲"叠句而意别浅深者"时举了下面这个句子：

> 《刘向传》云："陛下为人子孙，守持宗庙，而令国祚移于外亲，降为皂隶，纵不为身，奈宗庙何？"——所引诸句之式，或不相类，而各有连字呼应，故皆有浅深之别。

（"文库"本第 432 页）

《马氏文通札记》第 195 页也引用了这个句子，并接着从这个句子引出了《马氏文通》认为"'纵不为身，奈宗庙何'是两个排句"，"'纵不为身'和'奈宗庙何'是对等关系"（第 196 页）的说法。

其实，《马氏文通》并没有说"'纵不为身，奈宗庙何'是两个排句"，而是说"陛下为人子孙，守持宗庙，而令国祚移于外亲，降为皂隶，纵不为身，奈宗庙何"整个儿一句是"叠句而意别浅深者"。

《马氏文通》的意思是说，这个句子的两部分有连字"而"呼应（有连字呼应），前一部分（陛下为人子孙，守持宗庙）意"浅"，后一部分（令国祚移于外亲，降为皂隶，纵不为身，奈宗庙何？）意"深"，是个语意上"有浅深之别"的"叠句"。哪里是说"纵不为身，奈宗庙何"是"两个排句"呢？哪里是说"'纵不为身'和'奈宗庙何'是对等关系"呢？断章取义，指鹿为马，不是学术研究应有的态度。

从《马氏文通》对这句的解说中"所引诸句之式"可以看出，该解说语并不是只就此一句说的。查《马氏文通》原文，知道这是对以上 7 个例句的集中解说。这 7 个例句都是"有连字呼应"而语意上"有浅深之别"的"叠句"。

再强调一点,《马氏文通》是绝不会把"纵不为身"分析为一个什么"句"的。《马氏文通》说过:"推拓连字,要皆用以连读而已。其拓开跌入之辞,则有'虽'、'纵'两字。"(第 316 页)作为推拓连字的"纵",是只用以连"读",而不用以连"句"的。今天我们称之为分句的"纵……"在《马氏文通》中一律被分析为"读",而不是什么"句"或"排句"。除此以外,连"读"(又称"领读")的推拓连字还有"虽"字,还有"若"、"苟"、"使"、"如"、"设"、"令"、"果"、"即"、"诚"、"假"诸字。("文库"本第 318 页)《马氏文通札记》说《马氏文通》认为"'纵不为身,奈宗庙何'是两个排句",是没有根据的。

按马氏的解释,认为:"欲明正义,应将前后左右之情境先述焉,而正义乃明。故凡读之先乎句者,皆所以述正义之情境也。"……那么"君子食无求饱"又怎么能作"居无求安"的读,先述"居无求安"的情境或缘因呢?"君子食无求饱,居无求安"正好是两个排句,所以,"排句而意无轩轾者"就引此以为例,可见放在这里作为读先乎句是不妥当的。(《马氏文通札记》第 197—198 页)

[今按]《马氏文通》卷十论"读先乎句"句式时,有一个例句是:

《论语·学而》云:"君子食无求饱,居无求安。"

由于《马氏文通》没有讲这一例句中什么是"读",什么是"句",所以引起了后人的疑惑。《马氏文通札记》的作者也不例外。他误以为马氏是说"君子食无求饱"为"读","居无求安"为"句",因而批评说:"'君子食无求饱'又怎么能作'居无求安'的读,先述'居无求安'的情境或缘因呢?'君子食无求饱,居无求安'正好是两个排句,所以,'排句而意无轩轾者'就引此以为例,可见放在这里作为读先乎句是不妥当的。"

其实《马氏文通》根本就没有说"君子食无求饱"是读,"居无求安"是句,也没有认为"君子食无求饱"是"先述'居无求安'的情境或缘因",《马氏文通》的意思是:

(1)"君子食无求饱"是一个"读先乎句","君子食"为读,"无求饱"为句,起词"君子"蒙乎读而为句读之联。《马氏文通》中与之同类的"读先乎句"还有"吾少也贱"、"彼臭之而嗛于鼻"、"人之其所亲爱而辟焉"等,它们都是由"读"和"句"两部分组成的"读先乎句"。

(2)"居无求安"也是一个"读先乎句","居"为读,"无求安"为句,"读"和"句"的起词都承前而省略。《马氏文通》中与之同类的"读先乎句"还有"引之则俯"、"舍之则仰"、"视思明"、"听思聪"、"出因其资"、"入用其宠"、"饥食其粟"等,它们都是由"读"与"句"两部分组成的"读先乎句"。

(3)《马氏文通》在讲"读先乎句而有起词为联者"时举"君子食无求饱,居无求安"为例,是把两个"读先乎句"放在一起举例的,这在《马氏文通》中是并不少见的。因而不能认为《马氏文通》把它"放在这里作为读先乎句是不妥当的"。

笔者有《略谈〈马氏文通〉的"读先乎句"》一文(《徐州师范大学学报》2002年第4期),可参看。

《马氏文通读本》商榷

吕叔湘、王海棻编《马氏文通读本》,上海教育出版社1986年出第一版,2000年小作变动出版了"2000年2月第1版";2001年,上海世纪出版集团出版了"世纪文库"版《〈马氏文通〉读本》,标为"2001年7月第2版",书名中"马氏文通"四字上开始有了书名号;2005年,"世纪文库"编入"世纪人文系列丛书",上海世纪出版集团又重新排印出版了《〈马氏文通〉读本》,标为"2005年4月第2版",当称为"新2版"。《马氏文通读本》还收入《吕叔湘全集》,影响很大。

1986年以前《马氏文通》的几种版本都不便于阅读,也不便于翻查。《马氏文通读本》正是为了弥补这个缺陷而编写的。《读本》在《马氏文通》本文之前增加了一个3万多字的长篇导言,介绍《马氏文通》的作者、语法体系、优点和缺点。《读本》还改变了原书的行文排版格式,细分章节,把原书引例一一另起列条,编上序号,又进一步完善了例句类型的提示语。《读本》还校正了原书许多讹夺,编写了700多条附注,编写了语词索引999条。由于作者的辛勤劳动,使《马氏文通》有了一个有史以来最佳的"可读之本",也成为学习《马氏文通》、研究《马氏文通》的"必读之本"。

《马氏文通读本》出版后,我们先后看到三篇评论《马氏文通读本》的文章,这就是:严吾《一部真正的"可读之本"——读〈马氏文通读本〉》,张清常《〈马氏文通读本〉读后》,文炼、沈锡伦《〈马氏文通〉研究的新成果——评〈马氏文通读本〉》。三篇评论文章都给《马氏文通读本》以极高的评价。

《马氏文通读本》,作为研究《马氏文通》的经典之作,自不待言矣。不过,在编写、校对方面的少数可商之处还是有的。现整理出来,以求教于方家,并与作者商榷,供作者参考。

《读本》原文:上册付印题记

《文通》之作,其用意具详前后两序并凡例矣。一时草创,未暇审定,本不敢出以问世。友人见者,皆谓此书能抉前人作文之奥,开后人琢句之门,非洞悉中西文词者不办。人苟能玩索而有得焉,不独读中书者可以引通西文,即读西书者亦易于引通中文,而中西行文之道,不难豁然贯通矣。怂恿就梓,得六卷,而论实字已全。其论虚字,论句读,且俟续印。建忠自记。(《目录》前一页)

[今按]"上册付印题记"这个题目不妥。

这段内容原无标题,印在卷六的后面,自为一页,目录页上向无记载。后来章锡琛《马氏文通校注》在其目录上列出《自记》二字作为题目,标出页码,字体规格与卷标题相同,但正文中仍无题目。商务印书馆1983年版《马氏文通》承之。

把这段内容标为《自记》是可以的,因为这段内容的最后即"建忠自记"四字。把这段内容标为"付印题记",就要加上必要的限定词,因为它不是《马氏文通》全书的"付印题记",而只是前六卷的"付印题记"。因此要说是"付印题记",只能是

"1—6卷付印题记"。

把这段内容标为"上册付印题记",不合作者原意。作者之意是要出版10册,作者生前没有出版上、下册之意。作者死后,商务印书馆1904年出版了"上、下册"两册装的《马氏文通》,但这段"自记"也不在上册,而是在下册卷六的后面。这个版本经过几十次重印,流传了几十年。

总之,这段内容标为"上册付印题记"是不妥的。

《读本》原文:《文通》的作者虽然一般地说是以西方语法为范本的,可是在这个问题上不盲从,毅然决然把"与"字划归介字,用以维持他联字、顿者为介字,联句、读者为连字的原则,不能不说他有见识。(《读本》第14页)

[今按]很难说《马氏文通》中有这样一个"联字、顿者为介字,联句、读者为连字"的原则,因为《马氏文通》的介字也可以联"读",连字也可以用来联"字"和"顿"。

联"读"的介字,《马氏文通》卷七讲到了"及"和"於"。特别是"於"字,马氏说:"'於'字司读者为常。"(《读本》第1版第436页)例如:

《孟·梁上》:"王无异於百姓之以王为爱也!"——"百姓之以王为爱"一读,乃"异"字转词,今为"於"字所司。(《读本》第1版第436页)

又《离下》:"有故而去,则君使人道之出疆,又先於其所往。"——"其所往"一读,"於"字司词。(《读本》第1版第436页)

又《万下》:"或曰,百里奚自鬻於秦养牲者。"——"秦

养牲者"一读,"於"字司焉。(《读本》第1版第436页)

《论·子路》:"君子於其所不知,盖阙如也。"——"其所不知"一读,"於"字司之。(《读本》第1版第437页)

连字联"字",一可以从连字的定义(界说)来看。马氏给连字的"界说"就是:"凡虚字用以为提承展转字句者,统曰连字",其中说的是"字"和"句"而不是"句"和"读"。二可以从马氏对连字"而"、"或"、"虽"等字的具体论说来看。《马氏文通》卷七论连字"而"时,花很大篇幅论说"而"字连接动字或连接"动、静诸字",其观点有:

"'而'字用以过递动字者。"(《读本》第1版第471页)

"前后两动字,中间'而'字以连之。"(《读本》第1版第471页)

"所引句中,'而'字皆参两动字间。"(《读本》第1版第471页)

"前后动字,其第二动字有'之'字为止词者,中参'而'字,亦成四字。"(《读本》第1版第472页)

"'而'字用以过递动静诸字者。"(《读本》第1版第475页)

"不特此也,"而"字亦可用为状字与动静诸字之过递者。"(《读本》第1版第477页)

"('而'字)又可用为介字与动静诸字之过递者,惟不常耳。"(《读本》第1版第480页)

"若'而'字之前若后惟有名字者,则其名必假为动静字矣。不然,则含有动静之字者也。不然,则用若状字者

也。"(《读本》第1版第481页)

"代字单用为上下截者,惟询问代字则然,为其为表词也。是则'而'字之上下截,无论字为何类,然必用若动静字者然,而后'而'字乃为之过递也。此不变之例也。"(《读本》第1版第484页)

此外,《马氏文通》还谈到连字"或"连接"字"和"顿"的问题。例如《文通》引《易·系辞》"君子之道,或出,或处,或默,或语"之后说:"此'或'字分承者,皆单字也。"(《读本》第1版第507页)又举《晁错传》"今使胡人数处转牧行猎于塞下,或当燕代,或当上郡、北地、陇西,以候备塞之卒"一句分析说:"此'或'字分承顿也。"(《读本》第1版第508页)

《马氏文通》还谈到连字"虽""领起一字"的问题。它说:"'虽'字有以领一字者,有以领一读者。"(《读本》第1版第526页)例如:《论语·乡党》:"见齐衰者,虽狎必变。见冕者与瞽者,虽亵必以貌。"《礼·中庸》:"果能此道矣,虽愚必明,虽柔必强。"《马氏文通》分析说:"诸'虽'字皆领一字以为推宕者。"不过马氏又说:"然所领者虽仅一字,而与读无别。"(《读本》第1版第526页)

总之,《马氏文通》中似乎没有"联字、顿者为介字,联句、读者为连字"的原则。

既然联字、顿、读者可以为介字,联字、顿、读者也可以为连字,那么,《马氏文通》是根据什么来区分介字和连字呢?

我觉得,马氏是根据所联的字、顿、读的语法功能来区分介字和连字的。如果所联的字、顿、读是名字性质,则联系它的那个字是介字,如果所联的字、顿、读是动字性质,则联系它的那个字是连字。

我们注意到,马氏讲介字司词时,主要是讲介字司名字、司代字,讲司代字则讲司"之"字、"所"字、询问代字等,讲到了司顿、司读,但又曾指出是"顿、读之用如名者"(《读本》第451页);马氏讲连字联字、顿时,主要只讲"过递动字",所联系者或两者都是动字,或其中一方是动字,或者虽为名字但"必假为动静字",也曾指出:"虽"字"以领一字"时"所领者虽仅一字,而与读无别"(《读本》第526页)。所以,我认为,马氏区分介字和连字,除了联句者皆为连字外,联字、顿、读者,则是根据其为名字性质还是为动字性质来区分的,联名字性质之字、顿、读者,是介字,联动字性质之字、顿、读者,为连字。

《读本》原文:"名、代等字连书而意平列者"一项列入同次,与"同次"定义不符,以"子罕言利与命与仁"为例,"利""命""仁"都是"言"的止词,哪是哪的同次呢?(《读本》第1版第28页,第2版第27页)

[今按]其实,《马氏文通》并未把"名、代等字连书而意平列者"一项列入同次,而只是说"附记于此"。《马氏文通》的原文是:"更有名、代等字连书而意平列者,概用'与''及''以及'为连及之辞,今附记于此,以平列名、代诸字,所指或异,而所次尽同也。"(《读本》第1版第195页)

这当中,首先应注意的是"附记于此"四个字,也就是说,它是一个"附记",而不是本段落的"主论"。《马氏文通》中有不少"附记"、"附论"、"附",其所"附论"者与前文"主论"总有很大的区别。如"动字相承"节附论"两动字意平而不相承者",其实"动字相承"与"动字不相承"是完全相反的,我们不能因为把"两动字意平而不相承者"附于"动字相承"节,就把它看成"动字相承"的一个类别。再如,《马氏文通》论连字"且"时,把状字"且"的一种用法"附"于其后,我们也不能因此而认为状字"且"和连字"且"同一类别。还有,《马氏文通》在论说"表词之句"之"断其将然者"时,附论"谕之使然与禁其不然者",其实,"表词之句"是论断句,而"谕之使然与禁其不然者"是"祈使句",虽然附在后面,而本质根本不同。

其次,我们还要注意其中"所指或异"四字,因为"同次"的界说是:"凡名代诸字,所指同而先后并置者,则先者曰前次,后者曰同次。"(《读本》第1版第181页)既然同次是"所指同","名、代等字连书而意平列者"是"所指或异",那它就不是一回事。马氏虽把它附记于此,但没有把它看成一回事,没有把它"列入同次"。

李葆嘉《〈马氏文通札记〉辩证》指出:马氏在此说的是"次同"("所次尽同"),而不是"同次","次同"与"同次"是不同的。

以"子罕言利与命与仁"为例,"利""命""仁"都是"言"的止词,它们都是"宾次",所以是它们的"次"相同(次同),而不是"同次"。

《读本》原文:《文通》……说"君子食无求饱"是读,"居无求安"是句。这怎么说得通呢?(《读本》第30页)

[今按]虽然《马氏文通》在"读先乎句而有起词为联者"题下引有《论语·学而》"君子食无求饱,居无求安"例句,但并没

有说"君子食无求饱"是读,"居无求安"是句。所谓"说'君子食无求饱'是读,'居无求安'是句",都是后人的猜测。笔者的不同看法是:"君子食无求饱"是一个"读先乎句","居无求安"又是一个"读先乎句",其中"(君子)食"是读,"无求饱"是句,"居"是读,"无求安"是句,"君子"是"起词为联"。还是完全说得通的。

我们这样分析的依据是,《马氏文通》对《论语·子罕》"吾少也贱"的分析。他说"少也"为"一读",又说"'贱'字一句",起词"'吾'字已蒙乎读(即'吾少也'为读),则下句不复提矣"。(《读本》第1版第641页)

《马氏文通》对《荀子·荣辱篇》"彼臭之而嗛于鼻,尝之而甘于口,食之而安于体,则莫不弃此而取彼矣"一句的分析,他说"共计读三、句四"(《读本》第1版第642页),实际上是认为"彼臭之而嗛于鼻,尝之而甘于口,食之而安于体"是三个"读先乎句",且有"起词('彼')为联"。

既然"彼臭之而嗛于鼻,尝之而甘于口,食之而安于体,则莫不弃此而取彼矣"是"读三、句四",那么"君子食无求饱,居无求安"就是"读二、句二",就是两个"读先乎句","君子食无求饱"是一个"读先乎句","居无求安"是一个"读先乎句"。

《读本》原文:《文通》讲句读,犯了术语不够用,问题说不清的毛病。讲句读,至少要有单句、复句、主句(正句)、从句(副句、偏句),或者再加上母句、子句(名词子句等),才大致够用,而《文通》仅仅依靠"句"和"读"这两个术语,怎么能不左支右绌,没法把问题说清楚呢?(《读本》第34页)

[今按]我们觉得,《马氏文通》论句读,并没有"术语不够用,问题说不清"的毛病。

"句"和"读"这两个术语,虽说是我国古已有之,但《马氏文通》的"句"和"读"已不是传统语文学中的"句"和"读",它们是被赋予了西方语法学中"主句(正句)""从句(偏句、名词子句等)"内涵的新的"句"和"读"。

而且,《马氏文通》也并非真的只有"句"和"读"这两个术语。我们查商务印书馆1983年版《马氏文通》书后"词语索引",即得"句、叠句、排句、两商之句、反正之句"等术语11个。查《马氏文通读本》之"词语索引",除上述11个术语外,又得"比拟之句、命戒之句、设问之句、注解之句、舍读独立之句"等12个。再读《马氏文通》原文,尚有"感叹句、设问句、转折之句、与读相联之句、问答之句、收应之句、禁令之句、谕禁之句、谕令之句"等20余个术语。这说明,《马氏文通》论句法,关于"句"的术语至少有40多个,关于"读"的术语,则有"起词之读、表词之读、止词之读、承读、状读、静读、记时之读、言容之读、假设之读、总读、小读"等10多个。《文通》讲句读,有这么多术语,应该是完全够用的。

《马氏文通》确实没有"单句、复句"术语,但他使用的是"与读相连之句"、"舍读独立之句"两个术语,再加上"不需读惟需顿与转词者",就涵括了"单句、复句"的内容。后来人把"与读相连之句"中的一部分与"不需读惟需顿与转词者"合为"单句",把"与读相连之句"中的另一部分与"舍读独立之句"合为"复句"。汉语的"单句、复句"术语,在20世纪20年代才有人使用,但看法并不统一,到20世纪50年代才最终形成我们今天所说的汉语的"单句、复句"理论。

《马氏文通》把"舍读独立之句"再细分为"排句""叠句""两商之句""反正之句",这样的分析还是比较深入的,与今天对"联合复句"的分析差不了多少。

《马氏文通》确实没有"主句、从句"术语,没有"母句""子句"术语,马氏称"主句"和"母句"为"句",称"从句"和"子句"为"读"。这也是学习的西方的做法。在西方语法中,"主句"和"母句"是 principal clause,"从句"和"子句"是 subordinate clause,因此,我们怎能要求《马氏文通》同时具有"主句"、"从句"、"母句"、"子句"这些术语呢?

《读本》原文:又如他引《孟子》:"周于利者,凶年不能杀,周于德者,邪世不能乱",然后说:"'周'静字,'于'同'於',介字,故'于利''于德',其司词也。"怎么能说"于利""于德"是"于"或"周"的司词呢?(《读本》第1版第43页,第2版第42页)

[今按]细读《马氏文通》这段论说,我们觉得,马氏是说了"于利""于德"是"周"的司词,但没有说"于利""于德"是"于"的司词。而且,说"于利""于德"是"周"的司词,是完全可以的,马氏并没有错。

《马氏文通》中"司词"有两种,一种是介字的司词,即今所谓介词的宾语;一种是"象静司词",是象静字(略相当于今之形容词)后面的一种成分。"象静司词"理论是《马氏文通》独有的语法理论,在《文通》中有一大段专门的论述。王力《中国语言学史》中称赞《马氏文通》的"象静司词"理论是"符合汉语实际的"。

《导言》此前也曾介绍过"象静司词";他说:"不简单的是所谓'象静司词'。马氏说:'象静后之司词,犹动字后止词,所以足其意也。'象静司词分前有介字者,和前无介字者两种。有介字者,例如'人伦明于上,小民亲于下';无介字者,例如'宋人有善为不龟手之药者','言寡尤,行寡悔'。"

在今天看来,"人伦明于上"中的"于上","小民亲于下"中的"于下"分别是形容词"明"和"亲"的补语;"宋人有善为不龟手之药者"中的"为不龟手之药","言寡尤,行寡悔"中的"尤"和"悔",分别是"善""寡"的宾语。而在《马氏文通》看来,这里的"于上"、"于下"、"为不龟手之药"、"尤"和"悔",则都是"象静司词"。"于上"、"于下"是前有介字的"象静司词","为不龟手之药"、"尤"和"悔"是前无介字的"象静司词"。

根据《马氏文通》的分析方法,"于利""于德"是"周"的司词(象静司词),"利""德"是"于"的司词(介字的司词)。

《读本》正文:[115]又《公冶》:"千室之邑,百乘之家,可使为之宰也。"——"之椁""之宰""两之"字,可作"其"字解。(《读本》第1版第93页,第2版第92页)

[今按]分析语中的引号有误。"之椁""之宰""两之"可作"其"字解,"之椁""之宰""两之"都是两个字的组合,怎么能作"其"字解呢? 其实,马氏的意思是说,"之椁""之宰"中的两个"之"字可作"其"字解。马氏在此句前曾举《公羊传》中"为人后者,为之子也"例句,并且说:《公羊传》"下云'为人后者为其子',则'之'解'其'字之确证。"接着才引《论语》这两句,再次

证明"之"字可作"其"字解。因此"'之椁''之宰''两之'字,可作'其'字解"句中,"两"字不应在引号之内。

《读本》正文:[456]《史·相国世家》:"谁可代君者?"——犹云"可代君之人是谁",问词,故倒文也,详后。"可代君者"句之起词也。

《读本》注:对[456],马氏有两种不同的看法,此处说"可代君者"为句之起词;下[536]与此例重,又说"谁"在主次,为起词。(《读本》第1版第125页,第2版第124页)

[今按]其实,《马氏文通》对"谁可代君者?"一句,并没有"两种不同的看法"。《马氏文通》后来再举此例时(即《读本》例[536]),分析中说"谁字皆在主次"(《读本》第132页),这与上面分析说"可代君者"为句之起词并不矛盾。

《读本》注释说,《马氏文通》后来"又说'谁'……为起词",这是不合实际的,马氏只说了"'谁'字皆在主次",并没有说"谁"字"为起词"。说"谁可代君者"一句中的"谁"字"为起词",是《读本》注释者的一种猜测。

根据《马氏文通》一贯的分析方法,在"谁可代君者"一句中,"可代君者"为起词,"谁"字为表词。这是一种起词在后而表词在前的"倒文",马氏在前一次分析中说"问词,故倒文也",就是这个意思。《马氏文通》后来把"谁"字分析为"主次",其实是说"谁"字为"表词而居主次"。

《马氏文通》一贯认为,询问代字单用作表词,即为"主次",而且这个询问代字的位置可后可前。例如,询问代字"何"字,《马氏文通》说:"'何'字单用于主次者概为表词。"

(《读本》第134页)又说:"'何'字之位,或先或后,句法异而用以诘事理之故则一。"(《读本》第135页)"何"字在后的如:

[568]《公羊传·隐元》:"元年者何?……春者何?"——两"何"字皆为表词,一以诘"元年"为何,一以诘"春"为何也。(《读本》第1版第134页)

[569]《汉·高帝纪》:"吾所以有天下者何?项氏之所以失天下者何?"——两"何"字,各为两读表词也。(《读本》第1版第134—135页)

"何"字在前的如:

[571]《汉·贾谊传》:"何三代之君有道之长,而秦无道之暴也?"——"何"字亦表词,置于前耳。(《读本》第1版第135页)

[572]《史·管晏列传》:"何子求绝之速也?"——犹云"子求绝之速是何也",句法同上。(《读本》第1版第135页)

不仅是"何"字,《马氏文通》在论述询问代字"奚""孰"的时候,也都说到它们是"为表词而居主次",如《晋语》:"孰是人斯而有是臭也?"《马氏文通》分析说:"'孰'为表词,犹云'是人谁也而有此'也,故在主次。"(《读本》第1版第133页)又《论语·宪问》:"夫如是,奚而不丧?"《马氏文通》分析说:"犹云'如是而不丧者何也',故'奚'字用如表词而居主次。"(《读本》第1版第143页)

综上所说,可知例[536]"谁可代君者"句中"谁"是表词而居主次,与例[456]的分析是一致的,没有"两种不同的看法",

马氏也没有说"谁"字"为起词"。

《读本》正文：[498]又《平原君列传》："公等录录，所谓因人成事者也。"——犹云"公等录录，即所谓因人成事之人"。故"因人成事者"之读，乃"所"字表词，而"所"字即指"公等"也。

《读本》注：[498]下说"'因人成事者'之读，乃'所'字表词"，殊觉费解。(《读本》第1版第128页，第2版第126页)

[今按]《马氏文通》说"'因人成事者'之读，乃'所'字表词"，不错，并非一时笔误。

《马氏文通》认为，在"A 所谓 B"格式中，"A"、"所"、"B"互指，所以既认为"B"是"A"的表词，又认为"B"是"所"的表词。

在"公等录录，即所谓因人成事之人"一句中，马氏说"因人成事者"之读，乃"所"字表词，接着又说"'所'字即指'公等'也"，也就是说，"因人成事者"之读，也是"公等"的表词。

《马氏文通》卷九论"也"字助句时又举"公等录录，即所谓因人成事之人"一句，并且说"因人成事者"，是"所"字同次(《读本》第1版第544页，第2版第538页)，可见《马氏文通》说"'因人成事者'之读，乃'所'字表词"，并非一时笔误。

《马氏文通》卷九论"也"字助句时还说："'所''此'两字后，其继之者或名或读，皆与同次而为之表词者也。"例如《孟子·滕上》："彼所谓豪杰之士也。"《马氏文通》分析说："'所'指'彼'，而'豪杰之士'与'所'字同次，以'也'字煞之，所以论断其如是也。"(《读本》第1版第544页，第2版第538页)

《马氏文通》卷三论"同次"，在分析《孟子·告上》"生之谓性"一句时说:"'性'与'之''生'同次",在分析"[且夫贱妨贵,少陵长,远间亲新间旧,小加大,淫破义],所谓六逆也"一句时说:"此'所'字指上文,而'六逆'与'所'同次。"(《读本》第1版第189页,第2版第187页)也就是说,"六逆"与"所"同次,是"所"的表词。

综上所述,《马氏文通》在分析"A 所谓 B"这种句子时,既认为"B"是"A"的表词,也认为"B"是"所"的表词。

《读本》正文:"谁"字惟以询人,主次、宾次、偏次皆用焉。而在偏次,其后概加"之"字。

居主次

[536]《史·萧相国世家》:"谁可代君者?"

[537]《汉·赵充国传》:"使御史大夫丙吉问谁可将者。"

[538]《齐策》:"后孟尝君出记问门下诸客:'谁习计会能为文收责于薛者乎?'"——三"谁"字皆在主次,所诘者皆人也。

居同次

[539]《论·微子》:"子为谁?"

[540]《孟·离下》:"追我者谁也?"

[541]《史·淮阴侯列传》:"若所追者谁?"

[542]韩《与孟东野书》:"吾言之,而听者谁欤?"

[543]《史·日者列传》:"今夫子所贤者何也?所高者谁也?"——五"谁"字皆为表词,所诘者亦皆人也。

居宾次

[544]《左传·闵二》:"寡人有子,未知其谁立焉。"——犹云"寡人有子,未知其中将立谁也"。"谁"为"立"之止词,在宾次而先

焉。"谁"，诘所立之子。

居偏次

[550]《老子》："吾不知谁之子。"——"谁"为"子"字偏次，"之"字间焉。(《读本》第1版第132—133页；第2版第130—131页)

[今按]例句类型提示语"居主次""居同次""居宾次""居偏次"为《读本》所加，其中"居同次"不妥。《马氏文通》认为"'谁'字惟以询人，主次、宾次、偏次皆用焉"，没有讲"居同次"。对于例[539]、[540]、[541]、[542]、[543]五例中，"谁"字为表词，也是"居主次"。

例[536]、[537]、[538]三例中，"谁"字为表词，"居主次"，例[539]、[540]、[541]、[542]、[543]五例中，"谁"字也为表词，也是"居主次"，本质相同，所不同者，仅为表词在前还是在后而已。

《读本》正文：[676]《论·公冶》："盍各言尔志?"——"各言"者，"每人言"也。"各"字单用，而在主次。(《读本》第1版第145页，第2版第144页)

[今按]表示关键字的着重号错。本句是论指示代字"各"的例句，需要用着重号标出的关键字是"各"，而不是"盍"。

《读本》正文：又或偏次字偶而正次字奇，与偏次字奇而正次字偶者，概参"之"字以四之……

偏次字偶，正次字奇者：

[63]《汉·东方朔传》："尽狗马之乐，极耳目之欲，行邪枉之道，径淫辟之路，是乃国家之大贼，人主之大蜮也。"……以上皆参"之"字以四之也。(《读本》第1版第166—167页，第2版第165页)

[今按]表示关键字的着重号有错。例[63]系于"偏次字偶,正次字奇者"题下,是用来说明"偏次字偶,正次字奇者……皆参'之'字以四之"的,因此,"国家之大贼,人主之大域"中的两个"之"字不应加着重号,因为"国家之大贼,人主之大域"不能用来证明"偏次字偶,正次字奇者……皆参'之'字以四之"。只有"狗马之乐""耳目之欲""邪枉之道""淫辟之路"是"偏次字偶,正次字奇者……皆参'之'字以四之",而"国家之大贼,人主之大域"不是。

《读本》正文:同于偏次 [255]《史·信陵君列传》:"公子姊为赵惠文王弟平原君夫人。"——"公子姊"前次,"夫人"其同次,皆在主次。"赵惠文王弟"前次,"平原君"其同次,皆在偏次。(《读本》第1版第182页,第2版第180页)

[今按]表示关键字的着重号有错。《读本》在"赵惠文王弟"和"平原君夫人"五字下加了两种着重号,表示它们一为前次,一为同次。但根据《马氏文通》的分析,与"赵惠文王弟"前次相对的同次是"平原君"三字,而不是"平原君夫人"五字,因此"夫人"二字不应加着重号。

《读本》正文:又[344]《酷吏列传》:"其治。米盐大小事,皆关其手。"——先言"其治",下叙所治之事。(《读本》第1版第192页,第2版第190页)

[今按]标点符号有错。"其治"后面不应该是句号。

《读本》正文:对待静字,如附单名之名,率参"之"字;附于双字之名,概无参焉。有两三静字类别而同附一名者亦然。其先后则以其义为差。(《读本》第1版第202页,第2版第200页)

[今按]标点符号有错。"率参'之'字"四字后不应该是冒号。商务印书馆1983年版《马氏文通》此处是逗号,也可以,只是不怎么好。此处用分号最好,因为它是说的对待静字附于名字的两种情况。

《读本》正文:[162]又《孔公墓志铭》:"公于是乎贤远于人。"——以上所引,其静字司词,皆以"于"字为介,凡以言其所在耳。

《读本》注:马氏说:"以上所引……凡以言其所在耳。"此语不全面。……[162]的"远于人",司词则表比较对象。(《读本》第1版第214页,第2版第212页)

[今按]《读本》注释以"[162]的'远于人',司词则表比较对象",来批评马氏"以上所引……凡以言其所在耳"说法不全面,有牛头不对马嘴之嫌。

其实,马氏根本没有讲例[162]中"远于人"的"于人"是"象静司词",马氏根本也不会认为"远于人"的"于人"是"以言其所在"。说"远于人"的"于人"是"象静司词",是《读本》注释对《马氏文通》的一种误解。

根据《马氏文通》对"象静司词"的论述,笔者认为,例[162]中的"象静司词"为"于是乎",它是象静字"贤"字的司词。象静司词"于是乎"确实是"以言其所在"的。

《马氏文通》认为,象静司词不但可以在象静字之后,也可以在象静字之前,它说:"静字之司词,皆可先其所附。"(《读本》第1版第432页)司词在前时又分两种情况,一是无介字的司词在静字前,如《汉书·文帝纪》:"是吏〈奉吾诏〉不勤,而

〈劝民〉不明也"。又《汉书·张释之传》："文帝免冠谢曰：'〈教儿子〉不谨'。"《马氏文通》分析说：上两例"皆以司词先置，而以静字为表词也。"（《读本》第1版第213页）另一种情况是有介字的司词在静字前，如《史记·虞卿列传》"今死而妇人为之自杀者二人，若是者必其〈于长者〉薄而〈于妇人〉厚也。"《马氏文通》分析说："'于长者''于妇人'，'薄''厚'两字之司词也。"（《读本》第1版第432页）又《三国志·诸葛亮传》："然亮才〈于治戎〉为长，〈奇谋〉为短。"《马氏文通》分析说："'长''短'两静字，'于治戎''于奇谋'其司词也。"（《读本》第1版第432页）由此可知，"公于是乎贤远于人"中"于是乎"也是一个先其所附的"象静司词"。

因此，"远于人"表比较对象，不是象静司词"凡以言其所在耳"的反证。

《读本》正文：非表词而后者，以所数者可不言而喻。故凡物之公名有别称以记数者，如车乘马匹之类，必先之。

《读本》注：这句话的意思是：物的名称先于数词和量词。（《读本》第1版第217页，第2版第215页）

[今按]《马氏文通》"故凡物之公名有别称以记数者，如车乘马匹之类，必先之"这句话的意思，并不是"物的名称先于数词和量词"。

如果这句话的意思真的是"物的名称先于数词和量词"，为什么下面的举例中还有"千足羊"、"千足彘"、"千石鱼陂"、"千章之材"、"千树枣"、"千树栗"、"千树橘"、"千亩桑麻"、"千亩竹"呢？为什么不说成"羊千足"、"彘千足"、"鱼陂千石"、

"材千章"、"枣千树"、"栗千树"、"橘千树"、"桑麻千亩"、"竹千亩"呢？

其实这句话的意思是：物之公名如果有别称（量词）的话，滋静（数词）必先于别称（量词）。比如"千"是滋静（数字），"亩"是别称（量词），"桑麻"和"竹"是物之公名，则"千"字必须先于"亩"字，说成"千亩桑麻"、"千亩竹"，而不能说成"亩千桑麻"、"亩千竹"。只有数词先于量词，才用得上"必"字。

"必先之"的主语是"滋静"即数词，因为本段都是讲"滋静"的，所以省略。这是理解本句的一个关键。另一个关键是，"如车乘马匹之类"不是"必先之"的主语，而是前面"故凡物之公名有别称以记数者"的举例，意思是：故凡物之公名有别称（量词）以记数者，例如计"车"的别称（量词）"乘"和计"马"的别称（量词）"匹"之类，滋静（数词）必先之。

《读本》正文：无断辞，以助字为煞　[294]《史·日者列传》："此夫为盗不操矛弧者也，攻而不用弦刃者也。"——"此"代字而为起词，以下二豆皆表词也。(《读本》第1版第227页，第2版第225页)

[今按]本例中关键字所标着重号有两处错误，一是"攻而不用弦刃者"，应该都标着重号，不应留下"而"字不标，马氏说"以下二豆"即指"为盗不操矛弧者"和"攻而不用弦刃者"，无须再把"攻而不用弦刃者"分开。二是"为"字下不应标成与"盗不操矛弧者"不同的第二关键字圈号，此句中"为"是动字，不是断词，马氏自己也是把这例放在"无断辞，以助字为煞"题下的。

《读本》正文：[374]韩《黄家贼事宜状》："臣自南来，见说江西所发共四百人。"——"见说"者,"闻说"也,①疑为唐人方言。

[375]《汉·沟洫志》:"许商以为古说九河之名,有徒骇胡苏鬲津,今见在成平东光鬲界中。"——"见在"者,"为人所见在于何处"也。而"见"字读若"现"字者,后世之说也。②

[376]韩《许国公神道碑》:"今见在人莫如韩甥。"——"今见在人"者,"今为世所见为在者之人"云。③

然[377]韩文《进学解》云:"然而圣主不加诛,宰臣不见斥,非其幸欤!"——其意盖谓"不为宰臣所斥"也,则"见斥"二字反用矣,未解。④

[385]又《进学解》:"然而公不见信于人,私不见助于友。"——诸引句,于动字前加一"见"字⑤,复介以"于"字,以言其行之所自发也。

而凡言定为某罪名者,则惟"坐"字。⑤(《读本》第1版第280—282页,第2版第278—279页)

[今按]注文序号有误。本段依次有①②③④⑤⑤6个注文序号,其中有两个⑤,显得多一个。后面注释⑤内容是:"'坐'与'见''被'不同,与被动义毫无关系,不应列入此节。"说的是"坐"字,可见它是对应着后一个⑤的,而前面例[385]中的⑤多余。

《读本》正文:《左·庄二十八》:"宗邑无主,则民不威;疆场无主,则启戎心。"——两"无"字为读同上。(《读本》第1版第305页,第2版第302页)

[今按]"疆场无主"的"场"字可能有误。章锡琛《马氏文通校注》指出此"场"字为"埸"字之误,遂改正。商务印书馆

1983年版亦为"埸"字。

《读本》正文：[840]韩《上张仆射第二书》："谏不足听者,辞不足感心也；乐不可舍者,患不能切身也。"——"听""感"在"足"后,"舍"在"可"后,皆成受动。总之,凡动字后乎"可""足"助动字后,皆可转为受动有如此者。"得"字后之动字亦然,然不常见。

《读本》注：此句"听"后原缺"感"字,今补。(《读本》第1版第316页,第2版第313页)

[今按]《读本》补出"感"字,不当。"感"字确实也是"足"字所助之动字,但它与"听""舍"不同,它在"足"字后而不是"受动字",所以这个"感"字还不能"补",马氏所说"'听'在'足'后,'舍'在'可'后,皆成受动"无误,读本加上"感"字,成为"'听''感'在'足'后,'舍'在'可'后,皆成受动",就有问题了,因为我们不能说"感"是"受动字"。

《读本》正文：凡句读之成,必有起词、语词。起词之隐见,一以上下之辞气为定。而语词,则起词之所为语也,无语词是无句读矣。

《读本》注：这一句似乎把话说拧了。如果说,"而起词,则语词之所为语也",似乎更好理解些。(《读本》第1版第355—356页,第2版第352页)

[今按]马氏没有把话说拧。马氏一直认为,起词是"为所语"者,而语词是"所为语也"。《马氏文通》卷三也曾说过："首卷论句读之成,必有起、语两词。起词者,为所语也；语词者,所为语也。"(《读本》第1版第222页,第2版第220页)

《读本》正文：夫特指代字颙叟主次,冒于句读之先,特提其名,文势一振。

昔者二字,状字之记时者先王起词以用也,动字,今为坐动为作也,亦动字,乃上承"以"字,所谓散动也,犹云"昔先王用颛臾为东蒙主",故"为"字前含有"颛臾"二字,以其特提于句读之先,故不言而喻东蒙'主'字之偏次主"为"之止词,如"为"字作"是"字解亦可,则"主"字乃表词。犹云"昔先王封之为东蒙主也"。至此言故之读,言所以为"社稷之臣"之故也。且连字,进一层,所以连前读,意谓颛臾之为社稷之臣,不第先王封之之故也,更以"且在"云云在坐动,其起词空冒于前邦域之中转词,以记处者矣。(《读本》第1版第353页,第2版第350页)

[今按]"东蒙"二字后所注11字"'主'字之偏次主'为'之止词"奇怪,读不通。原因在第二个"主"字不应该是小字,应为:"东蒙主字之偏次主"为"之止词"。1986年版《读本》不误。

《读本》正文:君子起词疾坐动,下文皆其止词夫特指代字,直贯"辞"字舍坐动,其起词乃为是言者,不言而喻。下文"曰欲之",其止词也曰欲之皆"舍"字止词,犹云"舍其欲利之言"。而连字,上接"舍"字必为坐动,其起词与"舍"字同之代字。转词先置辞"为"字止词,犹云"必为辞以掩饰其欲利之心"。(《读本》第1版第354—355页,第2版第351页)

[今按]"必为之"后面所注"代字,转词先置辞'为'字止词"读不通,原因是其中"辞"字不应是小字。应为:"必为坐动,其起词与"舍"字同之代字,转词先置辞"为"字止词,犹云"必为辞以掩饰其欲利之心"。"1986年版《读本》不误。

《读本》正文:[1128]《赵策》云:"于是秦王乃见使者曰:'赵豹平原君数欺弄寡人,赵能杀此二人则可,若不能杀,请令率诸侯受命邯郸城下。'"——以上所引,凡言"请令"者,经生家以为"请令"之讹也,而以《史记》本为证。然"请"后加"令"之者,犹云"请人转令他人以为所请之事。"盖所请之事,既非请者所可专,亦非为请之人可自为,故加"令"字,于义甚顺。若以"请令"改为"请今",则所请之事,似即请者所自为也。(《读本》第1版第364页,第2版第360页)

[今按]一、"凡言'请令'者,经生家以为'请令'之讹也"一句中,后一"请令"为"请今"之误,查《马氏文通》原文为"请今"。1986年版《读本》亦为"请今"。

二、"然'请'后加'令'之者,犹云'请人转令他人以为所请之事。'"其中最后的句号应在引号之外,而不应在其内。1986年版《读本》亦误。

三、"盖所请之事,既非请者所司专"一句中,"可"字被误成"司"字少一横,成为不可读的怪字。1986年版《读本》亦误。

《读本》正文:[1217]又《乌氏庙碑》:"中贵人承璀即诱而缚之。"——诸所引皆第二例。动$_1$名而不动$_2$。[1218]《孟·公下》:"求牧与刍而不得,则反诸其人乎?"——"求""得"两外动字,其止词则皆"牧与刍"也。今置"牧""刍"于"求"字后,而"得"字后则无止词无代字者,盖"不"字状之也。(《读本》第1版第371页;第2版第367—368页)

[今按]两段误排为一段。1986年版《读本》不误。2001年版虽误而无碍。

《读本》正文:

动$_1$之而不动$_2$

[1221]又《尽上》:"君子之于物也,爱之而弗仁,于民也,仁之而弗亲。"——第一句"爱""仁"两外动字,其止词则皆"物"字,已见上文,故代以"之"字,而"仁"字后无加焉。第二句亦然。

[1222]又《告下》:"孟子居邹,季任为任处守,以币交,受之而不报。处于平陆,储子为相,以币交,受之而不报。"——"受之而不报"两句皆同上。

[1223]《赵策》:"秦之攻赵也,倦而归乎王,以其力尚能进,爱王而不攻乎?"——"不攻"后无"王"字并无"之"字者,同上。

[1224]韩《科斗书后记》:"识开封令服之者,阳冰子,授余以其家《科斗孝经》《汉魏宏官书》两部,合一卷,愈宝蓄之而不暇学。"——"蓄""学"二字亦同上。此三例也。(《读本》第1版第372页,第2版第368页)

[今按]例句类型提示语"动$_1$ 之 而 不 动$_2$"系《读本》所加,但不能管辖例[1223],因为此例中"爱王而不攻"不属于"动$_1$ 之 而 不 动$_2$",而属于"动$_1$ 名 而 不 动$_2$",是前面的一类。

《读本》正文:

【5.14.3】散动用如司词者

[1283]又《尽心上》云:"于不可已而已者,无所不已,于所厚者薄,无所不薄也。"——等句,皆在此例,惟"以"字尤为习见。(《读本》第1版第377页,第2版第373页)

[今按]着重号误标。本句着重号应标在"于不可已"的"已"字下,而不能标在第二个"已"字和"薄"字下。因为本例为"散动用如司词者"之例,本句中的司词为"不可已"和"所厚者"两个。

第二个"已"字和第三个"已"字以及两个"薄"字都不是"散动用如司词者"。

《读本》正文：[1307]《庄·齐物论》云："……山林之畏佳，大木百围之窍穴，似鼻，似耳，似枅，似圈，似臼，似洼者，似污者……"（《读本》第1版第379页，第2版第375页）

[今按]"山林之畏佳"之"佳"字误，《马氏文通》原文为"隹"。

《读本》正文：[116]又《尽上》："道则高矣，美矣，宜若登天然。"——"登天"二字一读，解同前，犹云"道之高美，其不可及之状，如人之登天者一般"云。

[120]《公·庄三十二》："使托若以疾死然，亲亲之道也。"——"以疾死"三字一读，置于"若""然"两字之中，解与前同。

《读本》注：按照马氏关于读的定义，"登天""以疾死"似均非读。（《读本》第1版第390页，第2版第386页）

[今按]根据《马氏文通》分析方法，"登天""以疾死"都是"读"。

不错，《马氏文通》中"读"的定义是："凡有起、语两词而辞意未全者曰读。"也就是说，要有起词和语词才能为"读"。但《马氏文通》中所说的"读"绝大多数都不是"有起、语两词"的，为什么？因为马氏后来又专门说了"读"之起词可以省略，这就是卷十象一的论述。马氏认为，起词省略的规律有四条：即：

系一　议事论道之句读，如对语然，起词可省。

系二　命戒之句，起词可省。

系三　读如先句，句之起词已蒙读矣，则不复置。

系四　句读起词既见于先，而文势直贯，可不重见。

《马氏文通》又把起词的省略称为"起词之隐现"（《读本》

第 1 版第 353 页),因此省略了起词的"读",并不是没有起词,而是起词"隐"在文字里面。正因为"读"的起词可以省略,所以《马氏文通》中所说的"读"并不都是"起、语两词"共现的。

"登天""以疾死"也都是省略了起词的"读"。《马氏文通》解释"道则高矣,美矣,宜若登天然"一句说:"犹云'道之高美,其不可及之状,如人之登天者一般'云",可知"登天"即"人之登天","人之登天"是"读",所以"登天"肯定也是"读","人之登天"是一个"有起、语两词"的"读","登天"是一个省略了起词的"读"。"以疾死"是"其以疾死"的省略,所以"以疾死"也是"读",也是一个省略了起词的"读"。

《读本》正文:

【6.4.4】至"犹""若""如"等字用以为比者,亦以记成事之容,可与论比章参观。①

[185]《孟·告上》:"性犹杞柳也,义犹桮桊也。"——"性"与"杞柳","义"与"桮桊",本无相关之义,今以"犹"字先乎"杞柳",则"性"为所状矣;①先乎"桮桊",则"义"为所状矣。此"犹"字所以记容之状字也。

[186]《礼记·大学》云:"听讼,吾犹人也。"②(《读本》第 1 版第 394—395 页,第 2 版第 390—391 页)

[今按]正文中有两个注释序号①,肯定多一个。

"注释①"说"本节前半与【6.1.4】节部分内容重复",是就"【6.4.4】至'犹''若''如'等字用以为比者……"说的,可知,正文中两个注释序号①,后一个为多余。

《读本》正文:

读非起词、止词

[16]《孟·梁上》:"民望之,若大旱之望云霓也。"——"大旱之望云霓",所以比之读也。"大旱"起词也,"望"坐动也,中间"之"字,缓辞也。比读概以"也"字助之。

[17]又《离上》:"民之归仁也,犹水之就下,兽之走圹也。"——三读三"之"字各以参于起词、坐动之间,凡所为比者与所以比者皆读也,而集成为句。盖所为比者之读,犹起词也,而所以比者之读,表词也。"犹""若"诸字,用若断词,所以决其可比之理。

[18]《史·平原君列传》:"夫贤士之处世也,譬若锥之处囊中,其末立见。"——两比读皆间"之"字。(《读本》第1版第418页,第2版第413页)

[今按]例句类型的提示语"读非起词、止词"系《读本》所加,可是与例[17]、[18]矛盾。

在例[17]中,"民之归仁也"是"读",为起词(所为比者之读,犹起词也),怎能算是"读非起词"之例?

例[18]中"夫贤士之处世也"亦读为起词,怎能算是"读非起词"之例?

《马氏文通》原书在此段(《读本》之例[16]——例[30])之后有一句总结语:"以上所引诸读之有'之'字为间者,皆非起词与止词之读也",可知,错误的最初根源在马建忠,《读本》编者乃因失察而致错。

《读本》正文:【7.3.10】"以"字句顿,冠于句首,或顿后联以"而"字者,最习见。(《读本》第1版第448页,2001年第2版第443页)

[今按]"'以'字句顿"中,"句"是错字,应为"司"字。商务

印书馆1983年版《马氏文通》、章锡琛《马氏文通校注》不误。1986年版《马氏文通读本》亦不误。

《读本》正文：[453]韩《谏佛骨表》："直以年丰人乐，徇人之心，为京都士庶设诡异之观，戏玩之具耳。"——诸引句，"为"之司词皆先动字。

然[454]《孟子·告子下》云："不知者以为为肉也，其知者以为为无礼也。"

[455]又《万章下》云："仕非为贫也，而有时乎为贫。"——诸"为"字之司词，皆以煞句，而后无动字者，则以皆为句之表词也。

《读本》注：这一句的意思是：前各例的"为……"位于动字之前，是动字的修饰语，后二例的"为……"后面没有动字，因此不是动字的修饰语，而是句子的表词。（《读本》第1版第456页，第2版第451页）

[今按]《读本》注释前一个意思对，后一个意思不精确。在后二例中，不能因为"为……"后面没有动字，就说"为……"是句子的表词，因为根据《马氏文通》的分析方法，"为"字是断词，不在表词之内，"为"字后面的成分才是表词。

《读本》正文：所引"为之强战"，"为之聚敛"，"为之尽力"，"为之之意"皆介字也。至"为之禽"者，犹云"为所禽"也，不在此例，见代字篇。

《读本》注：代字篇内只有【2.2.5.3】节论及"为之……"的格式，但"之"字皆名字，与此异。马氏说"之"居偏次。惟【5.3.2】节论受动字，曾引[329]例，与此处[459]例相同。马氏误记为代字篇。（《读本》第1版第456页，第2版第451页）

[今按]首先要说一下的是,《马氏文通读本》对《马氏文通》原文所加标点有误。查商务印书馆1983年版《马氏文通》、章锡琛《马氏文通校注》,其标点皆为:

> 所引"为之强战","为之聚敛","为之尽力","为之之意"皆介字也,至"为之禽"者,犹云"为所禽"也,不在此例。见代字篇。(商务印书馆1983年版《马氏文通》第272页;中华书局1988年版《马氏文通校注》第349页)

比较后我们发现,其中有一个句号的位置不同。他书中句号在"见代字篇"四字前,《读本》则把这个句号移至"至'为之禽'者"之前。

由于这一句号位置的不同,造成整个儿理解的不同。按《读本》的标点来理解,只是"至'为之禽'者,犹云'为所禽'也,不在此例"见"代字篇",而按照《马氏文通》原本和《校注》本理解,则前面的解说整个儿意思都可参见代字篇。

如果按《读本》的标点来理解,则代字篇确实没有对"为之禽"的解说,只有【5.3.2】节论受动字时有对"为之禽"的解说。那么,马氏是错了。

但如果按照《马氏文通》原本和《马氏文通校注》的标点来理解,则"见代字篇"四字前面的句子整个儿意思都可参见代字篇,则代字篇有对"为之……"的论述。那么,马氏就没有错,而是《读本》的标点和注释错了。

现在来讨论《读本》的这条注释,我觉得有这样一些问题:

一是说"代字篇内只有【2.2.5.3】节论及'为之……'的格式"是不对的,代字篇内除【2.2.5.3】节论及"为之……"的格式以外,还有【2.2.5.1】节论及"为之……"的格式。【2.2.5.1】节标题是:"'之'字单用,宾次者其常",其中论及"为之……"的例句及其解说语是:

[110]又《盘谷序》:与之酒而为之歌曰。——"为"介字也,"之"其司词,在宾次。此本《左传·襄公二十九年·季札观乐》篇内"为之歌"等句。(《读本》第1版第93页)

可以看出,【2.2.5.1】节也论述了"为之……"格式,而且与卷七论介字"为"司"之"字是一样的。

二是说"【2.2.5.3】节……'之'字皆名字"是不对的,古往今来,似乎还没有人讲过"'之'字是名字"的话,马建忠也不例外,他也不可能讲"'之'字是名字"这样的话。相信《读本》的编者也不会认为"之"字是名词。查【2.2.5.3】节,这一节讲的是"'之'在'为'字后有偏次之解",例句中有"为之子"、"为之椁"、"为之父母"、"为之舟"、"为之庀正"等,是"为 + 之 + 名字"格式。可见,不是"'之'字皆名字",而是"为之"两字后面的字是名字。

三是说"【2.2.5.3】节论及'为之……'的格式,但'之'字皆名字,与此异",不对。【2.2.5.3】节论"为之……"格式,在最后讲到了"为之"两字的后面是动字的问题,这与卷七论"为"是介字、"之"是司词是性质相同的。原文是:

《书·泰上》:"作之君,作之师。"——犹云"为之立君,为之立师"也。昌黎本此,于《原道》作"为之君"、"为之师",于句甚顺。而其后连用"为之衣"、"为之食"、"为之官室"、"为之工"诸句,诸"之"字皆不可以偏次例之。盖可解作"为之立君"、"为之立师"、"为之制衣"云云,则"之"为司词矣。(《读本》第1版第94页)

这段虽以"作之君,作之师"引起,则所论全是"为之……",其中"为"是介字,"之"是其"司词",与卷七所论"为之强战"、"为之聚敛"、"为之尽力"完全相同。

由此看来,马氏所说"见代字篇"并不错,并不是"马氏误记为代字篇"。

《读本》正文:[461]《庄子·齐物论》:"故为是举莛与楹,厉与西施,恢恑憰怪,道通为一。"——"是"代字,"为"字所司。其他代字(为)之所司者,详代字篇。

《读本》注:代字篇无专门讨论"为"司其他代字的文字,只有【2.2.9】节谈到"为"司"自"字。(《读本》第1版第456页,第2版第451页)

[今按]《马氏文通》代字篇内,并非"只有【2.2.9】节谈到'为'司'自'字",除【2.2.9】节外,还有多处谈到"为"司"其他代字",例如:

"为"司"我"字:《史·留侯世家》:"为我楚舞,吾为若楚歌。"这是《马氏文通》讲代字"我"为"介字后宾次"时举的例,在《读本》【2.2.1】节。

"为"司"尔"字"我"字:《孟·万下》:"尔为尔,我为我。"《马氏文通》分析说:"'尔'在介字后宾次也。"这是讲"尔"为"介字后宾次"时举的例,在《读本》【2.2.2】节。

"为"司"之"字,在《读本》【2.2.5.1】节和【2.2.5.3】节。

【2.2.5.1】节的例句是:《盘谷序》:"与之酒而为之歌曰。"《马氏文通》分析说:"'为'介字也,'之'其司词,在宾次。此本《左传·襄公二十九年·季扎观乐》篇内'为之歌'等句。"(《读本》第1版第93页)在【2.2.5.3】节,分析《书·泰上》"作之君,作之师"一句时又说:"犹云'为之立君,为之立师'也。昌黎本此,于《原道》作'为之君'、'为之师',于句甚顺。而其后连用'为之衣'、'为之食'、'为之宫室'、'为之工'诸句,诸'之'字皆不可以偏次例之。盖可解作'为之立君'、'为之立师'、'为之制衣'云云,则'之'为司词矣。"(《读本》第1版第94页)

除上面提到的4节以外,还有【2.4.4】节多次讲"为"司询问代字。比如:

"为"司"奚"字,司词则先置。例如:《论语·先进》:"由之瑟奚为于丘之门?"《马氏文通》分析说:"'奚为'者,'何为'也,'奚'为'为'字司词,而亦先焉。"(《读本》第1版第142页)

"为"司"曷"字,司词亦先置。例如:《公羊传·隐公元年》:"曷为先言王而后言正月?王正月也。"《马氏文通》分析说:"'曷'为'为'字司词,而先之。"(《读本》第1版第143页)

"为"司"胡"字,司词亦先置。例如:《诗·邶·式微》:"胡为乎泥中?"《马氏文通》分析说:"'胡'司于'为'字而先焉。'胡'、'曷'二字,惟为'为'字所司,未见有司于其他介字者。"(《读本》第1版第143页)

由此看来,马氏说"其他代字(为)之所司者,详代字篇"就没有什么不对了。

《读本》正文:

[53] 又《董仲舒传》《天人策第二》起云:"盖闻虞舜之时。"

[54]《第三》起云:"盖闻善言天者,必有征于人。"——两《策》之起以"盖"字者,与《求贤诏》"盖"字。

《史记》习用以传疑,如:

[55]《大宛列传》云:"临大泽无崖,盖乃北海云。"

《读本》注:"盖"字下疑夺"同"字。(《读本》第1版第470页,第2版第464页)

[今按]"两《策》之起以'盖'字者,与《求贤诏》'盖'字"是主语,若无谓语,则语义不全。《马氏文通》原书本有谓语,但在《读本》中被断开而成为下段首句了,若按《马氏文通》原书排版,则是:

> 《董仲舒传》《天人策第二》起云:"盖闻虞舜之时。"《第三》起云:"盖闻善言天者,必有征于人。"——两《策》之起以"盖"字者,与《求贤诏》"盖"字,《史记》习用以传疑。如:《大宛列传》云:"临大泽无崖,盖乃北海云。"

这样就没有问题了。

所以,原书"盖"字下并非夺一"同"字。

《读本》正文:

[359] 又云:"故胡亥今日即位而明日射人。"

[360]《燕策》云:"寡人岂敢一日而忘将军之功哉!"——所谓"前""已""既""迨""今"与"今日""明日""一日"诸字,皆言时也,已详本篇。(《读本》第1版第494页,第2版第488页)

[今按]此两个例句是讲"而"字用法的,因此"而"字是第

一关键字,又从《马氏文通》的解说语可知,"今日"、"明日"、"一日""皆言时也",是第二关键字。《读本》给例[359]的"今日"、例[360]的"一日"加了第二关键字符号,未给例[359]的"明日"加,略有不妥。

《读本》:承接连字最习用者,"而"字而外,则惟则字。(《读本》第1版第495页,第2版第489页)

[今按]"则惟则字"中的第二个"则"字,按《马氏文通读本》体例,应该用黑体字排版。按一般书籍格式,该用引号标出。商务印书馆1983年版《马氏文通》,章锡琛的《马氏文通校注》在此"则"字上皆有引号。1986年版《马氏文通读本》将这个"则"字排为黑体字,不误。2000年版始误,2001年版承之。

《读本》:"则"字乃直承顺接之辞与上文影响相随,口吻甚紧。而为用有三,一以上下文为别。(《读本》第1版第495页,第2版第489页)

[今按]"'则'字乃直承顺接之辞"跟"与上文影响相随"之间缺少一个逗号,使句子不好读。商务印书馆1983年版《马氏文通》,在此有逗号。章锡琛《马氏文通校注》在此也无逗号。

《读本》正文:【8.4.5】用以递进者,则以**抑**、**将**、**宁**等字为询商之辞,又或以"非惟""不惟"与"亦""抑""复"等字为撇转之辞。(《读本》第1版第533页,第2版第528页)

[今按]用黑体字标出的"抑、将、宁"三字表示是下文所要讲的虚字,与用引号标出的"非惟"、"不惟"、"亦"、"抑"、"复"

有同样的作用。但"为"字不是下文所要讲的虚字,不应该用黑体字。

《读本》1986年版此处不误。

《读本》正文:【8.4.5】用以递进者,则以**抑**、**将**、**宁**等字为询商之辞,又或以"非惟""不惟"与"亦""抑""复"等字为撇转之辞。

《读本》注:马氏称之为递进者今谓之选择;马氏称之为撇转者,今谓之递进。(《读本》第1版第533页,第2版第528页)

[**今按**]《马氏文通》术语与今之术语并没有这样的对应关系。这样解释,也不符合《马氏文通》原意。

《马氏文通》的原意是:连字用以"递进"者有两种情况,一种是以"抑""将""宁"等字为标志的"询商"式递进,一种是以"非惟""不惟"与"亦""抑""复"等字为标志的"撇转"式递进。这一意思是马氏解说语中的"又或"两字表示的。

也就是说,马氏称之为"递进"者,既包括今之"选择",也包括今之"递进"。

"询商"式递进,如:

[832]《论·学而》:"求之与,抑与之与?"

[833]《礼·中庸》:"南方之强与,北方之强与,抑而强与?"

[834]《孟·公下》:"求牧与刍而不得,则反诸其人乎,抑亦立而视其死与?"

[835]《秦策》:"诚病乎,意亦思乎?"——三引"抑"字,皆以领起进商之句者,暗寓转意,所引《秦策》句内,"意"同"抑"字。(《读本》第1版第534页)

"撇转"式递进,如:

[848]《左·隐十一》:"寡人之使吾子处此,不惟许国之为,亦聊以固吾圉也。"

[849]《史记·平准书》:"非独羊也,治民亦犹是也。"

[852]韩愈《三上宰相书》:"不惟不贤于周公而已,岂复有贤于时百执事者哉?岂复有所计议能补于周公之化者哉?"

[853]又《守戒》:"诸侯之于天子,不惟守土地,奉职贡而已,固将有以翰蕃之也。"——诸引节皆一推一转,以"不惟""非独""岂惟"为撇者,即以"亦""抑""固""复"等字为转。而概煞以"也"字者,所以足收转之势也。亦犹两商之辞,煞以"乎""与""耶"等助字者,所以写其拟度之情也。(《读本》第 1 版第 535 页)

前 4 例是以"抑""将""宁"等字为标志的"进商之句",亦即"询商之辞",后 4 例为有"亦犹两商之辞"的"撇转之辞"。不过,无论是"询商之辞"("进商之句"),还是"撇转之辞",马氏皆认为是"用以递进者"。

《读本》正文:"也"字助代字,经史中仅见。[344]《庄子·人间世》云:"使予也有用,且得有此大也邪?"——予,指名代字,助以"也"字,所以顿住而起下也。然此乃仅见之句。询问代字助"也"字者,"何"字而已。

《读本》注:询问代字可助以"也"字者不仅"何"字,"谁"字亦在其例,如《左传·成公九年》:"南冠而絷者,谁也?"类此者古籍中常有。(《读本》第 1 版第 565 页,第 2 版第 559 页)

[今按]"'也'字助代字""询问代字可助以'也'字者"这一类话都不一定准确。因为语气助词所助者应为句子,或句子成分。例如《马氏文通》在"公名有助以'也'字者"题下引《孟子·滕下》:"其母杀是鹅也,与之食之。"和《左传·僖二十八》:"君子谓是盟也信,谓晋于是役也能以德攻。"意思是说"也"字助"鹅"和"役",《读本》纠正说:"'也'字助'其母杀是鹅',非仅助'是鹅'"(《读本》第1版第563页,第2版第556页)。"第二'也'字助'晋于是役',非仅助'是役'"(《读本》第1版第563页,第2版第556页)。

《读本》补充说询问代字"也"可助"谁"字,如《左传·成公九年》:"南冠而絷者,谁也?"其实这里的"也"字是助"句"的,非仅助"谁"字。

其实,《马氏文通》也知道有"谁也"用法,不过也不认为是"也"字助"代字",而是"也"字助"句"。《文通》说:"'也'字助句,大抵助论断之辞气耳。而句之有待于论断者,以表词之句为最。……有以名字为表词者。……至于代字为表词而助以'也'字者,概皆询问代字。经籍习有'何谓也''何也''谁也'等句是也。"(《读本》第1版第539—540页,第2版第533—534页)

《读本》正文:【9.4.3】"矣"助感叹句。(《读本》第1版第567页,第2版第561页)

[今按]此为《读本》所加的例句类型的提示语。但这个提示语不妥。因为"感叹句"是我们今天的术语,而非《马氏文通》术语,《马氏文通》中没有"感叹句"术语,只有"咏叹之句"、"感叹之句"、"叹句"术语。此处所加提示语使人误以为《马氏

文通》已有"感叹句"术语矣。

《读本》正文:"了"者,尽而无余之辞。而其为口气也,有"已了"之"了",则"矣"字之助静字而为绝句也,与助句读之述往事也:有"必了"之"了",则"矣"字助言效之句也。外此,诸句之助"矣"字而不为前例所概者,亦即此"已了""必了"之口气也。是则"矣"字所助之句,无不可以"了"字解之矣。(《读本》第1版第574页,第2版第567页)

[今按]标点有误。在"有'已了'之'了',则'矣'字之助静字而为绝句也,与助句读之述往事也"和"有'必了'之'了',则'矣'字助言效之句也"两句之间的冒号误,应为分号。

《读本》正文:《日知录》谓"'而已'为'耳'"。"耳"与"矣"同义,有"止此"之解。助句助读,惟所用耳。

《读本》注:"矣"无"止此"之解,疑为"已"之讹。(《读本》第1版第578页,第2版第571页)

[今按]《马氏文通》是说"耳"字"有'止此'之解",而不是说"矣"字有"止此"之解。

从"'耳'与'矣'同义,有'止此'之解"一句来看,后分句"有'止此'之解"的主语是前句主语"耳",而非前句介宾"矣"字。

《马氏文通》认为"耳"有"止此"之解,可以从下面的例句及其分析看出:

[497]《论·阳货》:"前言戏之耳。"——此"耳"字,助句也,解同"而已",而有"止此"之意。(《读本》第1版第576页)

[509]《孟·梁上》:"直不百步耳,是亦走也。"——"直不百步耳"者,犹云"止此百步而已"也。(《读本》第1版第577页)

[521]《汉·刘歆传》:"夫可与乐成,难与虑始,此乃众庶之所为耳,非所望士君子也。"——诸引读之助"耳"字者,皆有"止此而已"之解。(《读本》第1版第578页)

《读本》疑"矣"为"已"之讹,也就是说,应写作"'耳'……与'已'同义"。但《马氏文通》在解释"已"字时说:"'已',语终辞,与'矣'同义。"(《读本》第1版第576页)这说明"耳""已"都与"矣"同义,因此,说"耳"与"矣"同义,跟说"耳"与"已"同义,实际上还是一回事。

至于马氏所说的"'耳'与'矣'同义"、"'已'……与'矣'同义"究竟是怎么"同义",我们还不清楚。我们觉得,"耳""已""矣"三字虽然都同是"传信助字",都同表"已然"或"必然",但并不完全"同义"。

《读本》正文:经学家见经史中询问之句,有助以"也"字"焉"字者,则谓"也""焉"两字同乎"乎"字。不知询问之句助以"也"字者,寓有论断口气。"也"字节下已言之矣。

《读本》注:"也"字节下并未论及此点。(《读本》第1版第589页,第2版第582页)

[今按]《马氏文通》"也"字节下并非没有论及此点,只因语句不多,未能引起注意。"也"字节下的论述是:

"也"字助句,大抵助论断之辞气耳。而句之有待于论断者,以表词之句为最。……有以名字为表词者。

……至于代字为表词而助以"也"字者,概皆询问代字。经籍习有"何谓也""何也""谁也"等句是也。(《读本》第1版第539—540页)

因此,不能认为《马氏文通》"也"字节下完全没有论及这一点。

《读本》正文:所引"哉"字各句,与配之字则有"其""尚亦""焉""曷其""何"等语在先,以及"乎哉""与哉"合助诸字以殿后,而咏叹之神,自寓其中。(《读本》第1版第611页,第2版第605页)

[今按]引号有误,对原文之改动亦误。

《马氏文通》是在论说"哉"字时说这些话的。《马氏文通》说:"至不叠句而("哉"字)深得咏叹之神者,则惟视其相配之字而已。"(《读本》第1版第611页)然后举了下面4例:

《论·为政》:"大车无輗,小车无軏,其何以行之哉!"

《礼·大学》:"寔能容之,以能保我子孙黎民,尚亦有利哉!"

《孟·梁下》:"臧氏之子,焉能使予不遇哉!"

《后汉·李云传》:"若夫托物见情,因文载旨,使言之者无罪,闻之者足以自戒。贵在于意达言从,理归乎正,曷其绞讦摩上以 沽成名哉!"

《马氏文通》认为,例1中与"哉"相配的是"其何",例2中与"哉"相配的是"尚亦",例3中与"哉"相配的是"焉能",例4中与"哉"相配的是"曷其"。由于上四例中有"其何""尚亦""焉能""曷其"4语相配,所以能"深得咏叹之神"。

《马氏文通校注》的原文是:

> 所引"哉"字各句,与配之字,则有"其""何""尚""亦""焉""能""曷""其"等语在先,以及"乎哉""与哉"合助诸字以殿后,而咏叹之神,自寓其中。(第471页)

把"其何""尚亦""焉能""曷其"4语标点成"其""何""尚""亦""焉""能""曷""其"8字,与马氏之意不合。正确的标点应该是:

> 所引"哉"字各句,与配之字,则有"其何""尚亦""焉能""曷其"等语在先,以及"乎哉""与哉"合助诸字以殿后,而咏叹之神,自寓其中。

《马氏文通读本》从8字中删去"能"字,又将"何"字调后,标点成"其""尚亦""焉""曷其""何",为3字2语,与马氏原意亦不合。

《读本》正文:[1170]《诗·周颂·臣工·臣工》曰:"嗟嗟臣工。"——《笺》谓重言者"美叹之深也"。(《读本》第1版第632页;第2版第626页)

[今按]《诗·周颂·臣工·臣工》中多出"臣工"二字。

《读本》正文:[1196]《诗·小雅·节南山·节南山》云:"民言无嘉,憯莫惩嗟。"——言在位者无所惩也,故嗟叹其如此。"嗟"在句末,叹辞也。(《读本》第1版第634页,第2版第628页)

[今按]《诗·小雅·节南山·节南山》中多出"节南山"三字。

《读本》正文:[79]《庄·人间世》云:"夫柤梨橘柚果蓏之属,实熟则剥,剥则辱,大枝折,小枝泄,此以其能苦其生者也。"——一顿冠首,而为"剥""辱"与"能苦"诸读之主次。

《读本》注:章云:此句之"能"为名字,马氏因上文误衍"知"字,遂以为动字也。今按:《交通》于"其能"上衍"知"字,章氏校注本已删。(《读本》第1版第647页,2001年第2版第640页)

[今按]《交通》乃《文通》之误。1986年版《读本》不误。

《读本》正文:其加者则以代字先乎动字,与下例同。所异者,下例无首踞之语耳。

《读本》注:"与下例同,所异者,下例无首踞之语耳"十五字在此费解,疑是错简。下文"军旅之事"等皆首踞之语。(《读本》第1版第658页,第2版第651页)

[今按]马氏所说"与下例同,所异者,下例无首踞之语耳"不是"错简"。

此句费解,不是因为"错简",而是"下例"二字意义含糊。如果正确理解了"下例"二字的意义,则这"十五字"就很好理解了。

《马氏文通》所说的"其加者则以代字先乎动字,与下例同"这段话是在止词节"系一"中说的。"下例"指止词节"系二"。

止词节"系一"是:"外动字之止词而为意之所重者,率先弁诸句首。其外动字无弗辞者,则其后加代字以重指焉。有弗辞者,则不重于外动字后,而有重于其先者焉。"例如:

《论·卫灵公》:"军旅之事,未之学也。"

《孟·公孙丑下》:"仁智,周公未之尽也。"

《孟·滕文公上》:"诸侯之礼,吾未之学也。"

《左·僖公二十八年》:"楚君之惠,未之敢忘。"

止词节"系二"是:"凡外动字状以弗辞,或起词为'莫''无'等字,其止词如为代字者,概位乎外动之先。非代字而先焉者盖寡。"(《读本》第1版第658页)这中间讲到了"其止词如为代字者,概位乎外动之先",这就是"系一"讲的"其加者则以代字先乎动字……无首踬之语"。例如:

《左·襄公十年》:"余恐乱命,以不女违。"

《左·昭公十二年》:"今郑人贪赖其田而不我与。"

《左·襄公六年》:"几日而不我从。"

《庄·知北游》:"非不我告,中欲告而忘之也。"

《庄·齐物论》:"我胜若,若不吾胜,我果是也,而果非也邪!"

《齐语》:"故天下小国诸侯既许桓公,莫之敢背。"

止词节"系一"讲止词为代字而"先于动字"都有首踬之语,如"军旅之事,未之学也""楚君之惠,未之敢忘"等,止词节"系二"讲止词为代字而"先于动字"都没有首踬之语,如"不我与"、"不我从"、"不我告"、"不吾胜"等等。

《读本》正文:[285]《庄子·齐物论》云:"山林之畏佳,大木百围之窍穴,似鼻,似耳,似枅,似圈,似臼,似洼者,似污者。"——首句记处,一顿也;第二句起词,亦偏次之顿也;以后排顿,皆为表词,以表窍穴之形也。(《读本》第1版第666页,第2版第659页)

[今按]"山林之畏佳"之"佳"字误,《马氏文通》原文为"隹"。

《读本》正文:故凡读之起词有用代字为指者,概为"其"字。是则同一"其"字,或接读,或指名,其为用则一。其位则紧接所指,而嵌于句中者,接读代字也:遥应所指者,指名代字也。详观卷二代字之有涉乎"其"字者,知所区别矣。(《读本》第1版第677页,第2版第670页)

[今按]标点有误。"其位则紧接所指,而嵌于句中者,接读代字也"与"遥应所指者,指名代字也"之间的冒号不对,应改为分号。

《读本》正文:[432]《荀子·荣辱篇》云:"将以为智邪,则愚莫大焉。将以为利邪,则害莫大焉。"——以上所引"矣""耳""焉""哉"与"乎""邪"诸助字所煞之读,皆位先乎句,是非诸助字所殿者之必为读也,乃其所位者之先乎句,而辞气又惟读之是称也,此不可不辨也。(《读本》第1版第681页,第2版第674页)

[今按]其中加引号的6个助字,《马氏文通》原文顺序为"矣""焉""耳"与"乎""哉""邪","与"字前"矣""焉""耳"3个助字为"传信助字","与"字后"乎""哉""邪"3个助字为"传疑助字",马氏之意可以肯定。《读本》调整为:"矣""耳""焉""哉"与"乎""邪","与"字前"矣""耳""焉""哉"4个助字为3个"传信助字"和1个"传疑助字",似有不妥。如要与上文例句对应,宜调整为:"矣""耳""焉"与"哉""乎""邪",即把"哉"字调至"与"字之后。

《读本》正文:[419]《左传·文公三年》云:"君子是以知秦穆公之为君也,举人之周也,与人之壹也。孟明之臣也,其不解也,能惧思也。子桑之忠也,其知人也,能举善也。"——九"也"字,煞读者五,皆先乎句;煞句者四,皆后乎读。

《读本》注:"煞读者五……煞句者四"疑应为"煞读者六……煞

句者三"。(《读本》第1版第681页,第2版第674页)

[今按]马氏说"煞读者五……煞句者四",不错,其意思是:"秦穆公之为君也""孟明之臣也""其不解也""子桑之忠也""其知人也"为五个"读","……举人之周也""……与人之壹也""……能惧思也""……能举善也"为四个"句"。

《读本》说"煞读者六……煞句者三",可能是说"秦穆公之为君也""举人之周也""孟明之臣也""其不解也""子桑之忠也""其知人也"为"读","……与人之壹也""……能惧思也""……能举善也"为"句"。

两相比较,差异在"……举人之周也"是否为"句"。

我认为,"……举人之周也"应当为"句"。说"……举人之周也"为"句",实际上就是说"君子是以知秦穆公之为君也,举人之周也"是一个"句",这是一个起词、语词(含止词)都具备的"句"。接下去的"与人之壹也"是第二个"句",这是一个省略了起词的省略句。

用当代人的眼光来看,"君子是以知秦穆公之为君也,举人之周也,与人之壹也"当然是一个句子,只是《马氏文通》不这么看。比如《马氏文通》在分析《刘向传》"今以陛下明知,诚深思天地之心迹,……使是非炳然可知,则百异消灭,而众祥并至,太平之基,万世之利也"一句时,说"太平之基"和"万世之利也"是两"句",可是在今天,我们会认为它们是两个句子吗?

《马氏文通》卷九还分析过"君子是以知秦穆公之为君也,举人之周也,与人之壹也"例句,其大一点的标题是:"静字为表词,煞'也'字以决其是者",小一点的标题是:"至静字前往往益以'之'字者,所以四之也。"马氏在分析语中说:"'周''壹'……皆静字之奇者也,益以"之"字,则偶矣"(《读本》第1版第540—541页,第2版第535页)这可以说明马氏认为"举人之周也"和"与人之壹也"各为表词,各为一"句"。

总之,说"煞读者五……煞句者四",是符合《马氏文通》分析体系的。

《读本》正文:【10.6.2.2】读先乎句而有起词为联者。[436]《论语·学而》云:"君子食无求饱,居无求安。"

《读本》注:【10.7.2.1】节以此例列为"排句而意无轩轾者"。(《读本》第1版第683页,第2版第676页)

[今按]【10.6.2.2】节与【10.7.2.1】节论说并无矛盾。

【10.6.2.2】节"读先乎句而有起词为联者"引此例,是说"君子食无求饱"是一个"读先乎句而有起词为联者","居无求安"是另一个"读先乎句而有起词为联者",【10.7.2.1】节引此例是说把"君子食无求饱"与"居无求安"合起来为"排句而意无轩轾者"。

《读本》正文:[450]又《哀公十一年》云:"得志于齐,犹获石田也,无所用之。越不为沼,吴其泯矣。使医除疾而曰'必遗类焉'者,未之有也。"——共三句,第一句"无所用之",先之者读也,亦无起词。

《读本》注:马氏引三句,只解说了第一句。第二句,读与句各有起词。第三句,读为句之起词。(《读本》第1版第684页,第2版第677页)

[今按]《马氏文通》原解说语无误,《马氏文通读本》所补充的解说反而有些不妥。

马氏此例系于"读先乎句而无起词为联者"题下,必须紧扣"读先乎句"和"无起词为联"作解说。

《马氏文通》"读先乎句而无起词为联者"有两类:1. 读和句皆无起词("无起词以联句读耳");2.读和句皆有起词,但不相同("即有焉,而亦不相共")。因此,例句的第一句和第二句是"读先乎句而无起词为联者",第三句则不是"读先乎句而无起词为联者"。如果要对以上三句全作解说,应是:

第一句,读和句皆无起词;第二句,读与句各有起词,但不相同;第三句,非"读先乎句而无起词为联者","使医除疾而曰'必遗类焉'者",读也,后句"有"之止词,"未之有也",句也。

《马氏文通读本》认为"使医除疾而曰'必遗类焉'者,未之有也"一句中,"读为句之起词"是不合《马氏文通》分析方法的,根据马氏一贯的分析方法,此句为"读为句之止词"(仿卷十象一"不好犯上而好作乱者,未之有也"分析如此)。

《读本》正文:《史记》以叠字为接者最习见,有不泥于成读成句者矣。[485]《张陈列传》云:"然今范阳少年亦方杀其令,自以城距君,君何不赍臣侯印,拜范阳令?范阳令则以城下君,少年亦不敢杀其令。令范阳令乘朱轮华毂,使驰驱燕赵郊。燕赵郊见之,皆曰:'此范阳令先下者也。'"——四叠前文之字,惟用以承接耳,而非以成句读也。

《读本》注:此例叠接之辞凡三:君;范阳令;燕赵郊。"四叠"云

云疑误。(《读本》第 1 版第 687 页,第 2 版第 680 页)

[今按]其实马氏不误。此例叠接之辞确实有四,这就是:

然今范阳少年亦方杀其令,自以城距君,君何不赍臣侯印,拜范阳令?范阳令则以城下君,少年亦不敢杀其令。令范阳令乘朱轮华毂,使驰驱燕赵郊。燕赵郊见之,皆曰:"此范阳令先下者也。"

四组"叠接之辞"分别是:1.君;2.范阳令;3.令;4.燕赵郊。《读本》少数了"令"字一组。

《读本》正文:[557]《宣公三年》云:"德之休明,虽小,重也;其奸回昏乱,虽大,轻也。"(《读本》第 1 版第 692 页,第 2 版第 685 页)

[今按]关键字着重号有误。本句所在段落前提是:"凡读之用如静字者,即读之用为表词也。而读之用为表词者,有煞以助字,缀以静字(者,)而最为习用者,则接读代字也。"(《读本》第 1 版第 691 页,第 2 版第 684 页)所言共三类,此例在"其缀以静字者"小类下,其中"缀以静字者"以成之"读"是"德之休明,虽小"和"其奸回昏乱,虽大",因此关键字着重号应标在"读"之表词"小""大"之下。《读本》误标在"句"之表词"重也""轻也"之下了。"重也""轻也"是"句"不是"读"。

《读本》正文:[583]《左传·僖公二十七年》云:"楚子将围宋,使子文治兵于睽,终朝而毕,不戮一人。子玉复治兵于蒍,终日而毕,鞭七人,贯三人耳。"——"终日而毕","终朝而毕",两记时之读也。(《读本》第 1 版第 695 页,第 2 版第 687 页)

[今按]关键字着重号有误。"蒍"字不应该有关键字着重号。

《读本》正文:[605]又《襄公二十九年》云:"夫子之在此也。犹燕之巢于幕上。"——此譬其所在之危也。(《读本》第1版第696页,第2版第689页)

[今按]标点符号有误。"夫子之在此也。犹燕之巢于幕上"为一句,中间不应该加句号。

附录一 《马氏文通》版本叙录

《马氏文通》出版至今才100多年,但其版本却有30多种。专论《马氏文通》版本的文章,只有何容(1937)《〈马氏文通〉的版本》一篇,他说《马氏文通》版本有"四种"。专著中有专节论述《马氏文通》版本的,只有林玉山(1983)《汉语语法学史》一书,其第二编第一章的第二节《〈马氏文通〉的版本》介绍了《马氏文通》的7种版本。论文中有专节论述《马氏文通》版本的,只有林玉山(1996)《〈马氏文通〉简论》一文,其第二节介绍了《马氏文通》版本13种。其他涉及《马氏文通》版本的书籍、文章,都只有很少语句涉及。今就笔者所掌握的资料,把《马氏文通》的各种版本归类叙述于下,以就教于方家。

一、1898—1904年十卷本系统

《马氏文通》初版为十卷本,由商务印书馆分两次出版,前六册1898年冬出版,后四册1900年初出版。其后,1902年有绍兴府学堂、上海文林两种翻印版,1904年有成都官报书局的翻印版,这中间还有一种盗印版,它们都是十卷本。因此,共有5种样式。

(1)商务印书馆初版《文通》

何容《〈马氏文通〉的版本》介绍这一版本说:"最早的本子是竹纸铅排线装六开本,十卷分装十册,两次印成,前六卷题'光绪二十四年孟冬',后四卷题'光绪二十五年季冬'。第六卷末尾附校勘记一叶,校勘记之前还有一叶,有几句像是'跋'的话"。"书中正文四号字,每面十行,每行二十四字。引例五号字,也是单行;所引书名篇名右旁标以直线"。书上印着"上海商务印书馆排印 翻印必究"。陈望道(1959)《漫谈〈马氏文通〉》介绍这一版本说:"第一卷和第七卷前面,都印有出版的年月和'上海商务印书馆排印'字样"。林玉山(1983)《汉语语法学史》介绍这一版本说:"最早的版本是竹纸铅排线装,十卷分装十册,每卷自编页码,书面题《文通》。"

陈望道《漫谈〈马氏文通〉》、林玉山《汉语语法学史》、高天如(1992)《马建忠》都说这一版本前六卷出版于1898年,后四卷出版于1899年。严修(1996)《〈马氏文通〉出版年代考》认为:"《马氏文通》后四卷出版于光绪二十五年季冬,其时不是在1899年,而是……1900年的1月份了。"

张清常(1988)《〈马氏文通读本〉读后》称这一版本为"戊戌(1898)木刻本",与以上诸家说它是"铅排"不同。

(2)绍兴府学堂1902年木刻本《马氏文通》

这是一种翻印本。何容《〈马氏文通〉的版本》介绍这一版本说:"目录前页印着'绍兴府学堂教科书光绪壬寅正月依马氏原书排印本锓木',连卷六的校勘记和那一段跋也照刻,只是把目录移到卷一正文之前去了。"陈望道《漫谈〈马氏文通〉》介绍了这一版本,称它是"绍兴府学堂木刻本",说它"是小型的线装本,把十卷分订成十册"。林玉山《汉语语法学史》介绍说:"绍兴府学堂教科书。扉页题《文通》,封面写《马氏文通》。光绪壬寅年正月依马氏原书排印本锓木印刷。竹纸木印线装,十卷装十册,每卷自编页码。"

上海古籍出版社《续修四库全书》收入此版本。

(3) 上海文林 1902 年石印本《校正马氏文通》

这也是一种翻印本。书名前加"校正"二字,并署"光绪壬寅秋月上海文林石印"。何容《〈马氏文通〉的版本》介绍这一版本说:"题'校正马氏文通',实际上却并没有校正,却多出了些错误。连断句尖点儿也不要了。纸是粉纸,印得也不很好。"陈望道《漫谈〈马氏文通〉》介绍了这一版本,称它是"上海文林石印本",说它"是小型的线装本,把十卷分订成十册"。

(4) 成都官报书局 1904 年翻印本《马氏文通》

何容《〈马氏文通〉的版本》介绍这一版本说:"这种翻印本跟原排本行款相同。目录在前,有跋,无校勘记,但原排本中的错误,并未校勘。"书上印着"光绪甲辰年秋日成都官报书局排印"。

(5) 一种盗印版《马氏文通》

何容《〈马氏文通〉的版本》介绍这一版本说:这是"不标年月地方的一种翻板木刻本。刻得很不清楚,行款跟原书相同"。

二、1904—1930 年(?)上下册系统

这是 20 世纪前期流行很广的一种版本。由商务印书馆 1904 年排版,以后数十次重印,重印时往往作一些小的改动,并标为"第×版"。

(6) 商务印书馆 1904 年版《马氏文通》

张清常读过这一版本。称它是"款式稍有改进的甲辰(1904年)商务印书馆初版的铅印本",说它"正文用三号字,例句引书用五号字双行,排得密密麻麻"。章锡琛的《马氏文通校注》是以这一版本为基础校对加注而成的。称这一版本是"一九〇四年(清光绪三十年)商务印书馆初版本"。吕叔湘、王海棻《马氏文通读本》也曾"校以商务印书馆光绪甲辰(1904)本"。何容见过这一版本,他说这是一种"商务印书馆的大字洋装四开本,分订上下两册,正文四号字,引例五号字,但引例都并成双行了。"

这一版本的版权页上写的是"光绪三十年四月再版",可后来 1905 年 10 月出的"第五版"的版权页上又印着"光绪三十年四月初版"。何容《〈马氏文通〉的版本》考证说:"那个'光绪三十年四月再版'本就是'初版';版权页上的'再版',大概是以线装本为'初版';后来又要再版之时,才追认这个再版为初版了。其初以新版为'再版',过后又以新版之第一版为'初版'。"

林玉山《汉语语法学史》介绍说:"甲辰年(1904 年)十二月初版(后来再版的本子有写光绪三十年四月即 1904 年 4 月出版的),前后五卷分装上下两册,按卷编页码,扉页题'总理学务大臣审定',书面写马氏文通,上海商务印书馆印行。"

(7) 商务印书馆 1905 年第五版《马氏文通》

何容见过这一版本。其《〈马氏文通〉的版本》介绍说:这个第五版是"光绪三十一年十月"出版的,"目录前一页正中,印着一行红字'总理学务大臣审定',字体非隶非楷",有东洋之风,"书的装订样式亦然,尤其特别的是版权页上印的是'中国商务印书馆'"。

何容猜想这是个"东洋版"。

(8) 商务印书馆 1906 年第五版《马氏文通》

何容见过这一版本。其《〈马氏文通〉的版本》介绍说:这个第五版是"光绪三十二年印的",没有前面那个第五版的别致的地方,"'总理学务大臣审定'那几个字也成普通的宋体铅字。"徐昂(1949)《马氏文通订误》依据的是"光绪三十二年商务印书馆五版",应该就是这个版本。

(9) 商务印书馆 1911 年第九版《马氏文通》

笔者有这一版本,版权页上署为"宣统三年二月九版",照理说应是 1911 年出版的;但封面上又有"中华民国元年六月"和加印的"订正"字样,看来又是 1912 年改变了封面重新装订的。版权页上还署有"校订者　商务印书馆"一行字。上下两册,竖排,铅印,正文三号字,引例为五号字双行排,按卷编有页码,无全书统一页码。

(10) 商务印书馆 1912 年第十版《马氏文通》

何容见过这一版本。其《〈马氏文通〉的版本》介绍说:"第十版的版权页也有一点新花样,译出了英文名称,下注著者及其职衔,文曰:by taotai Mei-Suh"。还说:"大洋装本辛亥年九月十版(封面上端印的是民国元年六月),封面上端加印了'订正'二字。是否从这一版起改排过一次,虽不能知,但这一版确是改排过的。"

(11) 商务印书馆 1916 年第十二版《马氏文通》

林玉山《汉语语法学史》提到这种版本,说是"甲辰年(1904年)十二月初版"的"重版"。

(12) 商务印书馆 1919 年第十三版《马氏文通》

林玉山《汉语语法学史》提到这种版本,说是"甲辰年(1904

年)十二月初版"的"重版"。

(13)商务印书馆1923年版《马氏文通》

申小龙(1987)《汉语的人文性和中国文化语言学——重评〈马氏文通〉》一文篇后注释说:"《马氏文通》,马建忠著,商务印书馆1923年初版。"笔者以为这是商务印书馆1923年出版的《马氏文通》。

(14)商务印书馆1925年第十八版《马氏文通》

张在云(1999)《〈马氏文通〉的引例特点及其有关评论》提到"1925年11月商务印书馆根据初版排印的第十八版《文通》",笔者认为它是商务印书馆1925年第十八版。

(15)商务印书馆1927年第十九版《马氏文通》

林玉山《汉语语法学史》提到这种版本,说它是"甲辰年(1904年)十二月初版"的"重版"。

(16)商务印书馆1930年第二十一版《马氏文通》

林玉山《汉语语法学史》提到这种版本,说它是"甲辰年(1904年)十二月初版"的"重版"。

三、1929年以后万有文库系统

20世纪30年代较为流行的是商务印书馆万有文库版《马氏文通》,它先后有两种装订方式,一种是开始的六卷本,一种是后来的一卷本。

(17)1929年万有文库六卷本《马氏文通》

何容《〈马氏文通〉的版本》说:"万有文库版印着'民国十八年

十月出版"。分六册装订。林玉山《汉语语法学史》介绍说："万有文库版,书面写'万有文库第一集一千种,王云五主编,马氏文通,马建忠著',商务印书馆1929年十月初版,分装六册,一和二、三和四、五和六、七和八、九、十卷共分装六册,按册编码。"

(18)万有文库版合订本《马氏文通》

这是30年代通行的一种本子。何容《〈马氏文通〉的版本》说它是"现在通行的本子,是用万有文库版印的,只是合六册为一册了。"林玉山《汉语语法学史》介绍说："文库合订本,书面写'马氏文通',铅印平装,扉页题'本书系用万有文库版本印行,原装分订六册,每册面数各自起讫,合订一本,面数仍旧,读者鉴之'。"

四、1954—1988年章锡琛校注本系统

章锡琛《马氏文通校注》是20世纪50年代以来一直流行的本子。这是第一个经过后人认真校对并加注释的本子,有很大的影响。

(19)1954年中华书局第一版《马氏文通校注》

章锡琛《马氏文通校注》,中华书局1954年第一版,上下两册,竖排。正文五号字,引例新五号字。还增加了章锡琛写的"校注例言"和"付印题记"。本版共印过4次,1954年第1次印刷,1956年第2次印刷,1958年第3次印刷,1961年第4次印刷。

林玉山《汉语语法学史》介绍说："校注本,书面写《马氏文通校注》,前后五卷各装上下两册。页码全书上下两册合编,共563页,该书由章锡琛于1941年在上海排校,一直到1954年10月才由北

京中华书局出版。校注本有注有校,当然胜过以前版本,但也有错校的,如校注本14页的'今复以名代诸字位、绪(诸)句读',各版本都是'今复以名代诸字,位绪(诸)句读';106页将'止词'校正为'表词',也失马氏原意。"

唐子恒(1997)《马氏文通研究》介绍说:"'校注本'是章锡琛根据1904年的本子点校加注而成的,前六卷与后四卷各装一册。"

(20)1988年中华书局新第一版《马氏文通校注》

这一版本依据中华书局1954年章锡琛《马氏文通校注》重新排版,合上下册为全一册。仍然是竖排版式。版权页上写:"1988年9月第1版",主体部分连续页码为565页。

五、商务印书馆1983—2000年"丛书·文库"系统

这是20世纪80年代起至今流行很广的一种版本。它是第一个横排本,是商务印书馆为出版"汉语语法丛书"而整理出版的,错误较少,印刷精良,是一个较好的版本。

(21)1983年"汉语语法丛书"版《马氏文通》

"汉语语法丛书"版《马氏文通》,版权页上写:"1983年9月新1版,1983年9月第1次印刷",其后,1998年5月又印刷一次。封面、书脊和扉页都有"汉语语法丛书"字样。书的目录前面增加了朱德熙写的《〈汉语语法丛书〉序》和吕叔湘写的《重印〈马氏文通〉序》。书后附有"词语索引",还有署名为"商务印书馆编辑部"的"编辑后记"。

唐子恒《马氏文通研究》介绍说:"《汉语语法丛书》本根据校注本排印,但删去了章氏的注释,并对全书的标点进行了加工,十卷合订一册。"

(22) 2000年"商务印书馆文库"版《马氏文通》

"商务印书馆文库"版《马氏文通》,商务印书馆2000年12月出版。

这一版本主体内容同于商务印书馆1983年"汉语语法丛书"本,不同的地方有:封面、封底和扉页改为"商务印书馆文库"丛书的统一格式,上面都有"商务印书馆文库"及"THE COMMERCIAL PRESS LIBRARY"字样。书内删去了1983年版朱德熙写的《〈汉语语法丛书〉序》,增加了署名为"商务印书馆编辑部"的《〈商务印书馆文库〉编纂大意》。

六、1986—2002年"马氏文通读本"系统

吕叔湘、王海棻编写的《马氏文通读本》,是一本以崭新面貌出现的《马氏文通》版本,一个令人满意的可读之本。它有5个版本。

(23) 1986年上海教育出版社第一版《马氏文通读本》

第一版由上海教育出版社于1986年出版,全一册,横排,700多页,有平装和硬面精装两式。

《马氏文通读本》以章锡琛校注本为底本,校以商务印书馆1904年版,改正错误的文字标点,对原书的"章""节"和标题,做了一定的调整,把原书引例一一列条,按章按顺序加上号码,每例另起排版,在个别地方还把例句的顺序做了调整。《读本》删去了章

锡琛校注本的附注,另写了七八百条新的附注,把原书卷六后面的"自记"提到目录之前,改题为"上册付印题记"。卷首有《读本凡例》,正文前有《导言》(即1984年在《中国语文》上发表的《〈马氏文通〉评述》)。书后附有"词语索引"999条,比"汉语语法丛书"本多出557条。

张清常(1988)评论《马氏文通读本》说:"《读本》是一部既方便读者,又指导、启发读者的传世之作。"

(24) 2000年上海教育出版社新一版《马氏文通读本》

《马氏文通读本》新一版,2000年出版。该书以1986年版为基础,前面增加了王海棻写的《重印〈马氏文通读本〉前言》,张清常写的代序(系发表于《中国语文》1988年第1期的《〈马氏文通读本〉读后》),后面增加了《蒋文野〈马氏文通〉用例校勘一览表》。除新增内容新编页码外,其余页码没有变化。版权页上写"上海世纪出版集团 上海教育出版社出版发行",但封面、书脊、扉页上出版者仍写"上海教育出版社"。

《马氏文通读本》新一版对1986年版《马氏文通读本》作了少量的修改,例如第408页注①,1986年版为:"句意不明。似是两个同义代字用作状字则不同义之义,但无例证。"2000年版改为:"邵霭吉指出,其、或二字应各加引号。'其''或'见[6.4.8.4]"。

(25) 2001年上海世纪出版集团"世纪文库"版《〈马氏文通〉读本》

"世纪文库"版《〈马氏文通〉读本》,2001年出版。该书以上海教育出版社2000年新一版为基础,稍作变动,重新排版印刷。封面改为"世纪文库"丛书统一格式的封面,封面和书脊上都有"世纪文库"标识,封面、书脊和扉页都在书名中"马氏文通"四字上加上了书名号,版权记录和《图书在版编目(CIP)数据》的书名中"马氏文通"四字上不加书名号。

"世纪文库"版《〈马氏文通〉读本》增加了《"世纪文库"出版说明》,《世纪文库编委会》主任及委员名单,《"世纪文库"书目(第一辑)》书目等。改变了 2000 年版的页面设计,增加页眉饰花,更加美观,以电脑重新排版,页码比 2000 年版略少。

"世纪文库"版《〈马氏文通〉读本》,书脊上写"上海世纪出版集团",封面和扉页上写"上海世纪出版集团 上海教育出版社",版权记录为"世纪出版集团 上海教育出版社",图书在版编目(CIP)数据写"上海:上海教育出版社"。

"世纪文库"版《马氏文通读本》在封面、扉页和版权记录上写"吕叔湘、王海棻编",《图书在版编目(CIP)数据》写"(清)马建忠著;吕叔湘、王海棻注"。

(26)2002 年辽宁教育出版社《吕叔湘全集》第十卷《马氏文通读本》

辽宁教育出版社 2002 年 12 月出版的《吕叔湘全集》共 19 卷,其第 10 卷为《马氏文通读本》。封面写为:"吕叔湘全集"(大字),"第十卷"(1 号字),"《马氏文通读本》"(2 号字),"辽宁教育出版社"(3 号字)。插页有吕叔湘先生生活照片 4 帧,这是《马氏文通读本》的其他版本没有的。在这一版本中,《读本凡例》、《文通序》、《后序》、《例言》、《上册付印题记》、《导言》编为 1—56 页,正文编为 1—666 页,《语词索引》为 667—683 页。卷首有《吕叔湘全集》第十卷"说明",全文如下:"本卷收入《马氏文通读本》,吕叔湘、王海棻编著。据上海教育出版社1986年6月版排印。此次出版时，由王海棻参照蒋文野《马氏文通用例校勘》改正原书引例等方面的错误若干处。"

与此前出版的2000年版、2001年"世纪文库"版相比，没有《重印〈马氏文通读本〉前言》和张清常的《代序》，也没有《蒋文野〈马氏文通〉用例校勘一览表》。

(27)2005年上海世纪出版集团新二版《〈马氏文通〉读本》

2005年上海世纪出版集团把"世纪文库"纳入"世纪人文系列丛书"，因而重新排印出版了《〈马氏文通〉读本》，标为"2005年4月第2版"，当称为"新二版"。

2005年版《〈马氏文通〉读本》，跟2001年版《〈马氏文通〉读本》不同的是：重新设计了封面；重新设计了开本、页面版式；把书首《"世纪文库"出版说明》改为"世纪人文系列丛书"的《出版说明》，把"世纪文库编委会"主任及委员名单改为"世纪人文系列丛书编委会"主任及委员名单；把书末的《"世纪文库"书目(第一辑)》书目改为"世纪人文系列丛书"的书目；把段后注释改为脚注，正文连续页码从2001年版的733页减少为592页。2001年版"图书在版编目(CIP)数据"中有"(清)马建忠著"字样，2005年版已将其删去。

2005年版《〈马氏文通〉读本》还校正了以往版本的少数排印错误。如第九章第1196例原为"诗·小雅·节南山·节南山"，现改正为"诗·小雅·节南山"。但仍有一些错误未改，如同章第1170例"诗·周颂·臣工·臣工"，其中多出"臣工"二字，未改。

七、其他版本

(28) 1933 年《马氏文通》与《马氏文通刊误》合编本

《马氏文通》与《马氏文通刊误》合编本,商务印书馆 1933 年 4 月出版,人称"刊误本"。

林玉山《汉语语法学史》介绍说:"刊误本,书面写《马氏文通及其刊误》,铅印精装,由《马氏文通》和杨树达的《马氏文通刊误》合订而成,1933 年 4 月商务印书馆印行。"唐子恒《马建忠〈马氏文通〉》指出:"1933 年,商务印书馆将《文通》及杨树达《马氏文通刊误》合为一书出版,称'刊误本',以便两书相互参阅。"

(29) 台湾版《马氏文通》

笔者从网上看到台湾有 1959 年版、1965 年版、1978 年版《马氏文通》。

(30)《续修四库全书》影印本《马氏文通》

《马氏文通》又被收入上海古籍出版社《续修四库全书·经部·小学卷》第 196 册,与《一切经音义》同在一册。注明是用"清光绪二十八年绍兴府学堂刻本影印"。署:"文通,[唐]马建忠撰",其中"[唐]"字系"[清]"字之误。

(31) 1996 年《传世藏书》重排本《马氏文通》

《传世藏书》由季羡林教授担任总编,海南国际新闻出版中心出版。全书收先秦至清末要籍 1000 种,分成经、史、子、集四库。其经部收有《马氏文通》,采用新式标点和横排简化字,为今人阅读提供了方便。

以上叙述了笔者收集的和从资料上查到的《马氏文通》各个版本的一些情况。看来，还有许多内容需要充实和补充。

附录二 《马氏文通》研究资料索引

1898—1949

《文通》(一至六卷)/ 马建忠 // 商务印书馆,1898

《文通》(七至十卷)/ 马建忠 // 商务印书馆,1900

《马氏文通》要例启蒙/ 陶　奎 // 北京华新印刷局,1916

马氏文通刊误/ 杨树达 //《学艺》第 3 卷 3、4、8 期,第 4 卷 2、8 期;1921—1923

读《马氏文通刊误》/ C.P. //《学艺》第 3 卷 10 期;第 4 卷 2、4 期;1922

对于 C.P. 君《读马氏文通刊误》之说明/ 杨树达 //《学艺》第 4 卷 2 期,1922

马氏文通刊误/ 杨树达 // 商务印书馆,1931

《马氏文通刊误》质疑/ 刘铨元 //《厦大周刊》11 卷第 12、13 期合刊(1931);第 14、16 期(1932)

《马氏文通》答问 / 缪子才 //《厦大周刊》11 卷第 1—11 期(1931);第 20—24 期(1932);第 13 卷 3、4 期(1933)

《马氏文通》易览 / 邵成萱 // 瑞安仿古印书局,1934

《马氏文通》之"次" / 何　容 //《世界日报》1936 年 8 月 22 日;8 月 29 日

读《马氏文通》／何　容　∥《中央日报》1936年11月29日；1937年1月27日；1月31日；2月7日

《马氏文通》论句之术语／何　容　∥《世界日报》1937年2月13日

《马氏文通》的版本／何　容　∥《益世报》1937年6月24日

《马氏文通》之批评／陈君哲　∥《新思潮》第1卷第1期，1946

中国文法研究之进展——《马氏文通》成书第五十年纪念／邢庆兰　∥《国文周刊》第59期，1947

试论助辞——纪念《马氏文通》出版五十周年／陈望道　∥《语文周刊》第62期，1847

马氏文通订误／徐　昂　∥《徐氏全书》第11卷第32种，南通翰墨林书局，1949

1951—1963

中国第一位文法学家／陈士林　∥《光明日报》1951年2月3日

马氏文通校注／章锡琛／中华书局，1954

《马氏文通》和旧有讲虚字的书／麦梅翘　∥《中国语文》1957.4

漫谈《马氏文通》／陈望道　∥《学术月刊》1959.2；《复旦》1959.3

从《马氏文通》所想到的一些问题／郭绍虞　∥《复旦》1959.3

关于《马氏文通》／吴文祺∥《复旦》1959.3

关于《马氏文通》／胡裕树　∥《复旦》1959.3

关于《马氏文通》的作者／聪　孙　∥《天津日报》1962年4月4日

《马氏文通》以前的语法研究／刘景农　∥《山东大学学报》（语言文学版）1962.2

《马氏文通》句法理论中的"词"和"次"的学说——纪念《马氏文通》出版六十五周年 / 王维贤 //《杭州大学学报》1963.2

1978

《马氏文通》述评 / 周钟灵 //《中国语文》1978.4
《马氏文通》及其作者 / 岭 //《语言文学》1978.6

1980

对《马氏文通》的几点看法 / 林玉山 //《上海师范大学学报》(社会科学版)1980.2
马建忠的《马氏文通》/ 杨秀君 //《四平师院学报》1980.2
《马氏文通》的作者究竟是谁 / 朱星 //《社会科学战线》1980.3
谈"顿" / 徐静茜 //《中国语文通讯》1980.3
《马氏文通》作者为马相伯说质疑 / 邬国义 //《青年史学》1980.2

1981

评《马氏文通》对汉语语法研究的贡献 / 季绍德 //《浙江师范学院学报》(社会科学版)1981.2
《马氏文通》代字章述评 / 王海棻 //《中国语文》1981.2
《马氏文通》的词类定义 / 群一 //《昆明师专学报》1981.2
《马氏文通》"滋静"字评述 / 康今印 //《唐山师专学报》1981.4

应尊重《马氏文通》作者的意见/王鉴清//《社会科学》1981.6

马建忠(附马相伯)/赖汉纲//《中国现代语言学家》(一)河北人民出版社,1981

1982

《马氏文通》的实际作者是马相伯吗?/邬国义//《学林漫录》5集,中华书局,1982

《马氏文通》札记/孙玄常//《中华文史论丛》增刊《语言文字研究专辑》(上),上海古籍出版社,1982

1983

重印《马氏文通》序/吕叔湘//《语文研究》1983.1

试论《马氏文通》的"次"/林玉山//《上海师范大学学报》(社会科学版)1983.4

先秦至《文通》出版前对汉语语法的研究/马松亭//《东岳论丛》1983.5

《马氏文通》在汉语语法史上有什么地位?/龚千炎//《语言学百题》(王希杰编),上海教育出版社,1983

1984

马氏文通札记/孙玄常//安徽教育出版社,1984

马建忠和他的《马氏文通》/彭妙艳//《临沂师专学报》(社会科学版)

1984.1

简谈《马氏文通》的"位次"理论的影响/王佐才//《求是学刊》1984.1

马氏句法观论析/俞允海//《嘉兴师专学报》1984.1

《马氏文通》评述／吕叔湘、王海棻//《中国语文》1984.1—2

主谓谓语是谁首先提出的/沈锡伦//《汉语学习》1984.1

关于《马氏文通》的史实辨证——也谈《马氏文通》的作者／蒋文野//《教学与进修》1984.2

《马氏文通》用例小计/张万起//《语文研究》1984.2

《马氏文通》和《新著国语文法》说略/董杰锋//《辽宁大学学报》(哲学社会科学版)1984.3

中国第一部语法著作——《马氏文通》／李锦芳//《语文教学通讯》1984.7

我国第一部系统的语法学专著——《马氏文通》／俞　敏,谢纪锋//《文史知识》1984.11

1985

《马氏文通》的功绩与不足／俞　敏,谢纪锋//《学术文摘》,1985.1

语法的摹仿和创新——谈《马氏文通》／沈锡伦//《汉语学习》1985.2

《马氏文通》句读论述评/王海棻//《语言研究》1985.2

《马氏文通》句读简说/刘　斌//《陕西师大学报》(哲学社会科学版)1985.3

"顿"为"非主谓词组"辩／沈锡伦//《中国语文》1985.3

评马建忠氏的"字无定义"说／董清洁//《语文函授》1985.3

《马氏文通》的"转词"与"加词"辨/陆中英//《汉语学习》1985.4

马建忠对修辞学的贡献——读《马氏文通·句读卷》/蒋文野//《修辞学习》1985.4

《马氏文通》的"字无定类"/刘乃仲//《汉语学习》1985.6

1986

马氏文通读本/吕叔湘,王海棻// 上海教育出版社,1986

重读《马氏文通》/杜高印,高天如//《淮北煤师院学报》(社会科学版)1986.1

《马氏文通》历史观小议/苏新春//《佛山师专学报》(社会科学版)1986.1

《马氏文通》与现代汉语/许粲新//《华南师范大学学报》(社会科学版)1986.1

《马建忠编年事辑》序/徐 复//《镇江师专学报》(社会科学版)1986.1

论《马氏文通》的句读论/沈锡伦//《上海师范大学学报》(社会科学版)1986.2

关于《马氏文通》的史实辨证/蒋文野//《扬州师院学报》(社会科学版)1986.2

"名字"、"静字"章刍议——读《马氏文通》札记/刘广和//《河北大学学报》(哲学社会科学版)1986.4

从《马氏文通·序》的两处误标说到顿号在古籍整理中的使用/吕友仁//《信阳师范学院学报》(哲学社会科学版)1986.4

略谈《马氏文通》中"次"的理论/李 润//《南充师院学报》(哲学社会

科学版)1986年增刊

重评《马氏文通》/申小龙//《语文论丛》(3),上海教育出版社,1986

1987

马氏文通研究资料/张万起编//中华书局,1987

论《马氏文通》的"顿"与"读"/任胜国//烟台师院学报(哲学社会科学版)1987.1

《马氏文通》句读论/李　蓝//《贵州教育学院学报》(社会科学版)1987.1

对《〈马氏文通〉代字章述评》的一点意见/唐子恒//《中国语文》1987.2

谈《马氏文通》的句读/秦嘉英,喻芳葵//《江西大学学报》(哲学社会科学版)1987.2

《马氏文通·序》简注/严　吾//《古籍整理研究集刊》1987.2

《马氏文通读本》中的几处校点失误/许守谦//《语言研究》1987.2

《马氏文通》中的"字无定类"与"字类假借"/赵惜微,陈　一//《学术交流》1987.2

与《马氏文通》词类划分原则有关的两个问题/张　敏//《固原师专学报》(社会科学版)1987.3

论《马氏文通》的"词"/沈锡伦//《淮北煤师院学报》(社会科学版)1987.4

《马氏文通·后序》简注/许守谦//《古籍整理研究集刊》1987.4

一部真正的"可读之本":读《马氏文通读本》/严　吾//《中国语文

《马氏文通》与中国现代语言学之文化心态/申小龙//《汉语学习》1987.5

汉语的人文性和中国文化语言学——重评《马氏文通》/申小龙//《读书》1987.8

《马氏文通》的"次"/王海棻//《语言研究论丛》第四辑,南开大学出版社,1987

1988

马建忠编年事辑/蒋文野//河北教育出版社,1988.1

《马氏文通读本》读后/张清常//《中国语文》1988.1

《马氏文通》研究的新成果——评《马氏文通读本》/文炼,沈锡伦//《语文研究》1988.2

关于《马氏文通》"止词""表词"之争/沈锡伦//《天津师大学报》1988.2

建立科学的语法学批评——为《马氏文通》出版90周年而作/王海棻,周国强//《烟台大学学报》1988.2

浅谈《马氏文通》的字/以恒//《胜利电大学刊》1988.2

略谈《马氏文通》的"字"与后来的"词"之间的概念差异/唐子恒//《语文研究》1988.3

正确评价《马氏文通》的模仿与创新 / 王海棻//《语文建设》1988.3

《马氏文通》对我国古代语言学的引用/谭世勋//《华南师范大学学报》(社会科学版)1988.3

《马氏文通》矛盾现象琐议——读《马氏文通》札记/ 刘青松 //《怀化师专学报》1988.3

试谈《马氏文通》的变换分析 / 于广元 //《扬州师院学报》(社会科学版)1988.3

谈古汉语词类系统中的"状词"词类——《马氏文通》"状字"卷非副词部分考源/冯蒸 //《中学语文教学》1988.3

从无属动字与连字的关系看《马氏文通》语法体系中的几个问题 / 唐子恒 //《文史哲》1988.4

汉语语法研究的反思和展望——纪念《马氏文通》出版90周年 / 方文惠 //《浙江师院学报》1988.4

从状字看《马氏文通》字的功能分类 /郝光顺 //《松辽学刊》(社会科学版)1988.4

《马氏文通》与词汇研究——纪念《马氏文通》出版90周年 / 蒋文野 //《镇江师专学报》(社会科学版)1988.4

筚路蓝缕,功不可没——谈《马氏文通》在中国语言学史上的地位/ 贺建国 //《镇江师专学报》(社会科学版)1988.4

《马氏文通》对前人见解的引述和取舍 / 刘乃仲 //《古籍整理研究学刊》1988.4

《马氏文通》再认识 /梁振仕,李义琳 //《广西师范大学学报》(哲学社会科学版)1988.4

《马氏文通》作者的语法观——纪念《马氏文通》出版90周年 / 洪成玉 //《北京师院学报》(社会科学版)1988.4

《马氏文通》字类假借说浅议——兼论汉语词类划分问题 / 梁金荣 //《吉首大学学报》(社会科学版)1988.4

试论《马氏文通》中的转词 / 郭 力 //《唐山师专·唐山教育学院学报》(社会科学版)1988.4

《马氏文通》助字篇简说 / 秦嘉英 //《松辽学刊》(社会科学版)1988.4

《马氏文通》的研究方法及其影响 / 王海棻 //《吉安师专学报》1988.4

继承·模仿·创新——重读《马氏文通》/ 许守谦 //《东北师大学报》(哲学社会科学版)1988.5

论马建忠著《马氏文通》/ 聂敏熙 //《四川师范大学学报》(社会科学版)1988.5

至今还值得借鉴——纪念《马氏文通》发表九十周年 / 陆俭明 //《汉语学习》1988.5

纪念《马氏文通》发表九十周年学术会议纪要 / 古 研 //《中国语文天地》1988.6

《马氏文通》的修辞研究述评 / 沈锡伦 //《语文月刊》1988.10

《马氏文通》的价值,九十年汉语语法学的不足及其他 / 李运富 //《活页文史论丛》(288),1988

1989

汉语没有单、复句之分主张的先导——纪念《马氏文通》出版90周年 / 孙良明 //《山东师大学报》(社会科学版)1989.1

试谈《马氏文通》中的所谓状字 / 张 侠 //《营口师专学报》(哲学社会科学版)1989.1

马建忠和《马氏文通》——纪念《马氏文通》出版90周年 / 郭锡良 //《湖北大学学报》(哲学社会科学版)1989.1

《马氏文通》状字章问题述略 / 张国宪 //《淮北煤师院学报》(社会科学版)1989.1

《马氏文通读本》校点补正/许　华 //《古籍整理研究学刊》1989.2

也谈马建忠对"为……所"结构的分析/王丽英 //《殷都学刊》1989.2

《马氏文通》的语序研究述评 / 谭世勋 //《广东教育学院学报》(社会科学版)1989.4

《马氏文通》"助字篇"的历史价值 / 许俐丽 //《四川大学学报》(哲学社会科学版)1989.3

《马氏文通》的研究方法及其影响/王海棻 //《吉安师专学报》(社会科学版)1989.4

句法研究的继承与发展——《马氏文通》与我国古代语言学研究之四 / 谭世勋 //《古汉语研究》1989.4

《马氏文通》与修辞 / 李怀之 //《怀化师专社会科学学报》1989.4

《马氏文通·序》译注及评论 / 史舒薇 //《中文自学指导》1989.10

读《马氏文通》偶记/胡裕树，张　斌 //《汉语语法研究》，商务印书馆，1989

1990

《马氏文通》助字研究 / 陈月明 //《语文研究》1990.1

《马氏文通》名字章简论/蒋文野 //《镇江师专学报》1990.1

《马氏文通》对古汉语省略的研究述评 / 谭世勋 //《广东民族学院学报》(社会科学版)1990.2

《马氏文通》的"次"理论 / 刘公望 //《兰州商学院学报》1990.2

论《马氏文通》之"假借"——兼谈词类活用范围过宽的原因／张冬祥,徐 凤 ∥《内蒙古民族师院学报》(哲学社会科学·汉文版)1990.2

语法研究与其他学科的结合——论《马氏文通》与我国古代语言学／谭世勋 ∥《海南师院学报》(社会科学版)1990.3

语法修辞结合研究的成功之路——《马氏文通》修辞方法论初探／沈锡伦∥《上海师范大学学报》(哲学社会科学版)1990.3

《马氏文通》标点中的一处失误／吴辛丑∥《中国语文》1990.4

《马氏文通》的介字及有关问题／陈月明∥《语言论丛》,浙江教育出版社,1990

1991

马氏文通与中国语法学／王海棻∥安徽教育出版社,1991

《马氏文通》状字今解／秦嘉英∥《松辽学刊》(社会科学版)1991.1

《马氏文通》的文章学思想述评／沈锡伦∥《北京师范学院学报》(社会科学版)1991.1

《马氏文通》的句读论／孙建元∥《古汉语研究》1991.2

《马氏文通》的作者及其影响／骆小所∥《曲靖师专学报》(社会科学版)1991.2

《马氏文通》及其语言哲学／许国璋∥《中国语文》1991.3

宋元句读例述评——兼评《马氏文通》"句读论"对传统句读例之继承／任 远∥《浙江师大学报》(社会科学版)1991.3

对《马氏文通》"有解"、"无解"涵义的探讨——兼与杨树达先生商

榷／郝光顺∥《松辽学刊》(社会科学版)1991.3

《马氏文通》的"同次"与现代汉语／刘公望∥《青海民族学院学报》(社会科学版)1991.4

《马氏文通》研究的新收获——读王海棻《〈马氏文通〉与中国语法学》／周之朗∥《语文建设》1991.11

论《马氏文通》之次／沈锡伦∥《语文论丛》(4)，上海教育出版社，1991

《马氏文通》论修辞的内容、原因及评价／周远富∥《语文研究论集》，江苏教育出版社，1991

马建忠《马氏文通》／唐子恒∥《中国语言学要籍解题》(钱曾怡、刘聿鑫主编)，齐鲁书社，1991

1992

《马氏文通》转词探微／董晓敏∥《九江师专学报》(哲学社会科学版)1992.1

语言的共性研究和对《马氏文通》的重新评价／戚雨村∥《河南师范大学学报》(哲学社会科学版)1992.1

《文通》界说中一个标点的辨正／蒋文野∥《江苏社会科学》1992.2

《马氏文通》与传统语文学——兼评文化断层说／陈蒲清∥《湖南教育学院学报》1992.3

《马氏文通》字类学疏解／张文国，泰然∥《德州师专学报》1992.3

对《马氏文通》词类标准的再认识／蒋文野∥《江苏教育学院学报》(社会科学版)1992.3

谈《马氏文通》转词的划界／董晓敏∥《古汉语研究》1992.3

《马氏文通》的作者及其近代财经思想之探论/黄文模//《中南财经大学学报》1992.3

《马氏文通》句法观 / 王复强,寿永明 //《绍兴师专学报》(哲学社会科学版)1992.4

对《马氏文通》关于被动句式论述的评析 /黄晓惠 //《学语文》1992.5

马建忠/高天如//《中国历代语言学家评传》(濮之珍主编),复旦大学出版社,1992

1993

《马氏文通刊误》省略说质疑——纪念《马氏文通》出版95周年 / 孙良明 //《山东师大学报》(社会科学版)1993.1

《马氏文通》状字质疑 / 吴松泉 //《四川师大学报》(社会科学版)1993.1

《马氏文通》语法体系述评 / 张冬祥 //《内蒙古民族师院学报》(哲学社会科学版)1993.1

代词"自"和副词"自"——《马氏文通》学习笔记 /杨荣祥 //《荆州师专学报》1993.1

《马氏文通》的"字无定类"说再认识 /吴辛丑 //《韩山师专学报》1993.2

从《马氏文通》的"短语研究"谈起——兼与庄文中先生商榷/孙化龙 //《丹东师专学报》1993.2

论《马氏文通》的句读 / 刘子瑜 //《苏州大学学报》(哲学社会科学版)

1993.3

试谈《马氏文通》的析句法/张小克 //《古汉语研究》1993.3

对《马氏文通》价值的新认识/唐子恒//《山东大学学报》(哲学社会科学版)1993.4

《马氏文通》新评/李宇明 //《古汉语研究》1993.4

《马氏文通》研究综述/吴志民//《高校社科情报》1993.4

《马氏文通》的"次"与《比较文法》的"位"/ 王敏成 //《安康师专学报》1993.1、2合刊

《马氏文通》词类划分标准初探 / 陆 红 //《邯郸师专学报》,1993(1993年仅出版1期)

论《马氏文通》的转词 / 邓英树 //《四川大学学报》中国语言文学专辑,1993

1994

《马氏文通》"同次"疏论/陈昌来 //《南京师大学报》(社会科学版)1994.1

《马氏文通》对汉语语法研究的贡献/葛 玮//《徐州师范学院学报》(哲学社会科学版)1994.2

论《马氏文通》的句法研究/向 熹//《三峡学刊》(重庆三峡学院社会科学学报)1994.2、3合刊

《马氏文通》"顿""读"简论/蒋文野//《南京大学学报》(哲学人文社会科学版)1994.4

浅谈《马氏文通》对复杂成分的看法/郑少鸾//《语文辅导》1994.4

1995

《马氏文通》论集/蒋文野//河北教育出版社,1995

《马氏文通》语法单位论／乔 永//《甘肃教育学院学报》1995.1

论《马氏文通》与中国文化 / 蒋文野//《镇江师专学报》(社会科学版)
1995.1

《马氏文通·动字卷》述评/蒋文野//《镇江师专学报》(社会科学版)
1995.1

评蒋文野同志对马建忠和《马氏文通》的研究/廖序东//《镇江师专学报》(社会科学版)1995.1

略论《马氏文通》的起词/许剑宇//《求是学刊》1995.2

《马氏文通》问世前的汉语语法研究/徐启庭//《福建师范大学学报》(哲学社会科学版)1995.2

《马氏文通》语法观与整体性原则/乔 永//《新疆大学学报》(哲学社会科学版)1995.3

《马氏文通·论句读卷》述评/蒋文野//《扬州师院学报》(社会科学版)
1995.3

谈《马氏文通》对《经传释词》的批评/郝维平//《漳州师院学报》
1995.3

浅谈《马氏文通》中的单、复句/康 健//《四川师范学院学报》(哲学社会科学版)1995.4

"也""矣"别用互用之争——《马氏文通》一难题试解/王志瑛//《修辞学习》1995.5

《马氏文通》的代词体系及其对后世的影响/李少华//《荆州师专学

报》(社会科学版)1995.6

1996

《马氏文通》对汉语词类研究的贡献/刘永耕//《福建师范大学学报》(哲学社会科学版)1996.1

《马氏文通》"受动字"第六式考/连登岗//《庆阳师专学报》(社会科学版)1996.1.

《马氏文通》与动态原则/乔　永//《新疆职工大学学报》1996.1

《马氏文通》词类理论再研究/陈兴伟//《古汉语研究》1996.2

试谈《马氏文通》的作用/文　薇//《保山师专学报》1996.2

试析《马氏文通》状字部分存在的问题/杨荣祥//《语言研究》1996.2

介绍严复为《〈马氏文通〉要例启蒙》所作的《序》/王宪明//《清华大学学报》(哲学社会科学版)1996.2

论《马氏文通》对汉语词类研究的理论贡献/王冬梅//《徐州师范学院学报》(哲学社会科学版)1996.3

《马氏文通》的"次"与"格""位"之比较——兼评何容、林玉山的"次"理论/杨逢彬//《武汉大学学报》(哲学社会科学版)1996.3

论《马氏文通》的"动字相承"/魏宇文//《嘉应大学学报》(社会科学版)1996.4

《马氏文通》的主语观/刘永耕//《新疆大学学报》(哲学社会科学版)1996.4

《马氏文通》字类说/寿永明//《绍兴文理学院学报》(社会科学版)1996.4

《马氏文通》出版年代考/严　修//《中国语文》1996.4

《马氏文通》句读论的得失／陈佩弦∥《池州师专学报》1996.4
《马氏文通》"坐动""散动"说评议／卢烈红∥《武汉大学学报》(哲学社会科学版)1996.5
《马氏文通》"字无定类"说之管见／苏立无∥《广西师范大学学报》(研究生专辑)1996年增刊
《马氏文通》简论／林玉山∥《语言研究与应用》,江苏教育出版社,1996
论《马氏文通》"字类假借"理论产生的原因／王红旗∥《语文新论——纪念〈语文研究〉创刊15周年文集》,山西教育出版社,1996

1997

马氏文通研究／唐子恒∥山东大学出版社,1997
论《马氏文通》的"次"范畴／宗守云∥《张家口师专学报》(社会科学版)1997.1
释《马氏文通》之"句"／邵霭吉∥《盐城师专学报》(哲学社会科学版)1997.1
论《马氏文通》之"句"／邵霭吉∥《盐城教育学院学报》1997.2
语法意义的困惑——从"止词先置"说看《马氏文通》的历史局限／刘永耕∥《福建师范大学学报》(哲学社会科学版)1997.2
《马氏文通·状字》辨析／蒋文野∥《镇江师专学报》(社会科学版)1997.3
普遍唯理语法和《马氏文通》／陈国华∥《国外语言学》1997.3
关于《马氏文通》"加词"的两个问题／龙庆荣,陈海伦∥《抚州师专学报》1997.4

论《马氏文通》之"转词"/邵霭吉//《盐城教育学院学报》1997.4

《马氏文通》对西方语法的模仿/孙玉文//《湖北大学学报》(哲学社会科学版)1997.4

《马氏文通》"词、次"新论/陈保亚//《中国学研究》(第1辑),中国书籍出版社,1997

1998

论《马氏文通》在中国语言学史上的地位——纪念《马氏文通》出版一百周年 / 吴礼权//《江苏教育学院学报》(社会科学版)1998.1

也谈《〈马氏文通〉代字章》/蒋文野//《古汉语研究》1998.1

《马氏文通》对助字研究的贡献/王鸿滨//《汉中师范学院学报》(社会科学版)1998.1

论《马氏文通》之"读" / 邵霭吉 //《江苏教育学院学报》(社会科学版)1998.1

科学主义还是人文主义?——纪念《马氏文通》出版100周年/肖双荣//《娄底师专学报》1998.1

《马氏文通》句法分析中的意义与形式结合问题/陈 一//《学术交流》1998.2

《马氏文通》状字章述评/邵霭吉//《盐城教育学院学报》1998.2

从比较语法学角度读《马氏文通》/李锡胤//《求是学刊》1998.2

从"接读代字"看《马氏文通》的历史局限/刘永耕//《新疆大学学报》(哲学社会科学版)1998.2

对《马氏文通》中"起词"的句法、语义、语用分析——纪念《马氏文

通》问世100周年/胡松柏//《上饶师专学报》1998.2

《马氏文通》转词节述评/邵霭吉//《扬州大学学报》(人文社会科学版)1998.3

《马氏文通》的"状字"和"状词"、"状语"、"转词"、"加词"、"状读"/刘永耕//《福建师范大学学报》(哲学社会科学版)1998.3

《马氏文通》研究述评——纪念《马氏文通》出版一百周年/张景霓//《广西民族学院学报》1998.3

《马氏文通》的辞气论/袁本良//《安顺师专学报》(社会科学版)1998.3

《马氏文通》的另一面——纪念《马氏文通》发表100周年/刘乃仲//《古籍整理研究学刊》1998.3

《马氏文通》语序研究述评/张雁//《湖北民族学院学报》(社会科学版)1998.4

《马氏文通》的修辞观——纪念《马氏文通》出版100周年/袁本良//《修辞学习》1998.4

论《马氏文通》的不朽功绩和严重缺憾——纪念《马氏文通》出版100周年/朱声琦//《江苏教育学院学报》(社会科学版)1998.4

吕叔湘对《马氏文通》介字理论的认同与创新/董菊初,王传高//《连云港教育学院学报》1998.4

释《马氏文通》之状词、状字、状语、状读、状辞/邵霭吉//《盐城教育学院学报》1998.4

论《马氏文通》的理论基础——纪念《马氏文通》发表一百周年/宋绍年//《北京大学学报》(哲学社会科学版)1998.4

马建忠及《马氏文通》的开拓创新精神/亢世勇,刘艳/《唐都学刊》1998.4

《马氏文通》的虚字学说——纪念《马氏文通》出版100周年/陈月明 //《宁波大学学报》(人文科学版)1998.4

应恢复"字"在语法学中的地位——纪念《马氏文通》出版一百周年/张常修 //《济南大学学报》1998.4;《汉字文化》1999.2

宾语前置再论——纪念《马氏文通》出版一百周年/陈文运,刘婴连 //《济南大学学报》1998.4

《马氏文通》的修辞学意义/周远富 //《古汉语研究》1998.4;《语言教学与研究》1998.4

《马氏文通》的创造性和学术价值/董杰锋 //《辽宁大学学报》(哲学社会科学版)1998.5

《马氏文通》所揭示的古汉语语法规律/廖序东 //《中国语文》1998.5

《马氏文通》研究百年综说/王海棻 //《中国语文》1998.5

二十世纪以前欧洲汉语语法学研究状况/贝罗贝 //《中国语文》1998.5

再谈马建忠和《马氏文通》/郭锡良 //《中国语文》1998.6

《马氏文通》的作者谈/林玉山 //《中国语文》1998.6

《马氏文通》虚字学说中的几个问题/陈月明 //《中国语文》1998.6

《马氏文通》的指称理论/刘永耕 //《中国语文》1998.6

《马氏文通》的一处标点问题/邵霭吉 //《中国语文》1998.6

《马氏文通》:中国文化史上的里程碑/蒋文野 //《江苏社会科学》1998.6

百年话《文通》/韩文宁 //《江苏图书馆学报》1998.6

《荀子》中的"焉"——纪念《马氏文通》发表100周年/薛安勤/《辽宁师范大学学报》(社会科学版)1998.6

文通葛郎玛/金克木//《读书》1998.6

《马氏文通》的"静字"学说/莫　超,叶小平//《西北师大学报》(社会科学版)1998.6

从《马氏文通》对经生家的批评看语法学与训诂学的区别/方平权//《古汉语语法论集》(郭锡良主编),语文出版社,1998

"在""于"和"在于"——读《马氏文通》一得/张　斌//《咬文嚼字》1998.12

1999

《马氏文通》虚字学说/陈月明//浙江教育出版社,1999

《马氏文通》与中国语言学——初读《马氏文通》/韩陈其//《镇江师专学报》(社会科学版)1999.1

论《马氏文通》之"顿"/邵霭吉//《镇江师专学报》(社会科学版)1999.1

论《马氏文通》中的"状字"/韩荔华//《北京第二外国语学院学报》1999.1

《马氏文通》对中国古代语语法学的继承与发展——纪念《马氏文通》出版一百周年/孙良明//《山东师大学报》(社会科学版)1999.1

简评《马氏文通》状字章/李　立//《语文研究》1999.1

散动历史流变之分析/杜　敏//《陕西师范大学学报》(哲学社会科学版)1999.1

《马氏文通》的引例特点及其有关评论/张在云//《云南文史丛刊》1999.1

《马氏文通》与中国语法学/陈　炯//《江南学院学报》1999.1

试论《马氏文通》揭示的汉语语法规律/陈 静 //《四川师范大学学报》(社会科学版)1999.1

《马氏文通》的"用如"说及其影响/陈月明//《古汉语研究》1999.1

论《马氏文通》代字章/王新民//《商洛师范专科学校学报》1999.1

论《马氏文通》之"加词"/邵霭吉 //《盐城教育学院学报》1999.2

《马氏文通》起词节述评/邵霭吉 //《淮阴师范学院学报》(哲学社会科学版)1999.2

反思与前瞻——纪念《马氏文通》发表一百周年/胡壮麟//《解放军外国语学院学报》1999.2

《汉文经纬》与《马氏文通》——《马氏文通》历史功绩重议/姚小平//《当代语言学》1999.2

《马氏文通》助字说/张其昀//《盐城师专学报》(社会科学版)1999.2

论《马氏文通》的"次"/黄晓冬//《四川师范大学学报》(社会科学版)1999.2

关于《马氏文通》句读论的几点思考/唐子恒//《山东大学学报》(哲学社会科学版)1999.2

继承传统,为促进我国译学研究而努力——写在《马氏文通》问世一百周年之际/赵秀明//《外语与外语教学》(大连外国语学院学报)1999.2

《马氏文通》的辞气论 / 袁本良//《古汉语研究》1999.2

《马氏文通》与句读之学/季永兴//《古汉语研究》1999.2

马建忠句读论的得失/陈佩弦//《古汉语研究》1999.2

一百年来的《马氏文通》研究/方平权//《古汉语研究》1999.2

《马氏文通》所采用的研究方法/廖序东 //《语言研究》1999.2

《马氏文通》的宾语前置与"动之名"结构/胡继濂//《山西广播电视大学学报》1999.3

《马氏文通》论"顿"节评说/邵霭吉//《盐城师范学院学报》(人文社会科学版)1999.3

《马氏文通》引用汉文佛典考/孙良明//《山东师大学报》(社会科学版)1999.3

《马氏文通》名字章述评/段益民//《长沙大学学报》1999.3

《马氏文通》代字章第二人称代词札记——纪念《马氏文通》出版100周年/夏锡骏,徐四海//《电大教学》1999.3—4

《马氏文通》的句法分析/袁本良//《贵州教育学院学报》(社会科学版)1999.3

浅析《〈马氏文通〉后序》中的"群"字/许剑宇//《聊城师范学院学报》(哲学社会科学版)1999.4

论《马氏文通》的"而"/张景霓//《广西大学学报》(哲学社会科学版)1999.4

由《马氏文通》中的"矛盾"得到的启示——以词(字)类有定无定说为例/华学诚//《扬州大学学报》(人文社会科学版)1999.4

《马氏文通》的作者不容混淆——与林玉山先生商榷/李杰群//《语文研究》1999.4

论《马氏文通》的助动词系统及相关问题/段业辉//《南京师大学报》(社会科学版)1999.4

《马氏文通》动词系统中的"坐动"、"散动"及其价值/陈庆汉//《华中师范大学学报》(人文社会科学版)1999.6

商务印书馆与中国现代语法学——纪念《马氏文通》出版100周年/张万起,金欣欣//《出版发行研究》1999.6

《马氏文通》"断词"述评/班吉庆//《扬州大学学报》(人文社会科学版)1999.6

《马氏文通》一百年/马庆株//《中华读书报》1999年12月1日

《马氏文通》的"偏次"与静字修饰语/李志军//《广西师范大学学报》(哲学社会科学版)1999增刊

《马氏文通》对指称的研究/刘永耕//《汉语语法学论稿》,巴蜀书社,1999

《马氏文通》的同次/刘永耕//《汉语语法学论稿》,巴蜀书社,1999

《马氏文通》对主语的研究/刘永耕//《汉语语法学论稿》,巴蜀书社,1999

《马氏文通》的"止词先置"说/刘永耕//《汉语语法学论稿》,巴蜀书社,1999

《马氏文通》词类理论/刘永耕//《汉语语法学论稿》,巴蜀书社,1999

《马氏文通》的"接读代字"/刘永耕//《汉语语法学论稿》,巴蜀书社,1999

《马氏文通》的"状字"/刘永耕//《汉语语法学论稿》,巴蜀书社,1999

《马氏文通》语法模型试析/巢宗祺//《语文论丛》(5),上海教育出版社,1999

《马氏文通》语用观论析/董琨//《汉语现状与历史的研究》(江蓝生、侯精一主编),中国社会科学出版社,1999

2000

《马氏文通》与汉语语法学/侯精一,施关淦主编//商务印书馆,2000

《马氏文通》介词理论评析/赵大明//《语言》(第1卷)2000.1

试论《马氏文通》运用层次分析的自觉性/李振中//《广西师范大学学报》2000.1

《马氏文通读本》的一处标点失误/张文国//《中国语文》2000.1

二十世纪的古汉语语法研究/宋绍年,郭锡良//《古汉语研究》2000.1

试析《马氏文通》"转词"与"动字"之间的格关系/唐爱华//《宿州师专学报》2000.1

从《马氏文通》看汉外语言对比研究与汉语语法学的发展/凌德祥//《南京社会科学》2000.2

《马氏文通》的作者到底是谁?——近代史上的一桩疑案/姚小平//《中华读书报》2000年2月16日

《马氏文通》介词理论的创立与发展/赵大明//《陕西师范大学学报》(哲学社会科学版)2000.2

从《马氏文通》产生的背景看该书矛盾的根源/唐子恒//《文史哲》2000.4

关于《马氏文通》动字论的若干问题/唐子恒//《山东大学学报》(哲学社会科学版)2000.3

试论《马氏文通》中的"读"/郭莉萍//《求是学刊》2000.4

《马氏文通》"为之N"结构解说评析/余俊卿//《华中师范大学学报》(人文社会科学版)2000.4

《马氏文通》"断词"新解/邵霭吉//《盐城师范学院学报》(人文社会科学版)2000.4

《马氏文通》句读刍议/刘柏林//《南通师范学院学报》(哲学社会科学版)2000.4

《马氏文通》和汉语语法理论/杨成凯//《语法研究与探索》(十),商务印书馆,2000

语法研究的对象语言与参照语言——为《马氏文通》出版一百周年而作/刘丹青//《语法研究与探索》(十),商务印书馆,2000

论《马氏文通》的语法观——《文通》百年,乡人评说/韩陈其//《〈马氏文通〉与汉语语法学》,商务印书馆,2000

《马氏文通·静字》论——兼评"模仿"说/蒋文野//《〈马氏文通〉与汉语语法学》,商务印书馆,2000

训诂与语法——《马氏文通》辨义述论/方平权//《〈马氏文通〉与汉语语法学》,商务印书馆,2000

简述《马氏文通》对中国古人语法学说的继承与发展/孙良明//《〈马氏文通〉与汉语语法学》,商务印书馆,2000

《马氏文通》与中国语言学/韩陈其//《语言研究集刊》(七),江苏教育出版社,2000

《马氏文通》以来的现代汉语语法研究(详细提要)/陆俭明//《语言研究集刊》(七),江苏教育出版社,2000

《马氏文通》的中西比较之学/李开,[韩]李美京//《语言研究集刊》(七),江苏教育出版社,2000

《马氏文通》共时比较方法的运用及其意义/史灿方//《语言研究集刊》(七),江苏教育出版社,2000

略论《马氏文通》的训诂之法/马景仑//《语言研究集刊》(七),江苏教育出版社,2000

《马氏文通》的影响和汉语语法学史的开端问题/吴淮南//《语言研究集刊》(七),江苏教育出版社,2000

语言的比较研究与汉语语法学的发展/凌德祥//《语言研究集刊》

(七),江苏教育出版社,2000

《马氏文通》字类说 / 李先耕 //《语言研究集刊》(七),江苏教育出版社,2000

《马氏文通》的"字无定类"析论 / 孙凤华 //《语言研究集刊》(七),江苏教育出版社,2000

《马氏文通》"起词""止词"试说 / 李汉丽 //《语言研究集刊》(七),江苏教育出版社,2000

《马氏文通》同类虚词辨析评议(代词部分) / 方平权 //《语言研究集刊》(七),江苏教育出版社,2000

《马氏文通》助字说 / 孙锡信 //《语言研究集刊》(七),江苏教育出版社,2000

《马氏文通》助字略说 / 张其昀 //《语言研究集刊》(七),江苏教育出版社,2000

《马氏文通》助字研究述评 / 王建军 //《语言研究集刊》(七),江苏教育出版社,2000

从传信助字看《马氏文通》与《经传释词》等虚词专著不同的视角 / 方向东 //《语言研究集刊》(七),江苏教育出版社,2000

《马氏文通》"字类假借"论 / 王 强 //《语言研究集刊》(七),江苏教育出版社,2000

《马氏文通》"于"字用法研究之一——"于"是被动句的形式标记吗? / 王 兵 //《语言研究集刊》(七),江苏教育出版社,2000

论《马氏文通》的"气" / 张延成 //《语言研究集刊》(七),江苏教育出版社,2000

《马氏文通》的句读论——兼论语法的共性和个性,语法研究的借鉴与创新 / 王维贤 //《语言研究集刊》(七),江苏教育出版社,2000

关于《马氏文通》之"顿" / 邵霭吉 // 《语言研究集刊》(七),江苏教育出版社,2000

谈谈《〈马氏文通〉刊误》中的一些引例问题 / 张在云 // 《语言研究集刊》(七),江苏教育出版社,2000

《〈马氏文通〉札记》辩证——兼论《马氏文通》的三种价值 / 李葆嘉 // 《语言研究集刊》(七),江苏教育出版社,2000

马氏语料观述评 / 王魁伟 // 《语言研究集刊》(七),江苏教育出版社,2000

德艺双馨的马建忠值得我辈永远学习 / 王海棍 // 《语言研究集刊》(七),江苏教育出版社,2000

《马氏文通》与汉语语法的特点 / 唐子恒 // 《信息网络时代中日韩语文现代化国际学术研讨会论文集》,香港文化教育出版社,2000

《马氏文通》与中西语言学结合的道路 / 徐通锵 // 《面临新世纪挑战的现代汉语语法研究——98现代汉语语法学国际学术会议论文集》(陆俭明主编),山东教育出版社,2000

《马氏文通》关于虚词的研究给我们的启示 / 文 炼 // 《语文论丛》(6),上海教育出版社,2000

《马氏文通》评介 / 柳士镇,刘开骅 // 《中华典籍精华丛书·语文名著》(柳士镇主编),中国青年出版社,2000

2001

略论《马氏文通》的语言观 / 刘 焱 // 《徐州师范大学学报》(哲学社会科学版)2001.1

模仿,抑是创新——浅谈《马氏文通》"词类通假"说及由此引发的

几点思考/张美华//《遵义师范高等专科学校学报》2001.1

《马氏文通》的哲学基础和方法体系/贾琰//《河南广播电视大学学报》2001.1

《马氏文通》之前的清代虚词研究/王建军//《古汉语研究》2001.1

关于《马氏文通》的宾次/黄河//《胜利油田职工大学学报》2001.1

《马氏文通·论句读卷》述评/王丽//《漳州职业大学学报》2001.1

《马氏文通》"散动"学说述评/李杰//《洛阳师范学院学报》2001.1

论《马氏文通》中语法与修辞的结合/刘昌海//《广西师院学报》(哲学社会科学版)2001.2

《马氏文通》"位次""静字"述评／王鸿滨,刘川民//《河北师范大学学报》(哲学社会科学版)2001.2

《马氏文通》并未提出"主谓谓语"说/邵霭吉//《盐城师范学院学报》(人文社会科学版)2001.2

再谈《马氏文通》的作者——答李杰群先生/林玉山//《福建师范大学福清分校学报》2001.3

连字等于连词吗——《马氏文通》连字质疑/李绍群//《常德师范学院学报》(社会科学版)2001.4

《马氏文通》系统方法论/乔永//《古汉语研究》2001.4

马氏心中的"读"及其在《马氏文通》中的推演/谢奇勇//《湘潭师范学院学报》(社会科学版)2001.5

《马氏文通》动词分类述评/樊中元//《湘潭师范学院学报》(社会科学版)2001.5

2002

中韩语法史上的双子星座——《马氏文通》与《大韩文典》/朴云

锡,陈　榴//北京大学出版社,2002

《马氏文通》的语篇思想／陈青松//《古汉语研究》2002.1

也谈《马氏文通》的"字无定类"/孙风华//《古汉语研究》2002.1

试论《马氏文通》中的韵律句法学思想萌芽/张文光//《唐山师范学院学报》2002.1

再论《马氏文通》起词的性质/宋亚云//《河北科技大学学报》(社会科学版)2002.1

评《马氏文通》的接读代字/蔡英杰//《安徽大学学报》2002.1

《马氏文通》的语值研究/陈安平//《中南工业大学学报》(社会科学版)2002.1

试论《马氏文通》的"象静司词"/周楚顺//《语文学刊》2002.1

论《马氏文通》的复句观/李　军//《广西社会科学》2002.1

《马氏文通》对古汉语省略研究的述评／王　霞,钟应春//《湖南省政法管理干部学院学报》2002.1

《马氏文通》的起词论及其影响/邵霭吉//《盐城师范学院学报》(人文社会科学版)2002.2

试论《马氏文通》的"动字相承"说/于正安//《渝西学院学报》(社会科学版)2002.2

对《马氏文通》惟、唯、维三字用法的再认识/孙梅青//《东方论坛》(青岛)2002.2

《马氏文通》的复句研究与对外汉语教学/李　开//《海外华文教育》2002.2

《马氏文通》标点一则/吴庆峰//《古籍整理研究学刊》2002.2

论《马氏文通》对"也"字的研究/常俊之//《聊城大学学报》(哲学社会

科学版)2002.3

析《马氏文通》中"次"的问题/于 芳//《南平师专学报》2002.3

从静字章看《马氏文通》对汉语语法特点的体现/唐子恒//《山东大学学报》(哲学社会科学版)2002.4

略谈《马氏文通》的"读先乎句"/邵霭吉//《徐州师范大学学报》(哲学社会科学版)2002.4

《马氏文通》中表偏次的"之"字在句中的参否问题/杨同军//《甘肃广播电视大学学报》2002.4

《马氏文通》以来汉语词类体系研究概述/赵红梅//《伊犁教育学院学报》2002.4

论《马氏文通》虚字研究的成就/宁皖平//《广西教育学院学报》2002.5

谈《马氏文通》对语序的研究/季丽莉//《枣庄师范专科学校学报》2002.6

论《马氏文通》在晚清学术史上的地位/李 开//《中国学术与中国思想史(思想家Ⅱ)(巩本栋等主编),江苏教育出版社,2002

廖序东先生在《马氏文通》研究上的贡献/王冬梅//《人淡如菊——语言学家廖序东》(张爱民、方环海编),南京大学出版社,2002

规律与方法:回顾与前瞻——关于廖序东先生《马氏文通》的两篇文章引发的思考/王鸿滨//《人淡如菊——语言学家廖序东》(张爱民、方环海编),南京大学出版社,2002

2003

《马氏文通》与中国语言学史/姚小平主编//外语教学与研究出版社,2003

浅论《马氏文通》词类理论的几个特点/叶太青//《黔东南民族师范高等专科学校学报》2003.1

《马氏文通》的感叹句研究/杜道流//《巢湖学院学报》2003.1

《马氏文通》中以"不"为标志的否定句中"词语假借"再探讨/梁世红//《佳木斯大学社会科学学报》2003.2

《马氏文通》的"祈使句"研究/邵霭吉//《徐州教育学院学报》2003.2

论《马氏文通》的"次"理论/李润//《茂名学院学报》2003.2

《马氏文通》"语词"述评/麦宇红//《广州广播电视大学学报》2003.2

《马氏文通》的修辞学特色/刘开骅//《集美大学学报》（哲学社会科学版）2003.2

《马氏文通》的变换分析/彭永导//《南京林业大学学报》（人文社会科学版）2003.2

《马氏文通》转词小议/朱媞媞//《中文自学指导》2003.2

《马氏文通》语法体系的缺憾/王伟//《山西经济管理干部学院学报》2003.3

论《马氏文通》前的清代"形容词"研究/孙菊芬//《株洲师范高等专科学校学报》2003.3

读《马氏文通》介字篇/林亚红//《语文学刊》2003.3

《马氏文通》缘何没有单句复句术语/邵霭吉//《晋东南师范专科学校学报》2003.3

《马氏文通》之"读"的来源与流变/邵霭吉//《语言科学》2003.2

《马氏文通》研究的新成果/税昌锡//《遵义师范学院学报》2003.3

论《马氏文通》内动字、外动字之划分/张俊阁//《聊城大学学报》（哲学社会科学版）2003.3

论《马氏文通》对"于"字的研究/杜季芳//《聊城大学学报》(哲学社会科学版)2003.3

论马建忠的语法思想/林玉山//《福建师范大学福清分校学报》2003.3

《马氏文通》"加词"论析/邵霭吉//《连云港师范高等专科学校学报》2003.4

《马氏文通》与中国传统句法研究/徐红梅//《学术研究》2003.4

《马氏文通》对传统词论的继承与发展/徐红梅//《学术交流》2003.4

《马氏文通·外动字与止词》研究/张俊阁//《泰安学院学报》2003.4

浅论《马氏文通》的转词/何举春//《涪陵师范学院学报》2003.4

《马氏文通》转词初探/郭 力//《江苏大学学报》(社会科学版)2003.4

论《马氏文通》对连字"而"的研究/姜兴鲁//《聊城大学学报》(哲学社会科学版)2003.5

《马氏文通》标点校勘一则/邵霭吉//《江海学刊》2003.5

《马氏文通》的一处标点错误/邵霭吉//《中国语文》2003.6

《马氏文通》研究之一:语词中心说/羊芙葳//《广西社会科学》2003.9

《马氏文通》研究之二:语词"向"理论/羊芙葳//《广西社会科学》2003.10

《马氏文通》研究之三:语词中心说与"向"理论的继承和发展/羊芙葳//《广西社会科学》2003.12

从"分析"和"综合"看《马氏文通》以来的汉语语法研究/沈家煊//《〈马氏文通〉与中国语言学史》(姚小平主编),外语教学与研究出版社,2003

《马氏文通》与中西语言研究传统的关联/李 娟//《〈马氏文通〉与中国语言学史》(姚小平主编),外语教学与研究出版社,2003

马建忠生平考辨二题/蒋文野//《〈马氏文通〉与中国语言学史》(姚小平主编),外语教学与研究出版社,2003

蒋文野先生与《马氏文通》研究/姚小平//《〈马氏文通〉与中国语言学史》(姚小平主编),外语教学与研究出版社,2003

《马氏文通》来源考/姚小平//《〈马氏文通〉与中国语言学史》(姚小平主编),外语教学与研究出版社,2003

《马氏文通》与汉语文章学/王志平//《〈马氏文通〉与中国语言学史》(姚小平主编),外语教学与研究出版社,2003

从《经传释词》到《马氏文通》——古汉语虚词研究的传统与方向/孟蓬生//《〈马氏文通〉与中国语言学史》(姚小平主编),外语教学与研究出版社,2003

《马氏文通》的句读论研究/宋绍年//《〈马氏文通〉与中国语言学史》(姚小平主编),外语教学与研究出版社,2003

《马氏文通》"次"理论对汉语语法学的贡献/刘永耕//《〈马氏文通〉与中国语言学史》(姚小平主编),外语教学与研究出版社,2003

从《马氏文通》关于"次"及相关问题的论述看马建忠的"层次结构"思想/张和友//《〈马氏文通〉与中国语言学史》(姚小平主编),外语教学与研究出版社,2003

《马氏文通》析句方法中的层次分析观念/李春晓//《〈马氏文通〉与中国语言学史》(姚小平主编),外语教学与研究出版社,2003

《马氏文通》研究名词的方法及其意义/李开//《〈马氏文通〉与中国语言学史》(姚小平主编),外语教学与研究出版社,2003

马建忠"止词"概念的二重性和古汉语动词的分类研究/张猛//《〈马氏文通〉与中国语言学史》(姚小平主编),外语教学与研究出版社,2003

《马氏文通》"加词"析/邵霭吉//《〈马氏文通〉与中国语言学史》(姚小平

主编),外语教学与研究出版社,2003

《马氏文通》与助词"也"/李佐丰//《〈马氏文通〉与中国语言学史》(姚小平主编),外语教学与研究出版社,2003

《马氏文通》的成就/李佐丰//《上古汉语语法研究》(李佐丰主编),北京广播学院出版社,2003

《马氏文通》疑难例句辨析/白兆麟//《长江学术》第五辑(武汉),2003

2004

《马氏文通》研究/宋绍年//北京大学出版社,2004

《马氏文通》"散动"理论研究述评/刘承峰//《菏泽师范专科学校学报》2004.1

《马氏文通》标点校勘一则/邵霭吉//《古汉语研究》2004.1

浅析《马氏文通》字类划分/亓问香//《济宁师范专科学校学报》2004.1

《马氏文通》对兼语句的分析述评/李冬香//《阜阳师范学院学报》(社科版)2004.1

论《马氏文通》对"询问代字"的研究/张福善//《聊城大学学报》(社科版)2003.2

论《马氏文通》对"指示代字"的研究/张福善//《语文学刊》2004.2

论《马氏文通》对"指名代字"的研究/张福善//《山东省农业管理干部学院学报》2004.2

读《马氏文通》札记两则/李淑敏//《柳州职业技术学院学报》2004.2

对《马氏文通》的一点质疑/曹海东//《江汉大学学报》(人文社会科学版)2004.2

《马氏文通》对中国语文研究传统的继承和发展/林松华//《喀什师范学院学报》(社会科学版)2004.2

论《马氏文通》对"矣"字的研究/常俊之//《语文学刊》2004.2

关于《马氏文通》字类理论的再认识/张文国//《中央民族大学学报》2004.3

语法不能承受之重:《马氏文通》功与过的反思/戚晓杰//《汉字文化》2004.3

试论《马氏文通》的句法理论体系/邵霭吉//《江苏大学学报》(社科版)2004.3

吕叔湘与《马氏文通》研究/邵霭吉//《盐城师范学院学报》(人文社会科学版)2004.3

《马氏文通》的"两商之句"/邵霭吉//《新疆大学学报》(社会科学版)2004.4

评《马氏文通》的篇章语法分析/邵霭吉//《古汉语研究》2004.4

重评《马氏文通》的成就与不足/沈锡伦//《上海师范大学学报》(哲学社会科学版)2004.4

《马氏文通》"状字"观对现代汉语的影响/曾炜//《哈尔滨学院学报》2004.4

《马氏文通》的修辞学研究述评/朱庆洪//《哈尔滨学院学报》2004.4

论《马氏文通》对"焉"字的研究/常俊之//《山东省农业管理干部学院学报》2004.4

《马氏文通》札记三则/唐智燕//《柳州师专学报》2004.4

论《马氏文通》对"以"字的研究/邓文琦,杜季芳//《泰山学院学报》2004.5

《马氏文通》"象静司词"一例辩正/邵霭吉//《语文学刊》2004.5

论《马氏文通》对连字"然"的研究/常俊之//《聊城大学学报》2004.5
浅析《马氏文通·状字》/胡慧君//《湖北成人教育学院学报》2004.5
《马氏文通》中关于介词"之"用法分析的缺陷/戈丹阳//《宝鸡文理学院学报》(社会科学版),2004.5
论《马氏文通》对汉语词类和句子成分关系的认识——兼谈《文通》的"字无定类"和"字类假借"说/宋亚云//《湖北大学学报》(哲学社会科学版)2004.6
《马氏文通》"有""无"的归类问题/李丽群//《株洲师范高等专科学校学报》2004.6
论《马氏文通》的语料文本/陈榴//《辽宁师范大学学报》(社会科学版)2004.6
《马氏文通》对"乎"字的研究/甘斐哲//《天津成人高等学校联合学报》2004.6
《马氏文通》一句的三个问题/邵霭吉//《古籍研究》2004卷下,安徽大学出版社,2004

2005

《马氏文通》句法理论研究/邵霭吉//中国社会科学出版社,2005
《马氏文通》对实词虚化的研究/刘永耕//《福建师范大学学报》(哲学社会科学版)2005.1
论《马氏文通》中"犹、若、如"的语法归宿问题/甘斐哲//《衡阳师范学院学报》2005.1
《马氏文通》的"散动"学说辩正/邵霭吉//《洛阳师范学院学报》2005.1

《马氏文通》之"句"的再认识/邵霭吉//《语言研究》2005.2

1998—2003年《马氏文通》研究综述/秦学武//《河北科技师范学院学报》(社会科学版)2005.2

浅谈《马氏文通》与现代汉语词类划分标准之比照/陈燕玲//《闽西职业大学学报》2005.2

试论《马氏文通》"约指代字"中几组词的归宿问题/曾卫军//《桂林师范高等专科学校学报》2005.2

评《马氏文通》/高玉洁//《宿州学院学报》2005.3

马建忠语法观优劣论/俞允海//《信阳师范学院学报》(哲学社会科学版)2005.3

读《马氏文通读本》札记/邵霭吉//《扬州大学学报》(人文社会科学版)2005.3

论马建忠的语言教育哲学/李 开//《盐城师范学院学报》(人文社会科学版)2005.3

从《著作权法》谈《马氏文通》的著作权问题/邵霭吉//《盐城师范学院学报》(人文社会科学版)2005.3

试论《马氏文通》"加词"/魏胜艳//《安康师专学报》2005.4

西学东渐与《马氏文通》/陈 榴//《辽东学院学报》2005.4

《马氏文通》状字章的语义指向初探/李志兵//《语文学刊》2005.5

《马氏文通》"论比"刍议/徐 琴//《语文学刊》2005.5

《马氏文通》的一个引例错误/刘永华//《语文学刊》2005.5

《马氏文通》标点拾误/邵霭吉//《中国语文》2005.6

责任编辑与《马氏文通》的编辑质量问题/邵霭吉//《宿州学院学报》2005.6

评《高等国文法》《词诠》对副词的分类——与《马氏文通·状字》比较/徐 静//《语文学刊》2005.9